MÅNPOCKET

# KARIN FOSSUM
## DE GALNAS HUS

Översättning: Helena och Ulf Örnkloo

MånPocket

Omslag av Anders Timrén
Omslagsfoto © Bulls Photonica
Norska originalets titel:
De gales hus
© J.W. Cappelens Forlag a/s 1999
Svensk översättning av Helena och Ulf Örnkloo


www.manpocket.com


Denna MånPocket är utgiven enligt överenskommelse
med Bokförlaget Forum AB, Stockholm


Tryckt i Danmark hos
Nørhaven Paperback A/S 2001

ISBN 91-7643-798-1

*

Dörren in till det stora huset var bred och tung. Och tröskeln nersliten och full av flisor, en fördjupning i träet efter alla trötta fötter som i åratal hade gått in, och sedan ut, och så in igen. Tusentals fötter. In skulle de, några för att de ville, några för att de måste, de släpade sig in, de blev påskyndade och knuffade, vänligt eskorterade eller, vid några enstaka tillfällen, inburna.

Huset var bara ett av många i ett stort komplex som på avstånd, i sommartid när det var vackert väder, omringat som det var av frodiga träd och glittrande vatten, påminde om ett äventyrsland eller kanske en nöjespark. Om man till exempel på ena sidan sjön (Gud vet hur många som hade slutat sina dagar på botten av sjön, finns det någon siffra på det?) hade kunnat ana konturerna av ett pariserhjul eller skymta taket på en karusell. Det kunde man inte. Och det var inte särskilt nöjsamt heller. Nåja, kanske någon enstaka gång. Här, i detta frodiga landskap, en bit från huvudvägen och ännu längre från människor, låg anstalten, de galnas hus.

Komplexet bestod av tjugoen stora byggnader, men det här handlar om den smutsröda tegelkolossen på fyra våningar som kallades Varden. Och de som en gång bodde där. Korian och alla de andra. Och de som fick gå hem på kvällen. Lämna huset och sova någon annanstans. Och de som valde att jobba på natten, som kom tassande i skymningen, som frivilligt valde att tillbringa dygnets mörkaste timmar på det här spöklika stället. Och de som någon enstaka gång kom på besök, om de hade fått audiens och det var inte lätt, en del fick det aldrig. Och de som städade där inne och som lagade mat, som bytte säkringar och reparerade, som rensade oljepannan i källaren. Och de som kom på inspektion, du vet, Kontrollkommissionen. Aldrig såg man ett så tafatt

5

sällskap gå genom de gröna korridorerna som då.

Man skulle kanske kunna tro att det i ett sådant hus, som rymmer så mycket förtvivlan och ångest, uppstår en speciell lukt, ett eget ljud, kanske ett brummande, en sorts underjordisk ström djupt nere i källarmurarna som hördes när man öppnade dörren, och så var det. Trots att huset innehöll samma saker som alla andra hus, möbler och gardiner, blommor i krukor (stora röda terrakottakrukor som ibland flög som dödliga projektiler genom rummet), bilder på väggarna, trasmattor. Här inne fanns alltid en sårad själ, en besvikelse, en förlorad kamp. Här inne fanns ångest och fruktan, raseri och arrogans. Men det fanns tillräckligt med mat, och någon enstaka gång tillräckligt med personal och ett urval kemikalier för varje sinnestillstånd. Det gällde att hämta upp människor från bottenlösa djup och dra ner dem från de högsta topparna, vi föredrar lugn och ro på avdelningen, vi ska dessutom jobba här, och de svagaste måste skonas. Radio, teve, telefon. Många telefoner, de ringde oavbrutet. Det var många viktiga saker att säga om allt som hände, allvarliga besked, avgörande åtgärder, beslutsamma nickar.

Söndagarna. Långa och trötta. Mer mediciner på matbrickan än vanligt på grund av mindre personal, inte för något annat, det ska ingen tro. Och vardagarna, med styv kuling, hagelbyar, orkaner, kallt krig, risk för brand i motorerna på den här halvvägs sjunkna, ruttna skutan. Uppror. Förtvivlan. Den fräna lukten av människor som hade gett upp, instängda i inbillade källare, i ett skärande ljud, i en tvångströja av tankar. Besättningen kommer vi tillbaka till. Här inne hände samma saker som utanför. Skillnaden var inte så stor, det här samhället var bara mindre, allt blev tydligare, upproret blev synligare, omöjligt att ignorera. Och emellanåt små glimtar av livet, det kunde i sig bli påträngande intill det outhärdliga, om några satte igång att leva det, om några till exempel kysstes i korridoren. På gruppmötena blev man anmodad att hålla sådana saker privat, det vill säga på rummet, i cellen. Döden, när den plötsligt slog ner, blev en förlamande klo över allt och alla, så att brummandet, det som alltid hördes från motorerna i källaren (det var självklart oljepannan, själva anstaltens hjärta), så att till och med det stannade upp och det blev dödstyst. Då stannade skutan och krängde hjälplöst omkring utan land i sikte. Avdelning

Varden. Den högsta punkten med sitt imponerande torn och med utsikt över hela nöjesparken. Sjön och skogarna och bondgården, där patienterna kunde lukta på säd och hästlort eller klappa en gammal kamp eller, än värre, sitta gränsle över hästkraken medan en vårdare ledde omkring den. (Man kan inte lita på hästar, de är så nervösa, de flesta skulle egentligen läggas in, en av dem stannade varje gång han kom till en vattenpöl, och då måste man göra en volt för att få förbi den, det kallar jag tvångstankar.) Köket. Butiken. Nej, de sålde inte öl där, inte porrtidningar heller. Det lilla som gjorde livet värt att leva var utrensat. Nu var det inte långt till närmaste affär utanför anstalten där man fick köpa det mesta, och det gjorde folk. Trafiken. Varuleveranserna, till och från tvätteriet och köket och avdelningarna. Ambulanser och taxibilar, då och då polisen. Den jämna strömmen av människor på vägarna, de flesta medvetna om vad som hände i området, en och annan förvirrad själ med konstig gångstil eller utseende eller beteende väckte inte särskilt stor uppmärksamhet, om man inte var här för första gången förstås.

Gräsmattorna, gröna som gift, täta som sammet, irriterande välskötta, och dessutom uppmanades man att gå på dem, springa omkring, gärna spela fotboll. Gräsmattorna var viktiga på något sätt, de måste vara det, så välskötta och välhållna, kalkade och vattnade, klippta och besprutade som de var. En naiv tro på att bara det var blommor och grönska, vackert och välvårdat skulle allt ordna sig. Det gjorde det inte. I verkligheten var gräset och parken, blommorna och statyerna (knubbiga barn med utsträckta händer, örnar i flykt, stolta unghästar) mer en tröst för de anhöriga, som skulle komma hit med det de inte själva klarat av och lämna ifrån sig det utan alltför dåligt samvete. Och visst var det vackert. Betagande som en saga. Ett litet land för sig självt som hade allt. Imponerande arkitektur, små butiker, åkerjordar och hästhagar, idylliska stränder, badbryggor och broar. Flera kilometer med asfalterade gångvägar. Och skidspår på vintern. Men inte många kunde sätta ett par skidor på fötterna, bara de terapeuter som ansvarade för den fysiska biten, som var en del av programmet. Allt det där man senare minns från ett långt liv. En bråkdel av det som faktiskt hände, hjärnan har inte rum för allt, bara fragment av ljus och ljud och lukter. Och vad blir kvar? Och varför?

Är det kanske slumpartat, och hur selektiv är hjärnan när den väljer? Väljer den? Väljer det undermedvetna, väljer själva händelsen i sig själv, bara den är stark nog? Men också andra, till synes obetydliga saker blir kvar. Som Formels spetsiga knän i de alltför korta terylenebyxorna och Odins tatuering tvärs över det breda bröstet.

Mom, I love you.

*

Marvin var bara åtta år. En spensligt byggd och väluppfostrad pojke som bodde med sin mor i en fattig, men inte direkt förslummad förort utanför en stad i Amerika, jag kommer inte ihåg vilken. Marvin var brun som kaffe, en aning mörkare än modern, och det krusiga svarta håret var flätat i stenhårda flätor. De stod rätt upp som antenner från huvudet. Det var bara de två, för fadern hade stuckit. Men de klarade sig, för modern jobbade och Marvin gick i skolan, där han klarade sig bra. När han kom hem från skolan satte han sig med läxorna och väntade på henne, och sedan åt de tillsammans när hon kom hem. Ris och bönor, kyckling i curry, fish and chips. Diskade. Sedan tittade de på teve. Så gjorde han sig i ordning vid handfatet och gick till sängs, och hon följde honom och bredde täcket över den tunna kroppen. Satt en stund och betraktade honom, så som mödrar gör när barnen sover. Älskar det här barnet, älskar det! En morgon vaknade Marvin med feber. Modern kände honom på pannan och bestämde att han skulle ligga kvar. I sängen. Hela dagen. Ända tills hon var hemma igen. Och inte låsa upp för någon. Inte för någon, hör du det! Här var det inte tal om betald frånvaro för sjukt barn. Här var det inte tal om att stå upp för sina krav och slåss för sin rätt. För modern var det bara att gå till jobbet, gå till jobbet till varje pris, eller bli arbetslös och svälta. Så hon gick. Med oro i kroppen kanske, men så fruktansvärt dålig var han nu inte, och vatten kunde han hämta i kranen i köket. Och hon ringde till skolan och sjukanmälde honom. Allt var i sin ordning. Hon hoppades att dagen skulle gå fort, så att hon kunde komma hem till honom och sköta om honom. Hon jobbade och jobbade. Marvin svettades och svettades, han hade ont i kroppen och var yr. Han sov en stund, och vaknade av att dörrklockan ringde. Han låg alldeles stilla i sängen och hörde den skärande ringningen gång på gång. Inte öppna för någon. Bara kika genom glaset. Benen var ostadiga och det susade i huvudet. Genom rutan såg han två pojkar, han kände dem, de bodde i närheten. Lite äldre än han. De ville in, sa de. Prata med honom, det var viktigt. Marvin tvekade. Han visste vad den ena hette, det kunde inte skada om han släppte in dem. Han vred om nyckeln. Så trängde de sig in, tre stycken, den tredje hade klämt in sig mot väggen, utanför Marvins synfält. Han var större än de andra. Marvin hostade och sa att han var sjuk. Pojkarna nickade och skrattade högt. Föste honom tillbaka till sängen. Började rota i lådor och skåp. En av dem hade kniv. Törs du läsa vidare? Vi vill så gärna att det slutar gott, för alla vi känner, till och med för dem vi inte känner, för innerst inne är vi alla goda, i alla fall vill vi inte höra om det. Vi försöker fly. Gömmer oss. Marvin gömde sig darrande under täcket.

Den store rev av honom täcket, stack kniven under näsan på honom. Så låg han och darrade i sängen, medan han väntade på att allt skulle gå över, att de skulle hitta det de var ute efter. Pengar eller något annat. Det luktade konstigt av dem. Inte gick de igen heller, han började att gny lite, kunde inte hejda sig, och det tålde de inte. De var tvungna att sticka honom för att hålla honom lugn, och då började han skrika så att de blev tvungna att ta en strumpa som de pressade in i munnen på honom. Han var tät i näsan på grund av förkylningen och fick ingen luft. De stack och stack med kniven, kanske så mycket som tjugo gånger, men han rörde sig fortfarande, och de andra blev utom sig av raseri för att han aldrig kunde vara tyst, så de gick till köket där de hittade en köttkniv (amerikanerna har alltid en sådan i köket till de stora biffarna), och två stycken höll ner honom medan den tredje högg av alla krafter, över nacken och över ryggen.

Många timmar senare kom modern. Dörren stod på vid gavel. Marvin låg i bitar på sängen. Och det var då Odin reste sig så häftigt att hans stol flög rakt in i knäna på den som satt bakom, Ruben tror jag, och lyfte armarna, de väldiga armarna, och gick fram till väggen där teven hängde, medan de andra satt som förstenade på stolarna. För Odin tog tag i teveapparaten, som satt fast i väggen enligt reglerna, slet loss den och vräkte den i golvet så att glaset yrde åt alla håll.

– VARFÖR MÅSTE JAG VETA DET HÄR? rasade han, men rösten skalv av smärta och förtvivlan. En liten och ganska apatisk grupp människor såg häpet på honom. Det var i teverummet på Varden, och många hade velat se det amerikanska reportaget om det fasansfulla mordet. Kommentarerna var på norska. Detaljerna var många.

– SKA VI INTE FÅ VARA I FRED NÅGONSTANS FÖR VÄRLDENS ELÄNDE?

Vårdarna kom springande från alla håll. De övermannade honom, höll fast honom (de fick hålla fast, patienterna behövde gränser, armar som höll hårt och varmt, tryggheten att inte kunna slå, rymma, lätta från golvet, sjunka).

– Fan, Odin, sa någon, nu får vi vara utan teve jävligt länge!

Så gick de slokörade till dagrummet i stället, där fick man i alla fall röka. Odin stod fjättrad på golvet och skakade. Han påminde om ett jättestort träd som alltid befann sig i full storm. Vi kommer tillbaka till Odin. Det som emellertid är tragiskt här är att folk kom långväga ifrån till just det här huset, de stod på väntelista för att få komma hit, såg det som en räddning. För att de trodde att här inne härskade något slags frid, något slags frihet från sjukdom och död och elände. Här på anstalten. Tillflyktsorten.

Hit kom Tormod, som vi kallade Tussi för att han var så fruktansvärt nedstämd och deprimerad att han påminde om den blå åsnan i böckerna om Ole Brumm. Han hade samma fuktiga ögon och slappt hängande armar, en ständigt nedslagen blick och ett tungt huvud som han aldrig riktigt orkade lyfta. Hit kom Ruben, vackre Ruben (hans hår var colafärgat och krullade sig som serpentiner), som alltid log och tyckte om alla, som alltid hade något snällt att säga, som om han älskade livet. Men mest av allt älskade han sig själv med en uppriktig förtjusning som charmerade alla. Tog han sig en älskare var det helst en man som liknade honom själv. Och hit kom Annvor med hunden, hon var vacker och kylig som en blek sorbet, och Tore som var kvinna, ja, hon hade pojknamn och såg ut som en pojke, men fysiskt sett (bara fysiskt sett) var hon kvinna, en bråkig, högljudd, nikotingul varelse som härmed får namnet Stormcentret, och hit kom Formel, mattegeniet, som alltid gick omkring med för korta byxor och en trasa i handen, och det var Disco med de vaggande höfterna och håret som stod rätt upp, en äkta Tony Manero, och Moffa som använde morfin (men aldrig medan han var inlagd på Varden) och Kajsa med blåsorna och Sonja med barnet, och Tjuven Tjuven och Jungfru Maria och den galne finnen längst bort i korridoren och ännu flera. Margit som skurar golvet. Vaktmästarn. Freiner och Mulatten som solade för mycket solarium och Stetson med den vita hatten och Kockan i köket och Timber som alltid gick i rutig flanellskjorta och Kanvas och Cato med finnarna (som det är omöjligt att säga någonting gott om) och Mor med det snövita håret. Och slutligen den räddande ängeln, Vikarius.

*

16 mars 1978.
Den dagen hände flera upprörande saker. Liberiatanken Amoco Cadiz gick på grund utanför Bretagnes kust. Råoljan drev ut i havet, tvåhundratjugotusen ton. Fiskbeståndet drabbades hårt. (Varför ska allt som lever i havet förskonas? Tänk på allt som drabbar oss människor.) Tiotusen fåglar dödades. Har du sett en fågel insmord i olja? Den blir så liten och tunn, så sorgligt svart, vingarna sitter som limmade intill kroppen, man kan inte se ögonen, de är igentäppta och klibbiga.
Ledaren för det kristdemokratiska partiet i Italien tillfångatogs och fördes bort. Den sextioett år gamle Aldo Moro. (Gift, flera barn.) Fem av livvakterna mördades på stället. De röda brigaderna tog på sig ansvaret, förmodligen med stolthet.
Jag kan inte komma ihåg att de där tragedierna gjorde intryck på mig. Jo, jag uppmärksammade dem, men de gjorde inte intryck på mig, inte omedelbart. Jag var likgiltig, känslolös för världens elände, det angick mig inte. Nej, jag hade aldrig varit i krig, hade bara hört rykten, men det var illa nog. Bilderna jag skapade hade lukt och färg, människor som skrek oavbrutet i djupaste smärta, de klirrande ljuden av vassa knivar, de dova tunga ljuden av hårda slag mot nakna kroppar, girighet och vanvett som lyste ur gula ögon, lukten av blod och inälvor, jag kunde inte sova längre. Det rann från tapeten, det droppade från kranarna, tak-

11

lampan svängde som en dödens pendel över mitt huvud, där jag låg i sängen med uppspärrade ögon.

Det var på den tiden jag gick omkring i Oslo med en stor sorg i kroppen. Den hade funnits där i åratal, i början var jag bara trött hela tiden, det spände i huvudet, jag tyckte om att föreställa mig att ett blodkärl i hjärnan skulle sprängas och en varm flod skulle dränka alla tankar, alla bilder. Jag ville in i ett tanketomt mörker, jag ville bort. Om bara ett blodkärl ville sprängas. Men det hände aldrig. Jag slutade äta, slutade sova. Gick ut med tunna kläder på natten för att frysa. Läste Sylvia Plath. Drack whisky på fastande hjärta, spelade Janis Joplin på högsta volym, började måttfullt på trettio och arbetade mig uppåt mot sextio på Bang Olufsen-anläggningen. Det var som knivar i öronen. Delar av hörseln försvann. Blodkärlen vibrerade, men tror du de sprängdes? Jo, jag hade vänner. Peter till exempel. Men det finns gränser för vad man kan utsätta vänner för. Så jag fortsatte att gå genom stan, i kylan, i mörkret, förr eller senare skulle jag falla ihop och bli bortburen. Vart spelade ingen roll, soptippen skulle ha dugt åt mig. Men jag föll inte ihop. Det som oroade mig, efter flera dagar, var hur länge det faktiskt var möjligt att vandra omkring utan mat och utan sömn, utan att något hände. Jag ringde en läkare. Han bad mig uppsöka en psykolog. Jag förklarade att jag hade en, att jag hade haft en i åratal. Då har du tur, sa han lakoniskt, de flesta står på väntelista, några får vänta i ett år. Jag gick från telefonkiosk till telefonkiosk. Stod med luren i handen. Min egen läkare, doktor Raglan (han hade inga axlar utan sluttade patetiskt neråt från halsen) hade vid flera tillfällen sagt att jag bara skulle ringa, när som helst, dag eller natt. Det var natt nu. Jag ringde. Han svarade med hes röst. Kom till praktiken klockan nio, sa han optimistiskt. Och menade väl att han hade tänjt sig över alla gränser. Jag sa: Jag kan inte vänta så länge, jag tror att jag måste läggas in, jag känner att det är bråttom.

Hör du röster? frågade han.

Nej, sa jag. Det var ett dåligt drag.

Det är svårt, om inte omöjligt att få plats i psykiatrin så som situationen är nu, förklarade han. Vi funderar ut något. Var är du?

På Bygdøy allé.

Då är du ju praktiskt taget hemma! Gå och lägg dig.

Adjö, doktor Raglan! skrek jag förtvivlat. Och tack för allt!

Jag lät luren hänga. Det var mitt eget liv som hängde där och pendlade, långsammare och långsammare, nere vid det skitiga golvet inne i telefonkiosken. Det susade i huvudet. Jag var så hungrig så det gnisslade och pep i hela organismen, tarmarna jämrade sig, magsäcken knöt sig i kramper, det brusade i öronen. Det dansade prickar och gnistor framför ögonen. Jag hade ett hyresrum men kunde inte gå dit och låtsas som ingenting. Jag gick vidare, uppför Bygdøy allé. Passerade Norum Hotel. Ja, det var klart, jag gick trots allt upprätt. Inte hörde jag röster heller. Om jag däremot hoppade från taket på Norum, blev jag väl intagen ögonblickligen. Om det var något kvar att ta in. Eller så kunde jag stoppa första bästa jag mötte, kasta mig fram och ta struptag. Eller kasta mig in i ett fönster. Jag började leta. Jag ville stanna tiden, jag ville att alla skulle höra. Och så sprang jag. I sista sekunden ångrade jag mig och vände huvudet åt sidan. Jag minns ännu tjuvlarmet. Nej, jag var inte särskilt engagerad av livet i havet eller av bortrövandet av Aldo Moro. 16 mars 1978 blev jag inburen över tröskeln till Varden.

*

MENY VECKA 12

Måndag:    Rimmad torsk, kokta morötter.
           Katrinplommonsoppa.

Tisdag:    Pannkakor med sylt.
           Färsk frukt.

Onsdag:    Köttfärslimpa med stuvade grönsaker.
           Ris med rårörda lingon.

Torsdag:   Lappskojs.
           Äppelkräm.

Fredag:    Fiskgratäng med nudlar.
           Chokladpudding med vaniljsås.

13

Lördag:         Spagetti med köttfärssås.
                Glass.

Söndag:         Skinkstek med surkål.
                Änglamat.

*

Att komma till Varden var ett nederlag, en befrielse, en stor skam.
Helvetet, fast ändå hetare, svårt bortom allt förstånd. För Moffa
var det en fest. Han var ett klassiskt returfall. Dök upp med jämna
mellanrum, mager och hålögd efter månader på morfin. Skakade
hand med några. Log till höger och vänster och intog dagrummet
med ett brett leende. Inne på anstalten var Moffa ett mirakel av
livsglädje. Han var till stor nytta för andra, hans skratt rungade
genom korridorerna, våldsamt och översvallande, från hjärtats
djup. Så kastade han sig över maten. På rekordtid åt han sig upp i
vikt och blev axelbred och imponerande, men aldrig fet. Han fick
runda kinder och blev allt godmodigare. Han njöt av livet. Sa nå-
got snällt till alla, även till personalen. (Men inte Cato med fin-
narna. Ingen sa något snällt till Cato.) Utanför var Moffa förlorad.
Världen var för stor för honom, han gick vilse, stod på näsan, fann
aldrig ro. Efter två tre månader kom han alltid tillbaka till Varden.
Inte krossad på något sätt. Han kom för att vila. Jag tyckte så
mycket om Moffa. Jag skulle gärna ha gift mig med Moffa, men
han valde Jungfru Maria i stället, och det förstår jag så väl. För
Maria var söt. Och även om hon bara var religiös när hon var psy-
kotisk (då var hon till på köpet ingen mindre än Jesu mor), så var
hon from och stillsam och ödmjuk till sin natur. Och mycket
snällare än jag. Jag har aldrig varit snäll. Moffa hade tätt krusigt
hår och en liten prydlig mustasch. Han gick alltid omkring i svarta
jeans, som hölls uppe av ett bälte med mycket metall på. Han rök-
te Rød strek, rökte tills fimpen var så liten att han spottade den
rätt i askkoppen. Maten på Varden gjorde underverk med Moffa,
den hålögde försvann och en kraftig karl med stora biceps såg da-
gens ljus. Moffa kunde användas till allt, till att släpa, till att duka
av borden, till att lugna ner de andra patienterna. Knuffa igång
minibussen när den inte ville starta. Sopa upp glasskärvor. Hela

tiden gnolade han muntert, och då och då tvinnade han musta-
schen till två trådsmala, eleganta spetsar. Utbrott, som vi hade
många av, ibland rasande, fick honom aldrig ur balans, utom en
gång. Det kommer vi tillbaka till. Han var alltid på gott humör,
slängde käft med alla men var aldrig elak, retades bara kärleks-
fullt. Att få Sonja upp på en häst, till exempel, var ingen lätt sak,
hon var ganska baktung. Det klarade Moffa, men inte utan kom-
mentarer. Han var stark som en björn. Så fick han stanna en tid,
om han följde programmet. Men förr eller senare blev han utkas-
tad, han tog upp en plats. Innanför var han frisk, friskare än nå-
gon annan jag har känt. Utanför föll han ihop. Jag vet ingenting
om Moffa som barn. Men all den kärlek han överöste oss med
kunde tyda på att någon en gång hade älskat honom högt och
innerligt. Att han inte fann sig tillrätta där ute, att han inte klara-
de vardagen med alla fasta rutiner, oskrivna lagar, miljoner av sig-
naler och symboler och därför inte kunde passa ett jobb, följa reg-
lerna och komma ut på andra sidan, det kallade de sjukdom.
Vidare var de av den uppfattningen att sjukdom kan och ska bo-
tas. Jag talar om personalen. De var starka i tron, de gav aldrig
upp. Dessutom hade de pillren. Moffa var emellertid en måttlig
förbrukare, han klarade sig på en färg två gånger om dagen. Men
när man saknar de där konkreta, viktiga sakerna som fast adress,
fast anställning, fasta vänner, för att inte säga rutiner i allmänhet,
är man inte mycket värd. Man är helt enkelt ett hot. Att det finns
människor som inte kan, det är en sak. Men att det finns männi-
skor som inte vill, det är Gud hjälpe mig det värsta. En förolämp-
ning mot den flitiga människan. Eftersom de flesta inbillar sig att
de måste. Anpassa sig. Är man sjuk när man inte vill? Hans liv på
Varden var ett bra liv. Först och främst blev han viktig för andra.
Men det var alltid någon som tog mer plats, som tog starkare dro-
ger, som tog sitt liv. Med mer eller mindre framgång. Och som
därför måste in, så att Moffa måste ut. Tussi till exempel.

Tussi. Jag saknar dig så! De vattenblå ögonen, de mjuka kinderna.
Jag minns ännu leendet. Så litet och tunt. Tussi försökte med jäm-
na mellanrum dränka sig. Han lämnade avdelningen tyst och
omärkligt, och kom senare tillbaka drypande våt.
   – Jag flyter upp hela tiden, klagade han, medan tänderna skall-

rade. Varg, varg, tänkte personalen och log godmodigt, det var så man log åt Tussi.

– Du står på dig bra, vet du, sa de och ville nypa honom i den stora valken runt midjan. Men då vände han sig sårad bort.

Jag kom till Varden sent på natten, halvt stödd och halvt buren av två vårdare. In över tröskeln, nerför korridorerna. Det värkte och sved i de etthundrasextio stygnen efter flygturen genom butiksfönstret. Jag var äntligen framme. Det var så jag kände det. Jag tog bittert fel, men det visste jag inte då, den 16 mars. Aldo Moro visste heller ingenting om den bittra framtiden. Jag minns ännu hans ansikte på fotografiet som De röda brigaderna skickade ut till världspressen. Ängsligt och naket. Nej, inte släpper vi femton fångar fria för din skull. Principer. Risken för att terrorismen skulle blomma upp i samhället. Nationens framtid.

Jag kom in i ett rum och föll ner på en säng. Jag hade känslan av att nu hade jag äntligen tagit mitt förnuft till fånga. Jag hade gett upp. Det var så lätt. Att jag inte hade kommit förut! Jag hade trampat omkring i tjugofyra år och varit missnöjd största delen av tiden. Tjugofyra år, av ett liv på kanske åttio, det är mycket. Jag gjorde helt rätt när jag föll ner på den stenhårda sängen, det var med vett och vilja, med tillfredsställelse och lättnad. Sängkläderna var hårdmanglade och luktade ingenting. Det luktade ingenting från rummet överhuvudtaget, men det luktade av mig. Någon hjälpte mig av med kläderna. Det var annars utmärkt att ta farväl av livet i smutsiga kläder. Jag skulle i alla fall inte tala med någon. Inte hälsa på fler människor, inte höra på fler teorier om varför och hur vi ska leva, inte jo tack, det knallar och går, det ordnar sig nog. Jag hade fått nog. Frånvarande tänkte jag just när jag skulle somna, troligen sova en kemisk sömn, att jag befann mig på anstalt. Och att det var något skrattretande med hela situationen. Jag var ju inte precis sjuk. Och tobaken, fick jag med mig den?

*

Tussi var en pudding. En blek, skälvande gestalt som dallrade vid minsta rörelse. Det var kanske inte för många kilo som var det största problemet, snarare att kroppen saknade stadga och spänst, den vikt han bar på strävade hela tiden ner mot golvet, satt inte

16

fast i skelettet. Han gick som om han hade simfötter, det sa tapp, tapp, hårda smällar med fötterna mot linoleumgolvet. Han var inte heller sjuk, som han såg det själv, men han hade elaka eksem. Förorsakade av mikroorganismer från en annan dimension, hittills okända för människan. Att de alls hade hittat vägen genom rymden och landat på just denna planet, på just hans kropp, var Guds straff för synd och orenhet. Hans hud var röd och irriterad och full av sår, men vid den tiden jag träffade honom trots allt inte så illa. Odin berättade att när Tussi kom till Varden var han nästan skinnflådd. Men om han bad flitigt och gjorde bot på bästa möjliga sätt genom att neka sig själv fysisk kontakt med andra människor och tvätta sig grundligt varje halvtimme, skulle plågan förr eller senare försvinna. Gud är nådig, sa han milt och vippade med ögonfransarna. Den synd han hade begått måste ha varit en av dödssynderna, tänkte vi, eftersom straffet var så hårt. Mikroorganismer från en annan dimension, och då talar vi inte om snatteri i butiken eller att fumla under täcket. Men när vi frågade honom, såg han förvirrat på oss och sa nej, nej, det minns jag inte. Han gav nästan aldrig upp. Modern (grå och torr som drivved) kom och hälsade på honom varje dag, hon bad för honom, tittade på hans naglar, om de var rena. Hon var mycket liten och hade en stram knut av grått hår i nacken. Tussi var besatt av att inte smitta andra med de lömska bakterierna, därför klädde han sig i ljusblå städrock som han fick från linneskåpet, en ren varje morgon, och på händerna hade han tunna gummihandskar. Kom någon för nära studsade han tillbaka och lyfte varnande händerna. Han undvek att tala rätt i ansiktet på folk, han vände huvudet åt sidan eller nedåt och talade lågt och tyst så att ingenting skulle spruta ut från den lilla röda munnen och in i ansiktet på någon annan, en värdigare och helt oskyldig själ. Men han log alltid, ett vemodigt leende, det var som han sa, allt är så sorgligt, stackars oss, å, stackars oss. Så knäppte han händerna. Böjde huvudet. Gick till fönstret och ordnade med blommorna.

Tussi hade alltid en ledsagare med sig. Han fick inte gå till badrummet för ofta, inte tvätta händerna. Han blev helt ifrån sig när han inte fick tvätta händerna, hetsigt röd om kinderna, blank i ögonen, det ryckte i mungiporna. Några av de snälla vårdarna lät honom hålla händerna under rinnande kallt vatten, men han fick inte torka dem med handduk. Huden var nästan läkt, när någon klok själ kom på att de skulle ta med Tussi till sjukhuset för en undersökning. En bakteriolog, till exempel, kunde lära Tussi ett och annat, göra hudavskrapningar från händerna och hårbottnen, kanske till och med från tungan, lägga dem i mikroskopet och identifiera bakterierna en efter en. Dokumentera deras jordiska ursprung, så att säga. Det här är en del av din naturliga flora, den skyddar huden mot inkräktare och är helt nödvändig för din hälsa, och det du har på huvudet här, och på tungan, och under naglarna, är helt normalt och fullständigt nödvändigt, och alla andra människor går omkring med precis samma kryp, de är i din säng och dina kläder ...

Sa bakteriologen, röd och ivrig över all denna kunskap. Så dags var Tussi på väg att svimma. Hade han inte rätt! Mängden av kryp han nu kunde studera med egna ögon genom linsen i mikroskåpet stegrade hans ångest och fasa. Han måste omedelbart tillbaka till Varden och tvätta sig, helst i denaturerad sprit, och därefter dusch i skållhett vatten, vira in sig i ett badlakan, och isoleras en gång för alla. Maten skulle komma in genom en lucka i dörren. Överhuvudtaget ingen kontakt med någon! Jag måste nog få ett munskydd, bad han med gråten i halsen.

Tussi kom och gick inte, han bodde på Varden i åratal. Modern såg till att han gjorde det. Jag tror hans mor ville ha honom där, ha honom under uppsikt. Det är ju outhärdligt när barnen går sina egna vägar, se deras ryggar försvinna genom dörren, inte kunna hålla reda på vad de gör. Tänkte mödrarna, jag mötte många av dem på vården. Hur vågar du, tänkte de. Hur vågar du bli en annan än det jag hade tänkt? Sårad blick. Snörpta munnar. Efter allt jag har gjort för dig!

Jag såg mödrar ligga över sina barn som hermetiska lock. Tussis mor, hon var spenslig och mager, stram och grå, hon sa nästan aldrig ett ord (utom när hon bad). Hon bara såg på honom, och Tussi kröp för henne. Hon var så stark att hon frätte bort hans hud bara genom att se på honom, det var väl därför han hade sår överallt. Du tror det här är omöjligt, du, men du anar inte. Allt det här konstiga som händer mellan människor, all den här kraften. Varför är det ingen som talar med henne? tänkte jag i min enfald, medan jag fortfarande hade visioner om det här stället, en av Europas främsta kliniker för modern psykiatri, specialiserad på problem med droger. (Tussi var bara beroende av tvål, men det är nästan samma sak.) Varför är det ingen som slår näven i bordet? Som håller henne borta, som förklarar för henne att Tussi behöver luft! Inte ens Odin gjorde det, ändå tyckte han så mycket om Tussi. Odin var stark. Han var ett kraftpaket. Om Odin hade velat, kunde han ha skrämt Tussis mor tvärs genom den låsta dörren bara genom att höja på ena ögonbrynet. Men han hade väl nog med sig själv. Bara han fick mat var han nöjd. Det var det här med maten, det förvånade mig alltid. Du får lov att äta lite nu. Eller tala om det, lilla vän, så ordnar det sig nog. Men jag åt inte, och jag talade inte, låg bara tyst i ett tanketomt mörker. Livet var redan mycket bättre.

Långt fram på natten vaknade jag. Försökte kämpa emot men steg obönhörligt mot ytan. Ansiktet stramade och värkte, det sved och stack i etthundrasextio stygn, jag kände vartenda ett som en nål genom huden. Att vakna är smärtsamt. Jag återfick medvetandet med ett skärande ljud, det skramlade och lät som en blåsorkester, en ny dag i antågande som jag inte ville ha. Stygnen värkte något fruktansvärt, och djupare in pulserade blodet genom ådrorna, obehindrat och ihärdigt, vi måste runt i kroppen, till fingrar och tår, hålla den här kroppen vid liv till varje pris, sjöng blodet. Det var konstigt att blodet ville, när jag själv inte ville. En strimma matt ljus syntes på väggen över sängen, det betydde att dörren stod öppen ut mot ett annat rum. Var det någon där? Kom de ihåg att jag låg här inne? På den tiden trodde jag uppriktigt att någon höll vakt över oss, varje minut. Jag var trots allt på sjukhus. Hade krånglat, eller rättare sagt kastat mig till en plats på psykiatriska avdelningen. Bokstavligt talat smitit före i kön. Till och med utan att höra röster, men jag blödde som en gris efter turen genom skyltfönstret, och det var det som skulle till. Blod kan människor förhålla sig till, blod hastar. Det värkte mer och mer. Bedövningen försvinner. Jag måste ha smärtstillande. Det fanns ingen ringklocka vid sängen. Skulle jag bli tvungen att ropa på hjälp? Jag hade ju äntligen gett upp. Att ropa på hjälp var att räkna som ett nederlag, jag hade ju lagt mig för att dö. Och nu kom de här smärtorna och förstörde för mig. Jag kisade ut genom den halvöppna dörren. I ljuset där ute såg jag en arm, klädd i rutig flanellskjorta. Den rörde sig inte. Jag stirrade och stirrade på armen, försökte med tankens kraft dra till mig uppmärksamheten. Men jag hade inte kraft nog. Stygnen sved, tårarna rann, jag svettades i pannan, det började dunka hotfullt inne i huvudet, jag måste kanske satsa på det där blodkärlet nu, att det äntligen skulle sprängas. Men det sprängdes inte, och den rutiga armen rörde sig inte, och jag var torr i munnen och outhärdligt törstig.

Då märkte jag att jag inte var ensam i rummet. Innerst inne i hörnet vid fönstret, på golvet, fick jag syn på ett par nakna fötter. Breda och vita. De stod helt stilla. Jag lät blicken glida upp över benen, de var håriga och kraftiga, alltså var det en man. Han stod inklämd i hörnet, bara i underkläder. Jag tyckte att det var konstigt att han stod så, utan ett ord, att ingen hade lagt märke till honom och följt honom tillbaka till sängen. Eller var det nu var han hörde hemma. Hans ansikte var naket, det såg ut som om han väntade på någon, eller kanske han var rädd för att någon skulle komma och hitta honom här, i mitt rum. Han såg mig inte, kurade bara ihop sig i hörnet och vred sina händer. Det såg kallt ut att stå så utan kläder. Jag borde kanske ropa på någon, se till att någon hjälpte honom. Men just när jag skulle ropa kom två män in i rummet. De bevärdigade mig inte med en blick utan gick raka vägen bort till den halvnakne mannen. De hade varsin påk i händerna. Mannen spärrade upp ögonen och hann precis krypa ihop, innan de började slå. De slog honom hårt över axlarna och ryggen, två gånger var. Han kved svagt, började sjunka ihop, men han föll inte. Så gick de ut igen. Jag låg helt stilla och tyckte det var konstigt att han inte skrek. Och jag kunde inte förstå varför de hade slagit honom. Länge låg jag och grubblade på det, i ett par minuter hade jag glömt smärtorna, nu kom de tillbaka igen. Jag tittade ut genom dörrspringan på mannen där ute. Han låtsades inte om den lilla episoden som just hade inträffat bara några meter från honom, och det tyckte jag var underligt. Nu rörde han sig plötsligt. Kort därefter stod han i dörren och såg på mig. Han hade tjockt silverfärgat hår och axlar som en timmerhuggare. Jag kunde inte låta bli att tänka på ett hembakat bröd med brun skorpa. Jag var trots allt hungrig.

– Får du inte sova? frågade han. Stillsamt.

– Ont i stygnen, gurglade jag motvilligt. De var ju självförvållade, men gjorde lik förbannat ont.

– Jag ska fixa något, sa han och gick. Det slog mig i detsamma att jag hade glömt att berätta om den stackars mannen i hörnet, och nu var det för sent. Det ringde svagt i en klocka. Några ord växlades, jag hörde dörrar som slog och rasslet av nycklar i ett lås. Herregud, tänkte jag, vi är inlåsta! Jag är på sluten avdelning. Och just då hörde jag någon skrika bakom en stängd dörr, långt och skärande. Det var en flicka. Hon hade tydligen inte långt kvar av skriken att döma. Och mannen, som jag kallade Timber (han påminde mer om en skogsarbetare än en sjukvårdare), kom tillbaka med två tabletter och kallt vatten. Jag svalde och drack. Det var gott med vatten, ett bittert erkännande eftersom jag hade bestämt mig för att det inte längre var något, inte något i den här usla världen, som gjorde mig gott. Men vattnet var gott, och Timber var en taktfull själ, han sa inte ett dugg. Gick bara tyst ut igen. Återigen hade jag glömt att nämna stackarn i hörnet. Det var förskräckligt att jag kunde glömma det. Återigen kunde jag se den rutiga armen i dörrspringan, röd och grön, och en stor hand som vände blad i en bok. Så öppnades dörren igen, de två männen kom tillbaka. Jag höll andan och lyssnade. De sa ingenting, gick bara bort till den stackars mannen, lyfte påkarna och började slå. För varje slag svalde jag hårt och kurade ihop mig, som mannen kurade ihop sig medan han sjönk ner mot golvet. Det var för mörkt för att se om han blödde, men antagligen blödde han, slagen var hårdare nu än den första gången. Men fortfarande kom inget annat än svaga kvidanden från honom. De slog tre gånger var och gick tysta ut igen. Jag förstod det inte. Förstod inte att mannen i stolen inte reagerade och gjorde något, boken han läste måste vara spännande eller mycket viktig, eller så kanske stackarn i hörnet hade gjort sig förtjänt av det han fick, jag fick ingen rätsida på det. Jag ville ropa men tabletterna hade gjort mig så tung och trög, jag öppnade munnen men det kom inte ett ljud. Och snart kom de tillbaka för tredje gången och slog honom fyra gånger var, och den här gången sjönk han ihop. Var bara en mörk, sönderslagen massa i det mörka hörnet. Jag tänkte: Nu har han inte ont längre. Det hade inte jag heller. Smärtorna försvann. Och jag försvann i en drömlös sömn.

Freiners mor måste en gång ha trott att hennes son skulle bli något. Få en viss position och inkomst, något hon kunde prata om på syjuntan. Pojken hade ju huvud. Det sa hon till sig själv flera gånger om dagen, pojken har ju huvud. Det var inte det. Men pojken var som tjuren Ferdinand, han satt helst under ett träd och luktade på blommorna. Han rörde sig inte mycket och blev lite för fet. De andra sparkade boll ute på gärdet och Freiner var mer än nöjd med att se på. Han hade aldrig skrubbsår eller gräs på baken. Men det hände att han blev stungen av en geting och då kom han genast skrikande. Han var allergisk mot getingar och måste ha motgift. Han var dessutom alltid blek, och redan som tolvåring hade han djupa vikar i det raka håret, början på en Draculafrisyr som han sedermera skulle få många kommentarer för. Han liknade Dracula på flera sätt, för ganska fort började Freiner skjuta i höjden och kilona rann av, och han blev mager och lång, längre än alla de andra i klassen. Han tyckte inte om att sticka ut, förklarade han senare för oss, så han löste problemet genom att sjunka ihop lite. Därigenom fick han den bleka kutryggiga gestalt som ledde till att han alltid blev förbisedd. Och modern bekymrade sig allt mer för vad det skulle bli av honom. Då han slutligen började på universitetet, måste hon ha börjat hoppas. Att han hamnade på Varden var kanske inte precis det hon hade önskat. Tillbringa dagarna tillsammans med galningar. Men hon klamrade sig fast vid en gammal sanning. Pojken hade ju huvud. Jag kunde ha berättat för henne att alla på Varden hade huvud, men hon skulle inte ha förstått vad jag menade.

Freiner hade en tråkig dialekt. Jag har inget emot dialekter, det är många jag gillar. Men Freiners dialekt var omöjlig att tycka om. Eller kanske det var rösten, att dialekten egentligen skulle ha varit snygg med en annan, starkare röst. Det var konstigt för han stammade inte, men det verkade så. Han hackade ur sig orden och man måste anstränga sig till det yttersta för att förstå honom, och det säger sig självt, vi som var på Varden var ju slutkörda, vi hade ingen marginal, dessutom var vi bedövade av mediciner. Hade Freiner sagt något klokt, hade vi kanske lyssnat på honom och tagit på oss jobbet att lägga ihop två och två i våra dopade huvuden. Men han sa aldrig något viktigt. Han ställde frågor. Han ställde hela tiden frågor, han måste ha ansett att det var hans livsuppgift, att räddningen låg där, i att fråga de rätta sakerna. Så skulle svaren träffa oss som tidvattensvågor, uppenbarat och självklart, i rena aha-upplevelser. Freiner. Nu begriper jag!

Det var morgon, jag såg att det lyste i rummet och jag mindes allt. Det där mörka, sönderslagna låg slängt i hörnet, som en säck potatis. En ängel stod nu på golvet, i vitt linne med en fruktkorg i händerna. Hon log stilla. Jag log inte tillbaka. Jag var bortom leenden, alla inlärda gester hade brustit, och jag låg i sängen i de hårdmanglade sängkläderna, för övrigt dekorerade med invävda ränder, sjukhusets namn i rött.

VAR – DEN – SJUK – HUS – VAR – DEN – SJUK – HUS. Dessutom hade jag aldrig velat komma till himlen.

– Jag behöver lite blod, sa ängeln och tog upp en spruta ur korgen. Hon hade foträta skor och tjocka strumpor på fötterna. Kanske kunde hon spåra en eventuell eller, för att vara ärlig, en ganska sannolik B-vitaminbrist och så sätta in B-vitamin intravenöst, för att inte tala om hemoglobinet, det låg antagligen i botten. Conny sa alltid (Conny, min styvmor) att järnbrist var roten till allt ont eller att det kunde saknas ett livsviktigt enzym. Tidningarna var fulla med enzymer och deras funktioner, allt enligt det senaste på den amerikanska forskningsfronten. Och jag var inte den som bråkade. Jag hade i och för sig bråkat en del för att få den här platsen, den här sängen med manglade lakan, men nu var det slut. De kunde sticka mig hur mycket de ville. Hon betraktade mig som samarbetsvillig men rynkade pannan när jag lyfte på täcket och visade fram den bandagerade armen. Det fanns ingen plats för hennes nål. Så hon valde foten. Jag sa inte ett pip. Kanske skrev hon efteråt i rapporten: Den nya patienten spjärnade inte emot på något sätt, och så vidare och så vidare. Och det var lovande, tänkte hon. Kanske var jag en av de lätta, en som de kunde göra sig av med fort. Jag log när jag tänkte på hur fel de hade. Det blev en uppgift för mig att få dem att missta sig. Skulle jag fördriva tiden med något på väg in i döden, skulle det just vara det, att få dem att missta sig. Så gick hon med sin spruta. Det var den enda vita rocken jag någonsin såg på Varden.

Vi har talat med din far. Din vän Peter har också ringt. Och en kvinna som kallade sig Conny. Är det din styvmor? Det är frukost nu. Vitt bröd, grovt bröd, knäckebröd och kex. Margarin, inte riktigt smör. Det är skamligt, brukade Odin säga, att vi inte får mejerismör. Hallonmarmelad, apelsinmarmelad, leverpastej. Spickekorv och kokt skinka. Gul ost och brun ost. Mjukost på tub, makrill i tomatsås. Italiensk sallad, lagad i huvudköket, med kål och äpplen. Messmör och inlagd sill (jag förstod snabbt vart pengarna gick, de gick till mat), saltgurka, tomat och paprika. Standardmjölk och lättmjölk, te och kaffe, och ibland choklad med skinn på. Det brukade klibba fast i Odins mustasch. En korg med frukt för att rensa tänderna.

– Nej tack, jag vill inte ha något, sa jag med bortvänt ansikte och nedslagna ögon, för jag var så hungrig, och jag var stelfrusen under täcket. Händerna var iskalla. Ett våldsamt sug i magsäcken, som om någon rev och slet den i bitar. Nåja, hon har just kommit, tänkte de kanske, aptiten kommer nog, den kommer lika säkert som solen går upp.

– Ska ni inte ta bort honom där? frågade jag och nickade bort mot hörnet, där den stackars mannen låg, ihjälslagen. Han hade ett stort hål i bröstkorgen. De tittade mot hörnet och nickade.

– Ja, jo. Det ordnar sig nog. Och så gick de igen.

Det klirrade i glas och tallrikar, man kunde höra kvittrande röster och släpande steg som skyndade till matsalen i samma ögonblick som matvagnen dundrade över tröskeln till den slutna avdelningen. Och lukten av kaffe, kaffet var säkert starkt eftersom det doftade så, doften letade sig in på mitt rum, dansade under min näsa. Fick jag med mig tobaken? Stygnen värkte, sved och kliade. Timbers rutiga skjortärm var borta, han låg väl hemma och sov. Radion var på. En radioröst talade om Aldo Moro och katastrofen i Rom. Var tyst, Odin, jag vill höra nyheterna. Och Odin som muttrade. Skicka mig korven, skicka mig gurkan. Inte mindre än tolv terrorister, och brödet var färskt, kanske varmt, jag kände doften så tydligt. Och bakom ett buskage låg fyra till och de mejade ner livvakterna, sa radiorösten, liken låg utströdda, och några ville ha grädde i kaffet. Stygnen värkte. Jag ville inte ha någonting, ingen mat, inget sällskap, nej tack, jag vill inte leva längre. Beslutet är slutgiltigt. Tormod. Vill du inte sitta tillsammans med oss? En kvinnoröst. Vill inte störa, sa Tussis beklämda röst. Genom dörrspringan, då frukosten var över, tände någon en cigarett där ute. Det här började verkligen bli besvärligt. Men har man sagt nej, så har man sagt nej. Jag var envis som en åsna. Hård som sten. Och hungrig som en varg. Men kroppen vill ha sitt. Det är därför det är så svårt, tänkte jag, huvudet bestämmer inte själv, faktiskt tror jag att kroppen bestämmer det allra mesta. Och när det inte är så handlar det om verkligt farliga individer. Som De röda brigaderna till exempel. Jag funderade på om Aldo Moro fick frukost den där dagen, morgonen den 17 mars. Och så måste jag kissa. Kroppen ska inte bara ha sitt, den ska göra sig av med ett och annat också. Med andra ord, jag måste upp ur sängen, ut på golvet och ropa på någon. Eller kissa i sängen. Men bara sjuka människor kissar i sängen, och jag var inte precis sjuk. Det var det som var så hemskt. Jag reste mig försiktigt. Stygnen sved. Bandaget hade lossnat under natten, plåstret stramade i ansiktet. Antagligen liknade jag Frankensteins monster. Jag var mycket ostadig, drabbades ögonblickligen av en våldsam svindel, kroppen hade tärt på reserverna i dagar. Det stod en stol vid väggen, jag vacklade bort till den. Men jag var uppe. Jag reste mig igen och tippade stolen över ända. Den for i golvet med ett brak. Jag var inte arg. Jag var aldrig arg, men jag behövde lite uppmärksamhet. Genast stod en person i dörren.

– Är allt som det ska?

Frågade han och strök bort en tjock, mörk lugg från ansiktet.

Jag stod på vacklande ben i bara trosor och nattskjorta, som nådde mig till knäna. Vardensjukhusvardensjukhus stod det på skjortan. Jag tittade på honom med blodsprängda ögon, bandagerad i ansiktet och på bröstet och armarna, och just då upptäckte jag ytterligare ett bandage på magen, och jag hade olidliga smärtor. Dessutom var jag utsvulten. Och att betrakta som självmordsbenägen, och här stod jag på en sluten avdelning och killen frågade om allt var som det skulle. Men han såg så vänlig ut, liksom rättfram och allvarlig, han hette Halvor, jag kallade honom Allvarlige Halvor. Jag sa som det var att jag måste kissa. Han sa: Följ med mig. Och jag gick ut i ljuset, ut i matsalen, som var det enda rummet (bortsett från ett pyttelitet teverum), där de satt och vilade och rökte och åt och lyssnade på radio och spelade spel. Jag såg Ludo och schack på en hylla under bordet, tidningar och en kortlek och några vissnande krukväxter i plastkrukor. Några trötta individer satt och hängde vid matbordet, de såg slött på mig. Halvor visade mig toaletten. Dörren var halv, som en saloondörr, man kunde titta över och under den, och den gick inte att låsa, inte ens att stänga. Den svängde fram och tillbaka länge efter det att jag hade satt mig på den kalla toalettsitsen. Och jag kissade mörkgult och fränt och förstod att jag var undernärd. Jag tittade inte i spegeln (den var förresten av plast), utan tvättade händerna med nedslagen blick och gick ut igen. Föll ner på sängen, drog täcket över huvudet, blundade. I tystnaden hörde jag knäppet från en tändare, det betydde att Halvor tände en cigarett. Det var det där med tobaken, om jag fick med mig den.

*

Platinaspektaklet skrek. Jag kallade henne det för mig själv, inte för att hon var ful eller så, för det var hon inte. Hon hade blekt håret så att det var nästan vitt och hon vägde nästan ingenting. Ögonen stod ut ur huvudet på henne och hon hade massor med becksvart mascara på ögonfransarna. Håret var torrt och så tuperat att det liknade sockervadd runt huvudet, och hon hade ben tunna som på en insekt. Hela tiden jämrade hon sig, med varierande styrka. Det var förresten inte hon som skrek, det var hennes kropp, den skrek efter heroin. Hon skrek hela natten och hela dagen, emellanåt avbrutet av en hotfull tystnad. Då gick de genast in för att se om hon levde, och det gjorde hon, men med knapp nöd. Heroinet satt i hennes skakande, vita fingrar med blodrött nagellack, det skrek från de svartmålade ögonen, det dunstade ut från den genomskinliga huden och gjorde varje timme, varje ögonblick till en pina. Om de bara kunde ge henne något. Jag ropade på Timber, som genast kom. Och jag sa som det var, att jag inte ville klaga, det gör inte mig något att ligga sömnlös, jag har legat sömnlös i åratal, men kan ni inte hjälpa henne?

– Vi kan inte ge henne mer, sa Timber. Hon måste klara sig på det hon redan har fått.

Och jag vet inte vad de gav henne, bara att det inte hjälpte, så hon fortsatte att skrika. Hon var arton år och vägde fyrtio kilo, men hon hade vettet i behåll och, för att säga som Freiners mor skulle ha sagt, hon hade huvud. Alla på Varden hade huvud. Det här handlar nämligen inte om intelligens eller brist på sådan, även om det fortfarande finns människor som tror det. Eller så tror de att folk på anstalt har ansträngt sig för mycket. Folk tror så mycket konstigt. Men Spektaklet behövde hjälp, hon hade till och med bett om det eftersom hon var inlagd på paragraf fyra, hon var inte på något sätt tvungen att vara där, men jag tänkte något annat när jag hörde skriken. Hon kunde nästan inte stå på benen. Jag tänkte: Faller hon i golvet, bryter hon vartenda ben i kroppen. Och de kommer aldrig att läka, för kroppen saknade de nödvändiga organen, som muskler och blod, som andra människor har. Jag låg under täcket med slutna ögon och kände smärtan i min egen kropp, vi skrek i kör, Spektaklet och jag, hon skrek efter heroin, jag skrek efter mat, ljudlöst. Och jag tänkte att om jag hade haft heroin, och hade haft möjligheten, om Timber till exempel gick ut ett ögonblick, skulle jag ha rest mig blixtsnabbt, smugit mig ut och blåst in lite av det snövita pulvret under hennes dörrspringa. Bara hon kunde komma till ro. Men Timber gick inte ut, och jag hade inte smugglat in heroin på anstalten. Jag vet inte vad som gick snett för Spektaklet, hon var inte värre än någon annan, inte hennes mor heller. Hon var där en gång på besök, vi trodde först att det var en äldre syster. Hon strök det platinablonda burret med handen och var full av sorg. Det saknades inte kärlek, om du förstår vad jag menar. Men kanske hade hon en gång tänkt att om jag bara älskar det här barnet högt nog, öser in min kärlek i det här huvudet, för det är ju huvud på barnet för sjutton, så går resten av sig själv. Spektaklet var en älskad människa, förstår du? Om du har huvud förstår du mig. Hon hade alltid svarta kläder och liknade en spinkig, satanistisk docka. Men hon var söt. Ett helt perfekt litet dockansikte, som en Barbie med de långa smala benen. Men hon kunde inte stänga munnen, den var alltid öppen och gav henne ett tomt, fånigt uttryck. Hon kunde inte samla tankarna. Har du sett dig själv i spegeln och blåst tankarna ut ur huvudet? Du ser dum ut. Men titta på Formel, han är vacker. Med det tjocka röda håret och en dusch av kanelfärgade fräknar över näsan. Och hans ögon. De speglade det land han levde i, figurernas värld, cirklar, trianglar, romber och rektanglar, och en ändlös räcka av färger. Ögonen stod så fint till den gräddfärgade huden, de var gröna och klara som is. Och så stammade han. Inte mycket, bara charmigt klädsamt. Livet handlar först och främst om vilja. Jag låg tyst under täcket och lyssnade till Spektaklet och förstod att jag hade mist min.

*

Anstalten byggdes strax efter 1900, det officiella öppnandet skedde 1905. Ettusenfemhundra sårade själar hade behandlats under året, och antalet fortsatte att stiga.

Sjukhuset kunde erbjuda behandling till patienter med alla kategorier av psykiskt lidande, antingen kunde man uppsöka mottagningen eller läggas in. Sextioen läkare. Tolv psykologer. Tjugosex kuratorer. Tvåhundrafyrtio sjukvårdare. Trehundratrettiotre sjukvårdsbiträden och en rad andra yrkesgrupper, allt som allt hade anstalten så mycket som fjortonhundra anställda. Sjukhuset intog en central position bland landets psykiatriska sjukhus. Psykiatri: läkande av själen. Lunchen kom och gick. Den luktade annorlunda, jag anade varm mat, kanske stekt potatis. Och pillren. Det var upplyftande, jag fick också några. Två stycken, ett gult och ett grönt. Jag svalde ner pillren, fick i mig lite vatten, jag hade ingenting emot en viss bedövning av medvetandet på vägen mot döden. Men vad vet ni om vad jag behöver? tänkte jag lojt, vartefter det gula och det gröna började verka. Har ni kanske talat med min läkare, doktor Raglan? Har han berättat allt för er, det jag har sagt genom åren, ändlösa år med trög, gnisslande terapi, om hur mitt liv har varit, om vem jag är? Så obehagligt. Flyter papperen fritt mellan institutionerna, vet ni kanske att de tog bort min blindtarm när jag var åtta? Den var inflammerad, på väg att spricka. Jag minns ännu uppvaknandet efter narkosen. Conny (min styvmor) som såg på mig genom glasdörren. Känslan av svek. Det är inte farligt. Lögn och bedrägeri, allt var farligt, det här stället var farligt. Den döde stackarn började lukta, det var skamligt att de inte tog bort honom. Spektaklet fortsatte att skrika. Jag sov en stund. Med jämna mellanrum gläntade någon på dörren och kikade in. Jag hade krupit ihop, stygnen värkte, som att sova i en taggtrådshärva.

Personalen arbetade skift, dagskift, kvällsskift och nattskift och var tredje helg. Men inte om de hade kompledigt, baksmälla eller helt enkelt glömde att komma, det hände också. De kom och gick i en jämn ström, alla i jeans eller manchesterbyxor. Det var bussaronger och islandströjor och sjalar med fransar och hemstickat och rutiga flanellskjortor, de såg ut som en grupp hantverkare, man kunde inte skilja på dem, vem som var läkare eller städerska eller patient. Jag minns Kockan. Jag tyckte inte om att kalla henne det. Kockan är ett trivsamt namn, något mjukt och vänligt, och det var hon inte, inte först. Kockan var en enstöring. Hon hade ansvaret för köket, vårt kök, på Varden, centralköket var något annat. Hon stod alltid med ryggen till och talade aldrig med oss (bortsett från mig för att jag provocerade henne), hon ville inte veta något eller lära känna någon. Jag hatade henne för det, jag tyckte att hon var feg. Hon hade frivilligt kommit till Varden, hon måste ha vetat något om vad hon skulle ställas inför, men hon var uteslutande intresserad av maten, disken, rengöring av bänkar och bord. Det strama ansiktet om någon av oss sölade när vi hade kökstjänst, som var en del av programmet, eller inte torkade upp ordentligt, jag hatade det. Vi hade kladdat ner i hennes perfekta rike. Hon ville inte ha oss inpå livet. Kunde någon verkligen komma hit och vända ryggen till på det sättet? Jag tålde det inte. Jag blev arg när jag såg hennes rygg och hennes breda bak, den var överväldigande, närmast en möbel i sig själv. Men hon var duktig. Det var bara den där totala avsaknaden av intresse som provocerade mig.

Och Trädgårdsmästarn. Det slutna ansiktet, den nedslagna blicken. Kraften i den starka kroppen, som om han var på språng. Trädgårdsmästarn var en blodig biff. Ursäkta det här tjatet om mat, men du måste komma ihåg hur hungrig jag var. Trädgårdsmästarn var antagligen en straffad brottsling, han såg sån ut, så full av skuld och bitterhet. Varför mindes jag den allra första morgonen? Jag var ju inte där, men den satt i kroppen som en smärtsam saknad, ett blankt vatten, som en svart spegel, vajande gräs, darrande löv, trädkronor som utlämnade sig till en kraft de aldrig ifrågasatte.

Jag var tjugofyra. Bara ett barn, per definition vuxen, men kände mig som en åldring, då och då kanske så mycket som hundratrettio. En gamling skulle säga: Vad vet väl du? Har du varit med i kriget kanske? Med vilken rätt vänder du ryggen mot världen? Nej, varit med i kriget? Jag hade sett det ändå, om och om igen. Bilderna hade lukt och smak. När kom den där känslan att bilderna, de eviga bilderna som dök upp framför mina ögon, faktiskt var desamma. När upptäckte jag att inte andra människor också kunde lukta och smaka sina egna bilder? När upptäckte jag att det aldrig var något nytt, att det faktiskt inte hände så mycket efter det att man hade fyllt, jag tror jag säger tolv? Jag var tolv, jag kommer ihåg det tydligt, jag hade avslöjat de vuxna. Hade genomskådat lärarna i skolan, deras hemligheter, deras svaga sidor. Hon som vi hade i religionskunskap, med det tuperade håret och de röda naglarna, som var kristen för säkerhets skull. Han som vi hade i träslöjd som strök oss så sakta över ryggen, liksom glömde sig, så att handen blev kvar, så att den till slut brann genom tröjan. Och matteläraren, som jag hatade och fruktade för att han försökte att tala som vi för att bli omtyckt, för att han brukade hänga över min axel, se ner på mitt räknetal (jag hatade matte, jag såg inte skönheten i talen som Formel gjorde) och säga: Är du dum eller? Ja, jag var dum. Jag var antagligen naiv också, kanske normalbegåvad, men jag saknade vilja, och nu orkade jag inte mer. Och det där andra, onämnbara. Ett minne så giftigt att jag tappade andan, då jag stod ensam en mörk natt och kikade genom en smal dörrspringa, när jag såg något jag fortfarande nästan inte trodde på, för det kunde inte vara sant! Det var omsorgsfullt inlåst i en låda som aldrig skulle öppnas. Tala inte med mig om bortträngning. Har man en gång, efter mycket besvär, lirkat in odjuret i en fälla, släpper man inte ut det igen.

*

Det var mars och det regnade, inte vår, inte vinter. Ljuset som trängde igenom de grågula gardinerna var grått och dött. Liket i hörnet var delvis i upplösning, det började stinka. Jag stank också, jag behövde en dusch men ville inte stå bakom den halva dörren och duscha, med huvudet över och fötterna under så alla kunde se. Jag blev liggande hopkurad i sängen och kände mina stygn värka. Timber sa, då jag beklagade mig, att snart blir det värre. När smärtorna ger sig börjar det klia. Det kommer att klia något rent infernaliskt. Han log då han sa det, den silverfärgade luggen dansade över pannan på honom. Jag svarade inte, bara såg på honom. Jag hade gett upp, behövde inte lyssna eller nicka eller le, det här var dårhuset, och ingen kunde begära något som helst av mig. Trodde jag. Men det var innan de kom sättande med programmet.

Kvällsmaten kom och gick. Doften av kaffe blev ständigt mer påträngande. Den väckte något till liv. Lust att röka (fick jag med tobaken?) och det som var värre, lust på förändring. En annan ställning. Kroppen var på väg att stelna. Hungern kom och gick, plötsligt högg den till i magen, sedan gick den över igen. Men jag saknade något. Ny vårdare i dörren, kvällsskiftet. Din far har ringt. Din vän Peter har ringt. Vill du verkligen inte ha någonting? Hon stod kvar en stund. Sa vad hon hette. Jag kommer inte ihåg det, men hon var tjock och mörk och hade page. Jag tänkte omedelbart på en vörtlimpa. Efter en stund gav hon upp. Men något illavarslande slog mig, där jag låg under täcket med ryggen mot världen, ensam med den ruttnande kroppen i hörnet, att de självklart inte skulle låta mig ligga så, de ville ha mig upp ur sängen, ut i dagrummet, de ville ha i mig mat, få mig att tala, det var deras jobb, de var tvungna till det, de inkasserade lön för att få mig ur den här sängen. Ut från det här behagliga mörkret. Tillbaka till samhället och börja jobba som en produktiv människa. Fy katten!

Platinaspektaklet skrek. Hon skrek i fjorton dagar innan det äntligen blev tyst, alldeles tyst. När det bara blir kväll, tänkte jag, när Timber har satt sig i stolen vid radion, ska jag leta reda på tobaken, den kanske ligger i nattduksbordet. Jag ska smyga mig ut, dricka en kopp kaffe och ta mig en cigarett. Inte säga någonting. För mycket var redan sagt. Bara röka en stund och lägga mig igen. Jag väntade tålmodigt. Människor kom och gick, skramlande med nycklar, dämpade röster, folk som gick på toaletten, som låg bredvid mitt rum. Nyheter på radion. De talade om Aldo Moro, den stackarn satt fortfarande i fångenskap, han hade inte bara huvud, det var ett pris på det också. Timbers röst utanför, djup och lugn som suset från skogen, folk som tassade in i badrummet, kanske för att borsta tänderna, om folk på den slutna avdelningen överhuvudtaget gjorde något så trivialt som att borsta tänderna. Jag kände med tungan på mina egna, de var inte släta längre. Mina kläder var fortfarande borta, jag hade bara nattskjorta, inga sockor, ingenting. Försiktigt reste jag mig ur sängen. Ut med lådan i nattduksbordet. Där låg verkligen min tobak. Jag blev nästan rörd, det här hade de tänkt på, de hade tänkt på att jag förr eller senare skulle vakna till liv och vilja ha en cigarett. Och de hade rätt. Och det var, för att säga det milt, irriterande, men vad sjutton! Jag tog paketet i handen och tassade över golvet. Öppnade dörren. Stirrade rätt på Timber, där han satt i stolen med en bok i knät. En sjöman går i land. Hans ögon var vakna och livliga, de lyste blåa under luggen.

– Kaffe? frågade han.

Och hämtade en termoskanna. Det var svårt att rulla, jag hade dålig känsel i fingrarna. Timber rullade också sina cigaretter själv, Tiedemanns Gul. Jag fick så småningom eld från Timbers gamla Ronson och drog våldsamt in.

– Nu tycker jag verkligen att ni borde ta bort stackarn i hörnet där inne, sa jag och nickade mot mitt rum.

– Är han inte borta ännu? sa Timber tankfullt.

– Nej. Han har börjat stinka, sa jag.

– Mm, sa Timber.

– Det värsta är inte att de slog ihjäl honom. Med grova påkar. Han skrek inte ens. Han tålde mycket smärta.

– Vad var det värsta då? sa Timber och blåste rök i taket.

– Det värsta är, att han aldrig fick veta varför. Att de slaktade honom utan förklaring. Det är det värsta.

Timber nickade. Jag sörplade i mig kaffe, det var skållhett och starkt, jag drack flera klunkar och drog in mer rök, och gick rätt in i väggen.

*

Korian. Har du någonsin hört ett så vackert namn? Vaniljsufflé, mörk choklad, maränger lätta som luft. Kort, kort, blåsvart hår, som en hätta av plysch på det runda huvudet. Gyllene hy, sneda ögon, tänder vita som pärlor. Korians mor var japan, och själv var han liten och slät och rund, och han log jämt, ett lite hemligt, orientaliskt leende. Det var svårt att veta vad Korian tänkte, allt doldes bakom det där leendet. Bakom de omständliga orden, de kom ut som knypplade spetsar, sirliga och fina, men tog man sig tid att lyssna, och det gjorde jag, så var han absolut klar i huvudet, klar som en norsk majhimmel. Han var alltid tyst när han kom in i rummet och bugade innan han öppnade munnen, och när han hade sagt sitt bugade han sig ut igen. Moffa berättade att Korian var född och uppvuxen i Tokyo, i diplomatmiljö, och uppfödd uteslutande på kanapéer och sushi, och att det var därför han bröt bort kanterna på brödet och skar det i tärningar, som han åt sakta, utan att smula. Han hade aldrig permission. Föräldrarna bodde fortfarande i Tokyo. Han hade bara en gammal tant som kom ihåg honom på födelsedagen. Landet där Korian bodde var säkert ett tyst och soligt ställe, för han var alltid brun, var liksom varm och mätt. Jag hörde aldrig att han skrek eller ropade. Han tassade alltid omkring på små fötter. Var aldrig med och spelade volleyboll ute på de gröna gräsmattorna, det var inte jag heller. Det räckte mer än väl för oss att titta på. För honom som för så många andra på Varden var maten dagens höjdpunkt, då infann han sig punktligt med rena händer, och bara Korian kunde dra ut stolen från bordet utan att den skrapade.

Jag kunde inte fördra glupskhet. Skrapandet av stolar var ett tecken på glupskhet, brådska, slarv, mat, fort! Och därefter tystnad medan alla tuggade. Det här att vi alls måste ha mat. Att vi hela tiden måste stoppa något in i gapet. Jag hade stor sympati för krokodilerna, eftersom jag hade hört att de kunde simma omkring i månader utan att äta. Det var något, det. Inte som den ynkliga människan, äta varje dag, nej, flera gånger om dagen genom hela livet, annars faller vi ihop och orkar ingenting. Det där sista var för övrigt en myt jag sedan skulle avslöja med eftertryck.

Projektet jag tagit mig an, att långsamt försvinna in i döden genom att sluta äta, skulle möjligen ta kortare tid än jag hade tänkt. Jag gick redan i väggen. Jag vaknade ett par gånger under natten. Med jämna mellanrum susade det i vattenledningarna från badrummet, dessa vardagliga ljud, jag lyssnade och tyckte om dem, tyckte om att jag själv kunde ligga helt stilla medan alla andra höll på med något, jag hade avanmält mig och vänt ryggen till dem, och allt var en lättnad. Att erkänna att något är för svårt och ta konsekvensen av det, det är en verklig uppgift. Livet var för svårt för mig, och för mycket för mig. Stygnen värkte. Smärtan var förresten inte bara en pina, den var det enda jag hade där jag låg i mörkret. Och tankarna som surrade och surrade, långsammare nu på grund av medicinerna, men de surrade lik förbannat. Men jag hade det inte jävligt eller så. Du tror kanske att jag hade det jävligt, jag hade sytt hundrasextio stygn och inte ätit på flera dygn, jag befann mig på sluten avdelning, avskuren från omvärlden och vänner och familj, och hade bestämt mig för att dö, men jag hade det inte jävligt. Tyst låg jag och lyssnade till världen utanför, konstaterade att den snurrade vidare utan mig, och det hade jag ju alltid vetat, att jag inte var viktig eller avgörande på något sätt, och jag hade inga förpliktelser, om du förstår vad jag menar. Inte barn, inte ens en hund. Så kom dagpersonalen, jag hörde klirret av nycklar. Tänkte att nu går väl de som har haft nattskiftet till personalrummet för att avge rapport. Den nya svimmade i natt. Lågt blodsocker antagligen, sa de kanske. Jag överraskade mig själv genom att gå upp ur sängen, ta på mig kläderna, som var tvättade och inburna till mig, och gå ut i det lilla dagrummet. Att jag hade svimmat kunde få dem att lista ut vad jag höll på med, och jag var ju taktiker, hela tiden ett steg före. En ung kvinna i min ålder satt på Timbers plats och läste Dagbladet. Det var hon med pagen, vörtlimpan. Hon log vänligt. Det var antagligen vitsen med hela stället. Vänlighet, så ordnar det sig. Här finns utrymme för allt, för bråk och oväsen och motvilja och folk som svimmar framför nattpersonalen, men vi är vänliga trots allt. De trodde kanske att jag aldrig hade upplevt vänlighet. Sanningen var att jag aldrig hade saknat det, ingen hade skrikit eller rutit åt mig, misshandlat mig eller hotat mig. Det var faktiskt all den här vänligheten som höll på att ta knäcken på mig.

– Det är snart frukost, sa hon och log bländande.

Jag svarade inte. Såg mig omkring, försökte komma på vilken dörr Spektaklet låg bakom. Bara jag var uppe. Jag såg på den halva dörren in till badrummet. Jag kunde behöva en dusch. Var det ett friskhetstecken? Tanken bekymrade mig. Nej, det var hänsyn. Hänsyn till de andra på den slutna avdelningen. Man behöver inte gå omkring och stinka, även om man ska dö. Att ta hänsyn, det är väl förresten ett friskhetstecken. Nej, ingenting kunde rucka på projektet. Jag var helt säker. Jag såg på Vänligheten.

– Jag behöver duscha, sa jag.

Hon log ännu bredare. – Det kan du inte. Och lät tidningen falla. Ser du att jag släpper allt och lyssnar på dig, sa hennes kropp.

– Det kan du inte. På grund av stygnen.

Jag såg missmodigt ner på mig själv.

– Du kan självklart tvätta dig. Jag kan hjälpa dig om du vill.

Jag slog bort tanken. Men lite kaffe skulle smaka. Jag sneglade bort mot termoskannan på bordet. Hon reste sig och hämtade en kopp och jag rullade en tjock cigarett som blev ganska tunn i ändarna. Fingrarna var fortfarande domnade och all motorik försvann i stygn och bandage. Det var tungt att lyfta huvudet och ännu tyngre att vända det åt sidorna. Jag gick inte i väggen, utan rökte hela cigaretten och gick in på mitt rum när frukostvagnen skramlade in. Till min förvåning såg jag att liket var borta, det var en lättnad. Jag hoppades att den stackarn var tvättad och omhändertagen och lagd till vila på en tyst plats. Jag hoppades att uslingarna som slog ihjäl honom var gripna och straffade. Ett muller trängde då och då in genom dörren. Det var Odins röst, en ändlös rad av kraftiga bränningar som steg och sjönk. Det var omöjligt att stänga den ute, den var ett sug, en virvel man blev indragen i, viljelöst. Emellanåt var det korta pauser, kanske han tuggade och svalde och drack en slurk kaffe, sedan mullrade han vidare. De andra lyssnade. Jag funderade på vad han sa. Eftersom alla lyssnade var det kanske viktigt, eller i alla fall underhållande. Jag steg upp ur sängen och tassade bort till dörren, såg det skäggiga ansiktet vid bordet. Han var upptagen med att tugga. Håret stod rätt upp, och axlarna var de bredaste jag någonsin hade sett.

– Egentligen har vi det ganska bra här, sa en svag röst. Här inne på isoleringen. Har vi inte det, Odin?

– Man kan inte leva av trivsel, mullrade Odin. Jag kvävs av trivsel, och här inne är det jävlar i mig för mycket. Så mycket vänlighet och förståelse. Jag vadar omkring i snällhet och godhet, det hänger som sirap under skosulorna, jag får nästan inte benen med mig. Kan du skicka ansjovisen, söta du?

– Men vi kan göra nästan vad vi vill, menade rösten. Här inne. Det är frihet det. Här sitter vi och blir serverade, det är en ren

Guds nåd, eller hur, Odin?

– Nåd och nåd. Allt jag vet är att jag snart dör för egen hand. Är jag skyldig någon att leva så länge som möjligt? Är jag skyldig någon?

Han teg och tuggade. Knäckebröd av ljudet att döma.

Så öppnade jag dörren. Det fanns en ledig stol där de satt. Han med den svaga rösten, som vi kallade Tussi, Odin och två vårdare. Spektaklet var på sitt rum. Alltså var vi bara fyra patienter inne på slutna avdelningen, eller isoleringen som de sa. Jag gick in till dem. Vänligheten log. Hon såg det väl som ett friskhetstecken att jag sökte sällskap. Hon visste ju inte bättre. Tussi åt ingenting, han vilade hakan i gummihandskarna och såg på Odin med stora ögon.

– När vet du att stunden är inne? frågade han. Hans blick hängde vid Odins ansikte, som ett barn ser på sin far, det här var uppenbarligen hans herre och mästare, hans stora stöd i livet. Gudlös eller inte.

– Jag vet när jag är där. Jag kan inte förklara det annorlunda. Som att komma hem, kanske. Ett slags ro. Du ser väl att jag inte är där riktigt än, jag äter för mycket och pratar för mycket, sa Odin och torkade äggula ur skägget.

– Men vi passar ju dig, sa Vänligheten. Varje timme på dagen.

Odin log, man kunde se att det ryckte i hans skägg.

– Jaha? Hur många självmord har ni haft på slutna avdelningen genom tiderna? Inget?

Vänligheten böjde på huvudet. – Jag har inte varit här så länge.

– Precis. Det är helt omöjligt att tvinga något att leva. Det är min största tröst. Det ger mig en känsla av överlägsenhet. Jag gillar överlägsenhet.

Han glufsade vidare.

Jag studerade Odin ingående. Han hade kraftiga armar med stora tatueringar. Mitt i det breda ansiktet satt ett par överraskande blå ögon, de strålade med en intensiv glans, och munnen syntes nästan inte inne i skägget. Håret var sandfärgat och rufsigt, han hade ljusblå skjorta, öppen ner till naveln. Skjortan var full av fläckar. Ägg och kaffe och tobaksflagor. Att sitta bredvid honom var behagligt, den stora kroppen gav lä som en trädkrona, och man svängde med.

36

– Men Carmen då? sa Tussi bekymrat. Hon blir ju alldeles ensam.

– Alla är ensamma, sa Odin.

– Inte här inne, menade Tussi.

– Du känner dig trygg här, Tussi. Odin smackade. Det är bra. Fortsätt med det. Du har en ängel i hälarna, jag hör vingarna när du går över golvet. Du förtjänar ängeln. Ingen följer efter mig. Bara gamla minnen. De har börjat flagna och jag orkar inte göra nya. Han hade ett milt överseende i rösten varenda gång han talade med Tussi. Det var ett band mellan dem som vibrerade svagt när de såg på varandra.

– Hajna. Varsågod.

Vänligheten sköt en tallrik bort till min plats. De två vid bordet tittade på mig, de stirrade inte obehagligt, nickade bara snabbt att de hade sett mig. Jag tog en limpskiva från fatet. Kände ett våldsamt sug efter mat. Men verkligt hungrig är man bara de första dagarna, sedan ger det med sig och blir till en bedövning i stället. Jag stack kniven i smöret, det var så länge sedan. Bredde det över limpskivan. Kände lukten av skorpan, brödet var färskt. Skar limpskivan i två delar och blev sittande och såg på Odin. Hans kropp var stor och stark. Han såg verkligen inte sjuk ut. Han liknade någon som just hade mönstrat av en båt. Antagligen hade han sjömanssäcken stående inne på rummet. Jag la en skiva ost på brödet men åt ingenting. Det viktigaste var att vårdarna märkte att jag försåg mig. De tänkte: Nu äter hon. De var inte särskilt observanta. Jag åt aldrig limpskivan. Efteråt försvann den i resterna som skulle slängas. I stället började jag tala. Så länge jag talade var de upptagna av att lyssna, inte av att se. Jag berättade för Odin och Tussi om mannen som blev ihjälslagen bara en meter från min säng. De lyssnade tyst. Odin nickade.

– Intressant, sa han, att han inte skrek. Har du tänkt på varför?

– Självklart. Men jag förstår det inte. Kanske de träffade hans struphuvud med påkarna.

Tussi lyssnade förskräckt. – Bad han inte för sitt liv? frågade han bekymrat.

– Nej, sa jag. Han rörde sig nästan inte utan lät sig slås till golvet. Så sjönk han ihop. Allt var så tyst. De som slog honom sa inget heller.

– Försökte du stoppa dem? sa Vänligheten plötsligt. Hon hade ett spänt uttryck i ansiktet.

Odin ryckte uppgivet på axlarna.

– Uppriktigt sagt, sa han skarpt. Sådana människor som hon talar om kan man inte prata med. De hör inte. Jag trodde du förstod så pass?

Han satte henne på plats som en sträng lärare. Vänligheten höll kvar hans blick i två sekunder men måste släppa den. Hon spillde kaffe på fatet. Jag kände mig hemma vid bordet, hemma hos Odin. Han var på min sida. Spektaklet syntes inte till. Kanske var hon fastbunden i sängen?

– Hon kommer snart ut, sa Vänligheten.

– Det tror jag vad jag vill om, sa Odin.

*

Gång på gång gick jag ut ur huset. Solen kastade guld genom löven och värmde upp trappan där jag stod med nakna fötter. En tungt lastad humla lättade med stort besvär, strök över mitt huvud och försvann. Gång på gång gick jag ut ur huset, ut till den här bilden av frid.

Det var folk överallt. Ingenstans att ta vägen. Ingenstans att gömma sig, alla dörrar stod öppna, och i badrummet var man bara täckt på mitten. Ingen nattduksbordsbelysning med glödlampa av tunt glas som man kunde slå sönder och skada sig på, bara lysrör i taket, gömda bakom galler. Inga knivar och saxar som låg kvarglömda, inte ens ett garnnystan. Vänligheten, som alltid stickade, var noga med att ta allt med sig när hon gick. Timber förvarade kulspetspennan som han löste korsord med i fickan. Jag lärde mig så småningom de olika nivåerna i den här underliga hierarkin, det var ledsagare, ett veritabelt frimärke i hälarna var man än gick och stod, nästan in på toaletten. Det var områdesfrigång, man fick lämna huset och ströva omkring på gångarna. Det var frigång, man kunde åka vart man ville om man bara sa till. Det var paragraf fyra, att man var där frivilligt, det var femman, som betydde att man var där av tvång. Det var överträdelser och straff, i form av permissionsförbud eller indragning av andra förmåner, och det gick att rasa från frigång till ledsagare på ett ögonblick. Om det var

38

det man ville, och det hände. Men jag trivdes på slutna avdelningen. Jag pratade och lyssnade och bredde brödskivor som jag aldrig åt. De märkte det inte. De var så upptagna av att äta själva och säga de rätta sakerna. Vänligheten var trevlig men inte speciellt klyftig. Hon gjorde sitt jobb, gick omkring och var alla till lags. Och Timber, som kom på natten, var utmärkt sällskap. Jag vande mig vid ljuden av klirrande nycklar, ringklockan som ljöd med jämna mellanrum, på så sätt påkallade de uppmärksamhet utanför, på den öppna avdelningen. De fick inte lämna isoleringen. Stygnen läkte, jag kände att det kliade, det kliade värre än myggbett, kliade så att jag svettades. Egentligen struntade jag i det. Vad skulle det läkas för? Du kommer att få fula ärr, sa Vänligheten. Nej, tänkte jag, så länge lever jag inte att det hinner bli ärr. Jag drog fingrarna över ansiktet och kände att jag var märkt. Det kändes konstigt. Jag tänkte: Jag har alltid varit märkt, jag är den enda som ska ut ur flocken, nu kan alla se det. Odin fick besök av sin fru Carmen, som älskade honom. Eller det lät så, jag var inte säker. Carmen var en kastanj. Mycket liten och mörk och söt, hon lutade sig intill honom medan han pratade och pratade. Men jag såg att han inte släppte in henne, hon bara satt där och lyssnade, som jag alltid lyssnade när han talade. Odin är min, sa Carmens kropp, hon såg inte på oss, nickade bara frånvarande och kyligt, och så hängde hon sig på honom, hängde som en kardborre. Hon var mycket yngre än han, kanske i min ålder. När han talade lyssnade hon med vuxet tålamod, men hon var egentligen inte intresserad av vad han sa. Sjuk mans tal, sa hennes rynkade panna.

– Jag har tänkt på ondska, sa Odin. Ondska är inte ett begrepp i sig själv, utan något som uppstår tillfälligtvis, hos människor som annars är goda. Och bakom ondskefulla gärningar ligger alltid ett begär eller behov, därför är det alltid ett element av lust bakom varje ondskefull gärning. Har ni förresten sett lejonen när de parar sig? Det är ett under att honan överlever. Jag har sett lejoninnor släpa sig iväg med bruten rygg efter parningsakten.

Timber skrockade. Han tyckte om att lyssna när Odin talade.

Det hördes inga skrik längre från Spektaklets rum. Kanske var hon död. Jag rökte och drack kaffe. Kände kroppen sjunka in, och jag blev lätt, nästan svävande. Jag bredde brödskivor varje dag, skalade potatis, hällde sås över, knackade hål på ägget, men åt inte. I stället talade jag mer och mer, när jag talade såg de på mitt ansikte och tänkte inte på om jag stoppade något i munnen. Jag la minimalt med mat på tallriken, och när de andra var färdiga föste jag över allt på den ena sidan, och det såg ut som om jag hade ätit en halv portion. Jag arbetade upp tekniken, det förvånade mig hur lite de såg, hur upptagna de var av att tala själva, av att ordna praktiska ting. Tablettbrickan var ett kapitel för sig, en nästan högtidlig procession genom rummet, den lätta knackningen på dörren, som om de kom med frälsning. Jag öppnade munnen och svalde. Tabletterna förändrade mig till en docka, jag blev trött och mekanisk och torr i munnen, men jag lyckades behålla tankeskärpan. Ofta satt jag och lyssnade på Odin och funderade på hur han hade tänkt avsluta livet. Det var inte lätt inne på isoleringen, de var överallt, man kunde inte låsa dörren efter sig och fönstren var låsta, och de tassade efter oss om vi försvann in i teverummet, de lyssnade med örat mot dörren om vi gick på toaletten. Gläntade på dörren varje timme hela natten igenom. Det var en rörande känsla av att bli sedd och påpassad. Som om vi var förvirrade barn på flykt i en farlig värld.

*

– Fri vilja då? sa Timber. Tror du på den?
– Nej, sa Odin utan att tveka. Att tro på den fria viljan är att underkänna allt det andra omkring oss. Alla andra människor och deras vilja.

Han sa *alla andra människor* på ett sådant sätt att jag såg ett troll med tusen huvuden framför mig. – Nej, inte är man särskilt fri i den här världen, man är helt övergiven. Man är en barkbåt. Och Niagara dånar i fjärran.

Han knaprade på en morot. – Allt det här tjatet om frihet. Självklart har vi vilja. Några har mycket, andra har lite. Behöver den vara så förbannat fri?

En dag när jag kom ut ur mitt rum stod Spektaklet framför mig på spindeltunna ben. Flera veckor gammal mascara, svart som kol, fick hennes irisar att likna två skärvor av grumligt glas. Hon skälvde i hela kroppen, benen darrade och hon svajade olycksbådande. I händerna höll hon ett par byxor och en tröja. Jag ryggade tillbaka, fullständigt överväldigad över att hon plötsligt stod där, rakt framför mig, på egna ben.

– Tvättmaskinen, snörvlade hon. Mina kläder. Måste tvätta dem! Hon höll fram högen med kläder. Jag tog dem inte, tittade bara på henne, medan jag funderade på om det fanns ett hjärta innanför den fågelliknande bröstkorgen, och om det verkligen slog. I alla fall var det inget blod som pumpade genom hennes kropp, i så fall var det klart och tunt som vatten. Hon var genomskinlig, som tunn is.

– Visa mig tvättmaskinen, snörvlade hon igen.

Varje ord var en kraftansträngning, jag var beredd att kasta mig fram och ta emot henne. Tveksamt tog jag kläderna. – Vi måste ha nyckel, sa jag. Maskinen står där borta. Jag nickade ut mot gången. Vänligheten följde oss. Jag fick en glimt av människor i en lång korridor, och det slog mig att den här anstalten var stor och att jag själv hade sett bara en mikroskopisk del. Den här lilla delen som var sluten. Alltså var vi att betrakta som de sjukaste, och de där ute var i full gång med tillfrisknandet. Jag ryste. Vi stoppade kläderna i maskinen. Spektaklet vacklade. Hon kunde inte fästa blicken på någonting, och hon flämtade. Vi gick in igen. Två timmar senare gick Vänligheten och hämtade kläderna. De var färdigtvättade och centrifugerade och torra. Hon vek ihop dem fint. Knackade hårt på den tunga dörren. Ingen svarade. Fönstret stod öppet, vinden svepte rätt in i det nakna rummet. Spektaklet var borta, och ingen har sett henne sedan dess.

Å, vad vi hade det bra på isoleringen! Vi fick inte ens behandling. Det var ett dockskåp. Vårdarna flyttade omkring oss, vi följde motståndslöst med, från sängen, till bordet, till teverummet, till sängen. Dag efter dag. De spelade kort med oss (ja, inte med mig, jag spelar inte kort, men jag såg på de andra), de gick till kiosken och köpte cigaretter åt oss, tvättade våra kläder, promenerade längs stigarna med oss om vi ville det. Vi kom absolut ut, men alla hade ledsagare. Jag ville alls inte ut. Jag tyckte om att världen, så som jag kände den, var reducerad till en bild bakom skitiga rutor. De medlade om teveprogrammen, vi var flera viljor, och de hittade alltid en lösning. Livet hade blivit så litet och överskådligt. Inga förpliktelser, inga beslut, inget dåligt samvete för allt man inte hade hunnit eller inte gjort bra nog. Ingen bekant som plötsligt dök upp och ställde obehagliga frågor. Hur är det? Jo, tack. Det knallar och går. Det går inte längre, det går antagligen åt helvete. Man var befriad från allt.

Tussis mor kom varje dag och hälsade på Tussi, hon kom till kaffet och sockerkakan vid femtiden. De försvann in i hans rum, läste Bibeln och bad tillsammans. Vi kunde höra de mumlande rösterna där inne. Carmen kom och hälsade på Odin flera gånger i veckan. Men han gav henne ingenting. Hon fick bara sitta och lyssna till allt det viktiga han hade kommit fram till. Min vän Peter ringde och tjatade, men jag ville inte ha besök. Min far ringde, Conny, min styvmor, ringde men jag sa nej. Det var vår tur nu. Det var för fan vår tur. Jag tänkte att jag skulle leva resten av livet där inne i det lilla rummet bakom täta gardiner. Ett fysiskt litet rum, men hade jag kanske inte huvudet fullt av stora, invecklade idéer? Och folk var okej, de som jobbade och serverade kaffe och skrev rapporter om oss och vår avsaknad av framsteg. Nästan alla var okej. Men vid den tidpunkten hade jag inte mött Cato med finnarna.

\*

Vi hade bänkat oss för att se nyheterna, Odin, Tussi och jag. Det var krig i rutan. Jag sa till Odin att det var för mycket krig på teve. Han nickade, sa att det är jobbigt för den enskilda människan, men i själva verket var det för lite. Tussi sa ingenting. Vänligheten stickade.

– Det är egentligen för lite, upprepade Odin. I själva verket borde vi inte skonas på något sätt. På teven borde det inte vara något annat än krig och nöd och elände. Hela dagen. På alla kanaler. Kanske verkligheten äntligen skulle gå upp för folk. Att här går det inte att stanna kvar, hela experimentet har slagit fel, och man kan sannerligen undra varför Gud inte har erkänt det vid det här laget och kastat domedagen i huvudet på oss. Och försökt på nytt. Med ett annat råmaterial, om du förstår vad jag menar?

Han skalade en banan och började äta.

– Men du tror ju inte på Gud? sa Tussi.

– Om det var krig på teve hela dagen, skulle folk stänga av och

42

sätta på radion i stället, menade jag.

– Och krig på radion också! sa Odin. På alla kanaler. Granateld och bomber och kvinnor som skriker över sina döda barn. Och tidningarna fulla, och alla böcker och tidskrifter. Krig överallt. Det är ju det som är sanningen. Kanske det skulle mana till handling. Det hjälper inte att visa krig på teve när det är fullt möjligt att knäppa över till en amerikansk western. Folk kan välja bort kriget, det är det som är problemet.

Tussi var upptagen med att klia på sina eksem. Jag tog honom i handen för att hindra honom eftersom det började blöda. Han for upp.

– Rör mig inte! skrek han. Rör mig inte! Jag är smittad!

Odin skakade på huvudet och mosade resten av bananen mellan tänderna.

– Hur gammal är du? frågade jag Tussi.

– Tjugo, sa han. Jag är tjugo och allvarligt smittad.

– Och okysst, mumlade Odin. Tussi drog städrocken tätare om sig och kontrollerade att gummihandskarna inte hade hål. Han hade stora sår runt handlederna. Jag grimaserade ner i mitt knä. Det var första gången jag hade tagit på någon sedan jag kom till anstalten, och så blev jag utskälld.

– Och krig i skolan, fortsatte Odin och gick lös på ett päron från fruktfatet. Alla krig genom historien. Den nakna, krigiska sanningen. Biblioteken fulla av krigshistoria, huvuden på störar, kroppar på bål, gaskamrarna, lägren, förnedringen. Lättförståeligt. Från det vi är barn.

– Har du barn? frågade jag.

– Inte som jag vet, svarade han. Har du?

Tussi hade rivit bort en sårskorpa, han släppte den i askkoppen, och av ett infall satte jag eld på den med tändaren. Det luktade bränt kött, en lukt som passade till kriget på teven. Plötsligt kom en man in i rummet. Han hade stickad tröja och velourbyxor. Handslaget var slappt och skälvande.

– Ville bara prata lite, sa han och såg på mig. Du har varit på isoleringen ett bra tag, och vi har beslutat att flytta över dig till öppna avdelningen.

Odin höjde de buskiga ögonbrynen och tog ett äpple från fatet. Skalet krasade mellan hans tänder. Jag började skaka våldsamt. Vi har beslutat? Öppen avdelning? De långa korridorerna, mumlet av röster, telefoner som ringde, folk överallt, flera i varje rum. Över min döda kropp! Jag störtade ut. In på mitt rum, smällde igen dörren, kastade mig på sängen, drog täcket över huvudet. Visste att han skulle komma efter. Han kom efter.

– Det är ju också så, sa han och harklade sig, och jag tänkte att han hade så ful röst, liksom utan karaktär, så svag och hes, det är ju också så, att någon annan behöver din plats.

Äntligen hade jag hittat ett tryggt ställe, och nu ville de sparka ut mig. Jag svarade inte.

– Vi kommer tidigt i morgon och hämtar dig. Och så ska vi ta bort dina stygn. Han stod en stund med hängande armar. Och så gick han igen. Vänligheten tittade in.

– Ut! skrek jag åt henne. Senare kom Timber. Jag upprepade befallningen. Ännu senare knackade det igen. Det knackade trots att dörren stod på glänt. Jag vände mig inte om, men rösten var behaglig och nyfikenheten tog överhand. Jag vände på mig i sängen och såg rätt på en ung man. Han hade svarta jeans och jeansskjorta, och på huvudet hade han en vit cowboyhatt. Jag trodde inte mina ögon.

– Stetson, till din tjänst, sa han, tog av sig hatten med en elegant sväng och bugade nästan till golvet. Jag ska vara din stödperson ute på öppna avdelningen. Det betyder att vi får mycket med varandra att göra.

Han satte hatten på huvudet igen. Jag vände ryggen till.

– Det betyder också att till mig kan du komma med allt. Jag ska hjälpa dig med allt, med dig själv, med saker du ska göra, med familjen, som har en tendens att ringa och tjata, med papper och scheman, som också dyker upp antingen du vill det eller inte, och du kan gorma och skälla ut mig när humöret är på botten, och jag ska inte klaga, för det är helt enkelt det jag har betalt för. Knappt sextiotusen om året, för att vara exakt.

Jag fnös föraktfullt. Killen hade hamnat fel, han borde ha stått på scenen.

– Var inte så sur då, bad han, här står jag och gör mig till efter alla konstens regler. Man är livrädd för att inte få kontakt. Det är ett nederlag, förstår du. Om sådär tre dagar kommer avdelningsläkaren att fråga om isen är bruten och så vidare, och jag tål inte att inte klara av saker. Det hotar mitt självförtroende och det mår jag inte bra av.

Jag såg på honom och måste le mot min vilja. Han var yngre än jag, ett par och tjugo kanske, smal och välbyggd.

– Är det något du funderar på? Hans ögon var stora och klara, och håret, det lilla som syntes under hatten, krullade sig luftigt i nacken.

– Har du flickvän? frågade jag.

– Nej, log han. Har du pojkvän?

Jag grymtade ett obegripligt svar. Hade jag haft det, skulle han självklart ha suttit på min sängkant nu och tröstat mig.

– Vi ska sköta om dig, log Stetson med vita tänder.

Ja, alla gånger. Jag var inlagd på sluten avdelning, jag hade inte ätit på tjugo dagar och ingen hade upptäckt det.

*

Så fick jag lämna isoleringen, fast jag bönade och bad att få stanna. Det var slut på stunderna med Tussi och Odin, slut på de långa samtalen på natten, tillsammans med Timber vid radioapparaten. Där vi antingen var tysta och lyssnade på musik eller talade om böcker. Maratondansen. Sista tangon i Paris och Brighton rock till exempel. Timber hade läst alla. Men jag blev jätteförtjust i Stetson, det hade jag absolut inte räknat med. Jag såg upp till honom, uppskattade honom, saknade honom när han inte var där. Jag beundrade hans entusiasm, hans sätt att gå, smidigt som en katt. De trånga jeansen, de blanka stövlarna, den vita hatten. I smyg betraktade jag varenda detalj. Jag respekterade hans ärlighet och uppriktighet, hans duglighet och mod. Att han vågade ställa oss till svars för saker och aldrig var rädd för att bli impopulär, som många andra, som Vänligheten och Mulatten. Att han alltid spelade med öppna kort. Nästan alltid.

– Nu har du tagit bort stygnen, sa Stetson. Var det inte härligt kanske? Nu kan du duscha och så. Jag blir galen om jag inte får duscha. Det är bra tryck i duschen här, och du kan slösa med vattnet, vi har en varmvattenbehållare som är stor som en kemikalietanker. Och tvålen är gratis. Ta de gamla handdukarna i skåpet, de nya är så stela. Gjorde det ont att ta bort etthundrasextio stygn? Vad sa Kandahar förresten, nej, får jag gissa. "Kors, här får vi hålla på ett tag." Hehe. Jag ska visa dig runt på avdelningen, log han.

– Nej tack.

– Den är stor. Trettiosex patienter, fyrtio med dem på isoleringen. Det är självklart för mycket, men det är hit du har kommit. Det kunde ha varit värre.

– Det tror jag inte.

– Du ska dela rum med Eva. Hon är väldigt öppen, Eva, det kommer att gå bra med er två. Om du vill, la han till med en plötslig, sträng blick. Han stannade. Såg mig i ögonen. Jag måste böja på huvudet. Något obehagligt trängde sig på, känslan av att tvingas ställa upp på någonting. Att han inte skulle låta mig slippa.

– Om du vill, upprepade han. Så gick han vidare.

Vilja har jag inte, tänkte jag och lunkade efter honom. Styrde genom de ändlösa korridorerna med blicken stelt fäst på den vita hatten. Det var folk överallt, ett myller av olika människor. Jag ville inte. Jag ville tillbaka till isoleringen. Jag gick efter Stetson på svaga ben, han gick för fort, han visste ju inte att jag var undernärd och nära att svimma, att jag hade en bikupa i huvudet och gelé i alla leder.

– Visa mig bara sängen, stönade jag. Det spelar ingen roll med resten.

– Vi börjar uppe på vinden. Det är arbetsterapirum och förråd och sådana saker där uppe. Det är folk där nu. De håller på med batik. Det kan du också, om du vill.

– Ska jag inte få fläta korgar? frågade jag. Stetson småskrattade.

– Gärna för mig. Det är Åsa som är chef däruppe. Hon hjälper dig tillrätta. Vi gick uppför trapporna, våning efter våning, jag måste dra mig upp efter ledstången. Det snurrade och brusade, men jag höll mig på benen. Stetson öppnade en dörr, och jag tittade in i en stor sal full med folk. De jobbade med färgade tyger och vattenbad och smält stearin. Alla glodde. En kraftig kvinna reste sig snabbt och kom sättande över golvet, genomborrade mitt ansikte med en stel, stirrande blick. Hon var så stor och hon rörde sig så snabbt att ett vinddrag följde henne. Det var obehagligt.

– Får jag bomma en cigg! sa hon och pekade med ett gult finger på tobaken som stack upp ur min skjortficka. Hon hade en morrande röst. Jag kände hennes spott i ansiktet. Det var kanske ett slags prov, hon skulle testa om jag var på deras sida. Det var jag emellertid inte, jag var inte på någons sida, inte ens min egen, och jag hade inte så mycket tobak heller, men jag svarade ja. Hon rafsade till sig paketet och började rulla. Jag har aldrig sett någon med så gula fingrar som de Stormcentret hade. Hon rullade en cigarett tjock som en wienerkorv, tackade inte, tände och ställde sig att röka vid ett öppet vindsfönster. Hon hade fett, spretande hår och gula tänder och omkring tjugo kilos övervikt. Kläderna var för små, blixtlåset i hennes byxor gick inte ihop helt, för magen var i vägen. I ansiktet hade hon ett stelt grin, ett sådant man ser på människor som har lidit en lång och smärtsam död, och sedan förstod jag att det berodde på mediciner som fördärvade motoriken i hennes ansikte. Le kunde hon inte. Inte ville hon heller.

– Varför är du här? sa hon plötsligt. Hon spände ögonen i mig. De såg inte snälla ut. Jag pressade ihop munnen, tänkte att det hade hon inte med att göra. Hon gillade inte att jag inte svarade utan stirrade misstänksamt på mig. Så jag ångrade mig och försökte komma på något att svara. Jag tänkte: Hon tycker inte om mig. Hon tycker inte om folk överhuvudtaget.

– Vad missbrukar du? gläfste hon.

– Va? Jag bligade oförstående.

– Du är på missbrukaravdelningen. Vad missbrukar du?

– Nja, sa jag och drog på det. Guds namn. Folks förtroende.

– Hehe. Ja, vem gör inte det.

Stetson stod lutad mot väggen och lyssnade. Det började lukta middagsmat, lukten spred sig uppför trapporna, och Stetson ledde mig vidare genom den stora byggnaden och visade mig allt. Matsal. Teverum, det var flera gånger större än det minimala på isoleringen. Ett badrum på var och en av de fyra våningarna med tre duschar i varje, städskrubb, kök och dagrum, där vi kunde röka. Det var högt i tak, och vi befann oss långt nere, som insekter, på golvet. Mötesrummet. Personalrummet, med fönster, så att de kunde se ut, men vi kunde inte se in, för de hade alltid en gardin fördragen. Vi måste knacka på glaset om det var någonting, och det var det jämt. Mitt eget rum, som jag skulle dela med Eva. Det var tomt när Stetson öppnade. Sängen vid fönstret var ledig. Den andra vid dörren var obäddad. Det förvånade mig att Eva inte hade valt sängen vid fönstret, när hon hade kommit först. Jag såg länge på sängen. Den skulle bli min sista vila på vägen mot döden. Handfat och spegel, faktiskt en spegel av glas. Varsin garderob. Jag hade inte med mig någonting. Jag ville inte ha något. Min vän Peter ringde för att höra om det var något jag behövde, men vad har man behov av på väg in i döden? Bara cigaretter och kaffe. Stetson fortsatte, han visade mig mötesrummet.

– Här samlas vi en gång i veckan och har gemensamt möte. Du kan prata om allt. Prata helt fritt. Klaga och bära dig åt, alla kommer till tals. Men du måste vänta på din tur, självklart. Jag gick efter Stetson genom de långa korridorerna och kände hur trött jag var, men också förälskad, oändligt förtjust i den här unge mannen, jag hade varit det i ett dygn redan, och det var okej, även om vi aldrig skulle få varandra. För jag utgick från att sammankomst, samkväm, samvaro, vad de nu kallade det, var en avgrund mellan vårdare och patient. Inte för att Stetson ville ha något med mig att göra, han kunde ju välja och vraka bland en massa ursnygga tjejer som var mer än villiga, men i alla fall. Det var fint att ha några drömmar på vägen. Det förkortade tiden. Hjälpa och trösta.

– Och här har vi sjukrummet och undersökningsrummet, men det känner du väl till redan, sa han, och jag kunde inte förstå vad han menade med det, för jag hade aldrig, inte en minut, varit utanför isoleringen, bortsett från tvättstugan i korridoren tillsammans med Spektaklet.

– Och nu ska vi hälsa på din terapeut, eftersom alla får sin egen terapeut, och din har kontor här borta, över köket. Du ska till henne en dag i veckan och sitta och samtala i sextio minuter. Det är en del av programmet.

– Se-sextio minuter?

– Varje vecka.

– I terapi?

– Rätt.

– Och ... är det allt? Är det behandlingen?

– Ja ... Men vi har ju gruppmötena. Och de kan vara livliga. Dessutom är det fritidsaktiviteter, som alla deltar i. Och det måste du också.

– Men ... programmet?

– Kökstjänst. Korridorsvabbning. Postutdelning. Väckning. Fysisk träning. Arbetsterapitimmar. Och så vidare och så vidare.

– Fysisk träning? stammade jag. Som nästan inte kunde stå på benen, och nu hade vi gått omkring så länge att jag kände att jag var nära att svimma. Blodtrycket bara sjönk, och det surrade och surrade inne i huvudet och blev varmare och varmare, och jag tänkte att nu brister äntligen ett blodkärl, och kanske dör jag precis nu, i Stetsons armar. Om han är snabb nog.

– Jag ska nog klara det mesta, stönade jag, utom fysisk träning.

– Du kan rida om du vill, sa han leende. Sitta rätt upp och ner på en stor häst som bär omkring dig medan jag leder den. Du kan rida tillsammans med Sonja. Mår du inte bra? sa han plötsligt. Han var mycket bekymrad. Jag skakade på huvudet.

– Förlåt. Du är trött. Det blir för mycket för dig. Vi är strax färdiga. Ska bara visa dig grupprummet. Han stegade iväg, jag vacklade efter. Snart tittade jag in i ett halvmörkt rum som luktade surt av gammal tobak och otvättade kroppar.

– Varje dag. Klockan elva. Du måste själv passa tiden. Nu ska vi hitta din terapeut.

Han gick vidare. Jag vacklade efter. För vartenda steg var jag på väg att stupa rätt ner i linoleummattan. Han knackade på en dörr och en kvinna öppnade. Hon var lång och slank och ganska vacker. Jag kunde se i hennes ansikte att hon ansåg att hon redan kände mig, man kunde inte se ett spår av nyfikenhet i det vackra ansiktet, bara vilja och kontroll. Ett slags professionell säkerhet.

– Jag heter Hedda, log hon. Vi ska prata i morgon klockan tio. Här inne. Det ska bli roligt att lära känna dig.

Ska det verkligen det, tänkte jag, eller har du lärt dig på kurs att säga precis det, att det ska bli roligt, som om jag har något att ge dig, visa dig, som du behöver? Kan ni inte hoppa över alla artighetsfraserna? Äntligen fick jag gå. Jag gick in på mitt rum, det satt en tjej på sängen vid dörren. Hon hade mörkt hår och var helt klädd i svart. Hennes handslag var slappt, som om hon inte hade någon kraft.

– Eva, sa hon. Jag ska inte vara till besvär.

– Till besvär? sa jag förvånat. Det har jag då aldrig trott. Det ska förresten inte jag heller.

Jag gick till sängen vid fönstret. Drog skjortan över huvudet.

– Vad gör du? sa hon ängsligt.

– Lägger mig, sa jag och drog undan täcket. Jag lägger mig ner för att dö. Det är därför jag är här. Så nu vet du det.

– Du kan inte lägga dig, sa Eva nervöst. Hon var så mager och ynklig. Hon hade ingen vilja hon heller.

– Å? sa jag oförstående. Varför kan jag inte det?

– Vi har inte tillstånd att ligga i sängarna mitt på dagen. De kommer och hämtar oss. De kommer och drar ut oss till de andra. Det är en del av programmet.

Hon såg olycklig ut. Jag ryckte på axlarna, kröp tyst ner i sängen och drog täcket över mig.

– Lägg dig du också, vet jag. Det är lättare när vi är två.

Länge satt hon tyst på sängkanten och såg omväxlande på mig och på sina händer. Så småningom hörde jag fraset av täcket från den andra sängen. Jag lyfte på huvudet och såg att hon hade lagt sig på rygg.

– Det är så skönt att ligga helt stilla och blunda, viskade jag.

– Ja, sa Eva, jag vet det. Jag kunde höra att hon log.

Jag vaknade vid att jag hörde en röst. Det var inte Stetsons klara tenor.

– Jaså, mina damer? sa rösten, den var hes och raspig. Det är här ni ligger. Det här måste jag rapportera. Att ligga och sova på dagen strider mot programmet.

Det frasade ögonblickligen i Evas täcke. Jag hörde hennes fötter i golvet.

– Middag, fortsatte rösten. Jag öppnade ögonen. Han hade ett fåraktigt uttryck i det finniga ansiktet och en fet, stripig lugg snett nerför pannan. Köttiga läppar. Huvudet var stort och kroppen var kompakt och muskulös, det såg ut som om hans lår skulle spräcka jeansen.

– Du är ny, sa han och såg nyfiket på mig.

– Nej, sa jag buttert. Jag är uråldrig. Jag är den äldsta i hela huset.

– Håll händerna över täcket, sa han och gick.

Jag tittade på Eva.

– Cato, sa hon. Han brukar kika på oss i duschen.

– Va! skrek jag. Men ni säger väl ifrån?

– Nej, sa hon tamt.

– Varför inte! Varför säger ni inte ifrån?

– Vet inte, sa hon och reste sig från sängen. Kom. Det är middag.

– Jag vill inte ha någonting, sa jag och la mig i sängen igen. Jag har slutat äta. Säg det inte till någon.

– Nej, sa hon, jag skvallrar inte.

Hon försvann ut. Det var en smal fåra i sängen efter hennes kropp. Om jag inte gick till middagen skulle de komma på att jag inte åt. Alltså måste jag ner och utföra det vanliga tricket att ta mat, som jag sedan skrapade fram och tillbaka med gaffeln. Nej, jag orkar inte mer, jag är proppmätt. Jag reste mig, mycket långsamt för att inte blodtrycksfallet skulle bli så stort, och gick till spegeln. Det var konstigt att ha en ordentlig spegel, jag hade inte haft spegel på tre veckor, bortsett från plastspegeln inne på isoleringen, och i den såg man bara en otydlig version av sig själv. Mina lockar var inte i form, de höll på att räta ut sig. Det tyckte jag var bra, de hade alltid varit så ostyriga, omöjliga att tämja. Jag redde ut håret med fingrarna och gick ut i korridoren. Det surrade och skrapade och klirrade i tallrikar. Matsalen var på första våningen, jag smög mig nerför trapporna och kikade in. Gud hjälpe mig så många människor det var där inne. Jag kände ingen. Men jag såg Eva sitta vid änden av det långa bordet och skala en potatis. Jag hittade en stol och hällde upp ett glas vatten. En ung pojke tittade på mig tvärs över bordet. Han hade spretande, morotsfärgat hår och gröna ögon. När jag såg tillbaka på honom, slog han snabbt ner blicken och blev röd som ett äpple. Fler och fler människor strömmade till, sakta och släpande kom de in från korridoren.

Jag blev sittande och betraktade dem. Det var ett underligt följe av alla slags människor. De flesta befann sig i en egen värld, de såg bara maten och stolen och styrde stelt stegen i den riktningen. Några kom aldrig på plats, de gick upp och ner längs bordet, tittade på maten, tog sig åt huvudet, tittade på maten. Andra hade tagit för sig och slagit sig ner för att äta på ett annat ställe. Ytterligare andra blev stående i dörren och tittade förskrämt in. Ja, det var alla slags människor. Men jag satt snällt på plats, och jag hade mat på tallriken. En enorm kvinna dök upp i dörren. Det var

Kockan. Hon spanade ut för att se om allt var på plats, salt och peppar, kallt vatten i tillbringare. Servetter. En mörk, långhårig figur gled ner på stolen bredvid mig. Jag tittade fascinerat på hans korkskruvslockar.

– Goddag. Jag heter Ruben.

– Mm.

Jag var upptagen av att skala en varm potatis, det skulle ta en evighet, jag skulle inte vara klar med den ceremonin innan måltiden var över. Vårdarna som hade vakt noterade antagligen skalandet.

– Är du av adlig släkt? frågade Ruben. Rösten var dämpad och elegant, och ögonen var djupa och mörka. Han hade målat dem med svart kajal och lärt sig tekniken att stryka ut skuggan med fingertopparna.

– Adlig släkt? sa jag oförstående.

– Du ser sån ut. Din hållning. Sättet du håller huvudet på.

– Å. Nej. Jag är bara arrogant.

– Det var det jag tänkte, log han och försåg sig med sås och potatis.

– Ser du honom där? Tvärs över bordet, med rött hår?

– Ja, sa jag.

– Det är Formel. Han är en räknemaskin.

– Han ser inte sån ut, invände jag.

– Jo. Det är sant. Han kan lägga ihop och dra ifrån snabbare än någon annan. Fråga honom om något.

– Vad som helst?

– Ett mattetal. Gör det så svårt du kan. Det är det bästa han vet. Nej, det är värre än så, han måste ha det för att överleva. Hela tiden.

Jag såg på Formel. Han åt mycket sakta och torkade sig hela tiden över pannan med en smutsig trasa. Hans mun rörde sig oavbrutet, även när han inte hade mat i den, som om han räknade och räknade. Hans händer var små och vita, naglarna var nerbitna nästan till nagelbanden. Jag böjde mig fram över bordet och såg på honom. Han slog ner ögonen igen.

– Hej, du. Jag har ett mattetal åt dig.

Han kikade upp och torkade sig med trasan. Armarna var korta och axlarna sluttande och smala.

– Ja, jaha, just det. Ett mattetal. Ett, ett svårt ett kan jag tänka mig. Svårt, eller hur?

Aha, tänkte jag, han stammar, det var det bästa jag visste, och han stammade verkligen charmigt. Man behöver varken skrattgropar eller långa ögonfransar om man stammar.

– Jättesvårt, sa jag. Är du klar?

– Jag är klar, sa han ivrigt.

– Hur mycket är … jag funderade, försökte blanda ihop talen till något helt omöjligt … hur mycket är trettontusensjuhundrafemtiofyra plus niotusentrehundrasextiosju minus åttatusensexhundranitton?

Jag väntade spänt. Han bredvid mig, som hette Ruben och som älskade sig själv, log nöjt. Formel började svettas, händerna skakade, det ryckte lite i hans huvud och han hade röda fläckar på kinderna, medan han torkade pannan om och om igen. Blicken försvann inåt, in i en värld av tal, medan han letade efter svaret. Man kunde höra hur det tickade och ringde, allteftersom hjärnan jobbade sig fram över sifferräckorna.

– Fjorton, fjortontusenfemhundratvå! stönade han.

Ruben applåderade svagt.

– Stämmer det? utbrast jag.

– Självklart stämmer det, sa Ruben. Det talet var för lätt.

– Men det är inte klokt!

– Det är klokt för Formel. Han är ett oförklarligt mysterium. På Blindern är de helt vilda efter honom, eller hur, Formel. Finns det några stiliga professorer där uppe? Några långa och mörka?

Formel rodnade.

– Jag ska inte plåga dig mer, sa jag till Formel. Jag blev övertalad.

– Du är, du är nyfiken, sa Formel. Det är ett friskhetstecken.

– Äsch, sa jag och drack vatten.

– Har du varit och sett dig omkring? Jag kan visa dig runt, sa Formel entusiastiskt.

Han hade fått uppmärksamhet, nu ville han ha mer.

– Jag har sett alltihop, sa jag och ryckte likgiltigt på axlarna.

– Nej, jag menar utanför, utanför huset. Skogen. Parken.

– Jag har ledsagare.

– Ja, men du kanske får tillåtelse när, när jag är med. Jag kan fråga. Om, om du vill. Jag kan visa dig Brønnen, hackade han. Och slog ner ögonen, förfärad över sin egen djärvhet.

– Brønnen? sa jag.

– Tjärnen. Dit alla går när de ska dö.

Jag såg upp för att se om han skämtade. Ruben knep ihop de sminkade ögonen. Formel fnissade förläget.

Jag orkade inte gå ut i skogen. Men det här lät spännande. En tjärn kunde fungera som en nödlösning om jag ville hoppa av snabbt.

– Ja, sa jag. Det vill jag gärna. Om du ids.

– Jag ids, sa Formel. Men jag måste fråga, måste fråga din stödperson.

– Stetson, sa jag.

– Jaha. Han med hatten? Men egentligen heter han Erik.

– Jaså, sa jag.

Trettio människor tuggade och svalde, sörplade och smackade och sölade överallt, jag hade aldrig sett någon äta med så mycket iver och glupskhet. Hur eländigt det än stod till i deras huvuden, skulle magen ha sitt. Efteråt gick vi till personalrummet och knackade på glaset. Det fladdrade till i gardinen. Stetson kom ut.

– Klart ni kan ta en promenad. Jag litar på dig, sa han och såg Formel djupt i ögonen. Sedan såg han på mig. Mina knän kändes ögonblickligen som gelé. Stetson tittade på en på ett speciellt sätt, man kände det fysiskt, som en plötslig värme.

– Vi ska bara, bara upp till Brønnen, sa Formel.

– Det är bra. Ni får en timme. Men jag måste skriva det i rapporten. Passa tiden.

Och så gick vi ut i den klara luften, Formel och jag. Han var så liten och smal, såg ut att vara i sextonårsåldern. Jag frågade hur gammal han var. Han sa tjugoett. Jag sa: Det ser du inte ut för. Han log och torkade sig i pannan med trasan, den var verkligen otroligt smutsig, och sa: Jag vet det, men jag är tjugo, tjugoett.

– Du får inte gå så fort, klagade jag.

– Okej, sa Formel. Jag kan gå långsammare. Du kanske röker för mycket?

– Ja, sa jag. Men du torkar ju bort svett hela tiden, du behöver väl inte anstränga dig så mycket, vi har en hel timme på oss.

– Det är inte svett, sa Formel. Det är, du förstår, det är så att här

54

uppe, han la en hand på hjässan, här uppe har jag ett stort hål. Hela huvudskålen är borta. Jo, det är sant. Jag känner den kalla, kalla luften som blåser rätt ner på min hjärna. Och nu har det börjat rinna hjärnsubstans ner, ner över min panna, och för att vara ärlig så tror jag inte att det är så mycket där inne, flämtade han.

Jag betraktade huvudet med det tjocka röda håret.

– Hjärnsubstans? sa jag förskräckt. Det var det värsta jag har hört. Du måste få någonting gjort åt det.

– Jag vet, men du förstår, det är ingen som tror mig. När jag försöker förklara.

– De tror dig inte, sa jag uppgivet. Nej. De är så snorkiga, vet du. Det är så folk är. De tror inte det de inte kan se.

– Nej. Precis. Ändå är nästan allt vi vet saker vi aldrig, aldrig har sett. Jag menar, har du sett, sett en dinosaurie? Nej, du har bara fått den förklarad för dig. Människor tecknar och målar, och säger, säger, att så såg den ut. Och du godtar det. Nästan ingenting i världen kommer vi fram till själva, sa han. Men det här med hjärnsubstansen, det har jag kommit, kommit fram till själv. För att jag känner hur den blir mindre och mindre, och jag känner lukten av den, och det blir svårare att tänka för varje dag som går. Men de säger att jag bara inbillar mig. De tror, tror mig inte!

Han lät djupt olycklig vid tanken.

– Men en del är väl kvar, tröstade jag. Eftersom du klarade det där mattetalet. Som jag gav i matsalen.

– Det var för lätt, sa Formel blygt. Inte mycket, mycket att skryta med. Vi gick tysta en stund. Jag tyckte om att vara ute i det fria, ensam med Formel. Himlen var så hög, det hade jag helt glömt.

– Vad är det med tal som är så roligt? frågade jag. Tal är ju bara tal. De säger ingenting.

Formel protesterade. – Jo, men det gör de! Tal är så, är så olika, vet du, inget är likadant. Jag tycker om en del och tycker inte om andra. Varje tal har, har sin egen karaktär. Talet två, till exempel. Två är så litet och vackert och enkelt. Fem är däremot tråkigt. Lite självklart på något sätt. Och så hundra, då! Det svänger om hundra. Och så har vi, har vi till exempel fyrahundrafem. Det kallar jag ett imponerande tal. Men trehundratrettiotre, det är helt, helt omöjligt. Trehundratrettiotre kommer stapplande på kryckor, det hör du väl? Medan tusen däremot är väldigt, väldigt högfärdigt, tycker jag.

– Hur är det med noll då? frågade jag nyfiket.

– Noll är en dörr, en dörr som slår igen, sa Formel bestämt. Men sex är elegant. Sex smäller, smäller som en sax, log han.

– Och tjugofyra?

– Tjugofyra är ungt och löftesrikt. Fyra, fyra stavelser, vackra vokaler. Lyssna på betoningen. Tjugo*fyra*. Det är ett påstående. Du är ett påstående, sa han plötsligt. Du är tjugofyra år gammal.

– Jag är tjugosex, ljög jag.

– Jaså. Då tog jag fel. Jag tar nästan, nästan aldrig fel.

– Du är tjugo, tjugoett, sa jag och härmade hans stamning. Tjugoett är väldigt omoget, stämmer inte det? Något som man just har påbörjat. Har jag rätt?

– Du har helt rätt! sa han entusiastisk. Du förstår vad jag pratar om!

– Och nittionio femtio, det måste vara en gammal tant.

– Absolut, ropade han hänfört. Nittionio femtio är en gammal, fet tant.

Vi skrattade så vi skrek, jag hade inte skrattat på länge, och det var heller inte något välmodulerat skratt som genljöd mellan de parkerade bilarna framför sjukhuset.

– Jag tycker bättre om ord, sa jag. Ord är roliga.

– Säg några roliga ord, bad han.

– Tupplur, sa jag. Det är ett roligt ord. Och foderpåse. Dessutom gillar jag skinntrasa.

Nu kluckade Formel lyckligt i den kyliga marsdagen.

– Vad är det som är så roligt med skinntrasa? fnissade han.

– Hör du inte hur den hänger och slänger, alldeles ensam? skrattade jag.

– Jo. Jo! Jag hör det, sa han hänfört.

Vi lät glädjen sjunka undan lite.

– Första natten inne på isoleringen, sa jag, stod det en typ vid väggen inne i mitt rum, och ingen brydde sig om att förklara för mig vem han var. Och det var inte det värsta. Med jämna mellanrum kom några män in och slog honom med stora påkar.

– Va? sa Formel misstroget.

– De gav sig inte förrän de hade slagit ihjäl honom. Och till råga

56

på eländet lät de kroppen ligga. Ingen kom och hämtade honom. Inte förrän han började stinka.

– De kunde väl i alla fall ha slängt en matta över honom, menade Formel.

– Ja, inte sant?

– Varför slog de honom? ville han veta.

– Vet inte. Och det gjorde inte han heller. Jag tänker mycket på det. Jag tror att jag skulle kunna tåla många slag, om jag tyckte att jag förtjänade det. Eller så kunde jag tåla många slag om jag var oskyldigt anklagad för något, om jag visste att jag var oskyldig och att ingen därför kunde komma åt mig. Men jag skulle inte kunna ta mer än ett eller två slag om jag inte fick något skäl. Jag orkar inte med det här livet heller, för jag har aldrig fått något skäl till varför jag ska vara här.

– Det hade väl inte varit lättare om vi hade ett skäl, menade Formel. Hur hade det varit om du fick ett, fick ett skäl och tyckte det var dåligt?

Jag ryckte på axlarna. Meningen med livet skulle jag inte grubbla mer på, det hade jag ju bestämt.

Vi hade gått över parkeringsplatsen framför avdelningen och befann oss inne i en tät skog. Jag började frysa. Det var en kylig vår. Vi följde en stig, den blev allt smalare. Formel gick först, han gick lätt och snabbt. Höll tillbaka grenarna efter sig så att de inte skulle piska mig i ansiktet. Vi kom ut i en glänta och en liten spegelblank tjärn blev synlig.

– Brønnen, sa Formel allvarligt. De dödas tjärn.

– Hittas kropparna? frågade jag.

– Alla, allihopa.

– Kände du någon?

– Ett par stycken, sa han och såg på den blanka ytan. Han frös, han också.

– Skulle du kunna tänka dig att hoppa i? frågade jag.

– Å, nej. Det är så förbannat kallt, du vet.

– Ska du självdö då?

– Jag tänkte det. Om jag håller ut.

Jag tog upp tobaken ur skjortfickan och rullade med stelfrusna fingrar en ganska tjock cigarett. Såg in i Formels gröna ögon och på den lilla röda munnen. Han vred sig undan min blick men påminde samtidigt om ett barn som plötsligt befinner sig i solen.

– Får du besök någon gång? undrade jag.

Han torkade bort lite hjärnsubstans och tänkte efter. – Om jag, om jag vill.

– Vill du?

– Inte i vanliga fall. De bara tjatar och vill veta när jag kommer ut. Jag vet inte när jag kommer ut. Man skulle tro att det hände, hände en massa fantastiska saker där ute, eftersom de tjatar så. Men de beklagar sig hela tiden de också, över allt, allt som är svårt. De ser det som en provokation att jag, att jag är på Varden. De gillar inte att prata om det. När folk frågar. Medan de lutar sig över staketet. Och den yngste? säger de. Vad gör han? Ja, den yngste. Nu är det så att han har haft en liten skada. Det är så de ser det. Som en pelare med en tunn spricka. Du skulle se deras ögon när jag säger att om det bara hade varit en tunn spricka. Nej, hela huvudskålen är borta. Hjärnan ligger öppen. På vintern fryser hinnorna till is.

– Vad gör de då, när du berättar det? sa jag och granskade honom ingående.

– Tja, de flackar med blicken och, och himlar med ögonen.

Han härmade grannarna på andra sidan staketet, de gröna ögonen rullade och rullade.

En lång stund stod vi och såg på den blanka tjärnen. Den svarta ytan, den stora stillheten som vatten var. Så gick vi sakta tillbaka. Då och då vände sig Formel om för att se om jag kanske var trött och behövde vila. Varje gång han tittade på mig la han huvudet på sned. Med de korta armarna och de spetsiga knäna påminde han om ett barn i en gammal människas kropp. Jag funderade på om han hade vänner. Hur länge han hade varit på Varden. Om han tyckte att det var bra. Om han var olycklig. Jag frågade inte. Vi var tillbaka på Varden i god tid. Stetson var nöjd.

– Skön promenad? frågade han. Vi nickade. Jag gick in i dagrummet och tog mig lite kaffe. En våldsam trötthet övermannade mig och jag måste stötta mig på armstödet till soffan. Till varje pris måste jag hålla mig upprätt. Personalen kunde bli misstänksam. Jag satt tills det hade lugnat sig, rökte färdigt och gick långsamt uppför trappan till andra våningen, där jag hade mitt rum. Eva var inte där. Jag såg henne nästan aldrig. Hon sov fortfarande när jag gick upp på morgonen och hade alltid gått till sängs när jag skulle lägga mig. Hon var i en annan grupp än jag och lämnade avdelningen så fort hon hade chansen. Strosade omkring ensam, längs vattnet, i skogen. Jag la mig på sängen och slöt ögonen. Formulerade en giftig replik jag skulle ha redo för Cato med finnarna om han dök upp, men ingen kom.

*

Stygnen var borta, men ärren kliade. Det var morgon. Jag vaknade av att någon betraktade mig. En knubbig flicka med runda kinder. Hon stod vid sängen med en kopp i handen.

– Kaffe, sa hon. Till dig. Med socker i. Du behöver lite socker. Du ser alltid så svag ut. Jag har sett när du släpar dig uppför trappan, du går i trappor som en sextioåring.

Jag tittade häpet på henne.

– Här är din tobak, den låg på fönsterbrädan. Och askkopp, om du vill röka. Man kan inte dricka kaffe utan att röka, eller hur? Jag menar, om man är rökare. Du röker mycket. Nästan hela tiden. Det gör jag också. Jag älskar att röka. Jag kommer aldrig att sluta.

– Inte jag heller, sa jag och tog emot kaffet. Hur mycket är klockan?

– Sju, sa hon. Jag bor lite längre ner i korridoren. Jag kan komma med kaffe till dig varje morgon vid den här tiden. Om du vill. Det är lättare att vakna då. Jag hämtar det i köket. Kockan säger ingenting, hon är så feg. Hon har sett mig slåss. Jag slog ut några tänder på den jag slogs med. Så jag hämtar kaffe, och hon bråkar inte.

Hon log och det glittrade i de mörka ögonen. Hennes axlar var kraftiga och breda, och hon hade händer som en karl.

– Tack, sa jag och drack en slurk av det söta, starka kaffet. Det var ta mig tusan det bästa kaffe jag hade fått på länge.

– Det är nybryggt, sa hon. När vi kommer ner till frukost har det redan stått en timme i kannan, och då blir det beskt.

Jag satte mig upp och rullade en cigarett. Den mörka knubbiga drog sig tyst tillbaka. Jag nickade åt henne, men var osäker också. Varför i all världen skulle hon vara så snäll mot mig utan anledning? Folk var ju aldrig snälla utan anledning. Gjorde hon så för alla nya eller var jag privilegierad? Eller i en farozon? Man kunde aldrig veta. Kanske kaffet var förgiftat. Men jag drack det i alla fall och såg ut genom fönstret. Det var helt vindstilla, träden stod som svarta spjut under den grå himlen. Eva sov. Jag smög mig bort till handfatet, borstade tänderna, fixade till håret med fingrarna. Det var kanske på tiden med en hårtvätt, för att inte säga en dusch. Håret var inte ljust längre utan så smutsigt att det var mörkt. Jag behövde ju inte se ut som ett åkerspöke även om jag skulle dö. Som Odin sa, man skulle dra sig tillbaka med stil. Jag saknade Odin, saknade hans bullriga sätt, de stora nävarna, de råa skratten. Jag saknade Tussi. Den milda rösten, de sorgsna ögonen. Och Timber, de långa samtalen, tystnaden på nätterna i det lilla rummet. Jag gick ner till frukost. Drack mer kaffe, bredde en limpskiva som jag inte åt. Formel log från andra sidan bordet. Han sa ingenting, han var inte av den framfusiga sorten, snarare mycket ödmjuk. Sedan hade jag tid hos Hedda. Jag mindes inte var hennes rum låg, alla dörrar var lika, jag måste fråga Stetson. Han följde mig dit.

– Vill du ringa till min vän Peter? bad jag plötsligt.

– Ja, det är klart. Vad ska jag säga?

– Jag behöver lite kläder. Och toalettsaker. Säg inte att han ska tömma skåpen, jag behöver inte så mycket.

Jag gav honom telefonnumret. Han nickade.

– Nyckel? sa han.

– Ligger under mattan. Kan jag få ta hit min stereo?

– Ja. Men spela inte efter klockan tio. Och inte för högt. Ta inte hit alla skivorna, la han till. Saker försvinner här. Som överallt annars.

Slutligen stod vi vid Heddas dörr. Hon öppnade och visade mig in till trasmattor och krukväxter. Pekade på en stol. Jag gick direkt till fönstret. Kände mig som ett djur i en fälla.

– Sätt dig, sa Hedda.

Jag blev stående. Hon var otroligt vacker, kanske fyrtiofem år, med blont hår, röd blus och en lång, vit, plisserad kjol med röda vallmor. Varje gång hon rörde sig böljade blommorna runt hennes ben. Hon hade pumps på fötterna. Hon var självsäker och hade en parfym som doftade liljor. Jag var alldeles utpumpad. Promenaden uppför trapporna och genom korridoren var nog, hjärtat slog så tungt och trögt under kläderna att jag tyckte hon måste höra det.

– Jag är socialkurator, sa Hedda med djup röst. Jag tänkte på våfflor och vispgrädde när jag hörde rösten, det var för mycket av det goda, dessutom var jag hungrig. Jag var så hungrig att jag hade lust att gråta, lägga mig ner, dra något mörkt över huvudet.

– Socialkurator, upprepade jag tonlöst. Ursäkta, men jag kanske måste påpeka att jag inte har kommit till Varden för att söka bostadsbidrag eller något sådant.

Hedda skrattade. Till och med skrattet var imponerande. Som varm choklad.

– Nej, det vet jag. Du har jobb, alltså får du sjukpenning, och hyran är knappast ditt största problem just nu. Hon avslutade med ett brett leende. Jag hade aldrig sett så felfria tänder. Kanske de inte var äkta. Kanske Hedda inte var äkta.

– Jag jobbar inte, sa jag surt. Jag är på anstalt.

– Nu ja. Det är bra att vi är överens om något. Vill du inte sätta dig?

– Nej.

Jag såg mig omkring i det trevliga arbetsrummet. Att sätta sig skulle vara en signal att jag var villig att samarbeta, och det var jag inte. På ett bord vid sidan av stolen hade Hedda termoskanna och matpaket. Jag såg på henne och tänkte att det aldrig kunde vara kaffe i den kannan. Hon var tetypen. Och brödet var säkert grovt, med skinka eller ost. Och gröna salladsblad emellan. Dessutom förstod jag att hon var mer än fyrtiofem när allt kom omkring, hon höll sig bara i form. Vid en snabb studie av hennes händer, med röda naglar (samma färg som läpparna och vallmorna och skorna), kom jag fram till att hon kunde vara så mycket som fyrtioåtta, men jag landade ändå på fyrtiosju efter att ha tagit de släta kinderna i beaktande. Hon hade aldrig i livet gjort någon plastikoperation, hon var inte den typen. Men troligen motionerade hon, inte på gym utan i skogen. På somrarna fjällvandrade hon säkert, och antagligen gillade hon att simma. Hon hade breda axlar. Sedan tyckte hon om musik, huvudsakligen klassisk, och hon gick på konserter med jämna mellanrum. Hade hon barn? Ja. Hon hade barn, men möjligen bara ett. Jag tänkte mig en son. Hon var säkert vuxen då hon gifte sig, hon var inte av det impulsiva slaget,

61

alltså skulle sonen idag vara omkring tjugo år. Maken, om hon hade någon, hade säkert en hög position i samhället ...

– Vad tänker du på? sa Hedda.

– Jag försöker komma på vem du är, sa jag.

– Jaha. Klarar du det?

– Du är ganska förutsägbar. Det tog ett par minuter.

– Jag är ledsen om jag gör dig besviken. Du ger mig väl en chans? log hon.

– Vad ska vi egentligen göra här? Varje vecka, i sextio minuter?

– Det bestämmer du, svarade hon.

Jag log trött. Det började bli plågsamt att stå, jag måste ta några steg för att få blodet att rinna runt i kroppen, det samlade sig i fötterna och ville inte fortsätta upp igen.

– Du är rastlös, sa Hedda.

– Egentligen inte. Jag har för länge sedan kommit på vad jag vill och vem jag är. Det gjorde faktiskt ont att komma på det.

– Mm, sa Hedda. Vill du ha en kopp te?

– Ja tack, sa jag och såg möjligheten att få i mig lite socker, så att jag skulle klara att stå vid fönstret timmen ut. Själv använde Hedda säkert inte socker, hon räknade kalorier. Men kanske hade hon till andra.

– Jag tror jag har socker någonstans, sa Hedda. Ja, här är det. Jag använde socker förut, men jag har slutat. Hon log finurligt. Menade väl att hon hade avslöjat en riktigt intim detalj om sig själv och att det var min tur nu. Jag sa ingenting. Drack sakta av teet.

– Hungrig? frågade hon. Och öppnade matpaketet. Två skivor mörkt bröd blev synliga inuti papperet, jag såg lite av en skiva mörkrosa skinka och ett grönt salladsblad.

Jag skakade på huvudet. Hon packade in maten igen.

– Berätta något för mig, sa hon med ett leende.

– Du behöver inte le hela tiden, sa jag. Jag blir inte osäker om du slutar le. Jag tycker om att folk är allvarliga, och dessutom måste det vara ansträngande att le hela tiden, i alla fall behöver du inte göra det för min skull. Så nu vet du det.

Hon nickade och log.

– Berätta något för mig, upprepade hon.

– Vad vill du ha? frågade jag.

vass, hennes ben var torra som kvistar. Jag stod med fötterna i handen. De var fortfarande inne i tofflorna. Jag blev plötsligt så rädd. Sa till henne att jag måste prata med någon. Jag blir inte borta länge. Ligg stilla i sängen och vänta. Hon log tålmodigt. Tittade inte ner på de två benstumparna, hon låg helt tyst och såg på mig med feberblanka ögon. Så stoppade jag om henne och gick.

Här tystnade jag och såg ut genom fönstret på de gröna gräsmattorna med fläckar av smutsig snö. Hedda var tyst, men jag hörde hennes andning, visste att det jag sa gick in i hennes huvud och blev till bilder.

– Jag tog fötterna med mig och gick ut på stan. Letade efter en vårdcentral. Och hittade till sist ett ställe som var öppet, trots att det var natt. Det var många i väntrummet, de tittade på de två fötterna med tofflor på som jag höll i handen, men ingen sa något. Jag fick vänta länge. Till sist kom jag in. Läkaren var kvinna. Hon lyssnade allvarligt.

De höll på att ta livet av henne, sa jag. Jag har inte några pengar och jag kan inte betala dig, men jag behöver bara veta om jag gjorde det rätta! Jag satte tofflorna med fötter i på hennes skrivbord. Hon såg på dem. De hade svällt ännu mer efter det att jag hade sågat av dem, de nästan rann över kanten på tofflorna.

Ja, sa hon. Du gjorde rätt. Hon skulle ha dött om du inte hade tagit dem. Gå hem till henne nu. Gå hem till henne och säg att du var tvungen.

Jag stod länge och tänkte på det här barnet, som var så utlämnat till mig och mina beslut. Hennes ansikte var tydligt, jag skulle ha känt igen henne var som helst. Det smala ansiktet, den runda hakan. Så småningom såg jag på Hedda. Hon hade äntligen slutat le.

Senare låg jag i sängen och stirrade upp i taket. Det hördes ett jämnt brummande från oljepannan i källaren. Oljepannan var vaktmästarens domän, jag tror de hade ett kärleksförhållande, han såg alltid så lycklig ut när han kom från källaren, röd i ansiktet, svettig i pannan. Det var döda insekter och spindelväv i lampkupan. Jag hörde röster som steg och sjönk, mest sjönk de, började lågt och gick ändå djupare. Anstalten var ett fartyg som gungade sömnigt i ett lugnt hav, ingen väntade på oss, ingen vinkade från kajen.

– Det du vill ge mig.

Jag vände ryggen mot henne. – En dröm, mumlade jag in mot glasrutan. Det drog kallt från den. Det är det ni vill ha, eller hur?

– Jag vill ha det du vill ge, sa hon tålmodigt.

Jag slöt ögonen och tänkte att ingenting spelade någon roll längre. Jag kunde prata eller vara tyst. Jag kunde skratta eller gråta. Jag kunde svälta eller göda mig, leva eller dö. Det spelade ingen roll längre.

– Plötsligt hade jag en dotter, sa jag. Jag har inte barn, jag ska aldrig ha barn, men i drömmen hade jag en dotter.

Paus. Hon avbröt inte.

– Hon var späd och mörk och hade långt hår. Och hon var väldigt sjuk. Vi bodde i en trång vindsvåning, bara hon och jag. Det var kallt och rått där uppe, och hon låg sjuk i sängen. Vi hade bara en säng, men den var stor nog till oss båda, för hon var så liten. Hon hade fräknar, sa jag, pyttesmå fräknar över hela näsan. Men hon var sjuk. Hon hade hög feber, och jag måste göra något. Men jag hade inte pengar till läkare. Och jag hade inte telefon. Och jag kände ingen annan på gården där vi bodde. Jag kände ingen. Det var något fel med hennes fötter. De svullnade upp och blev jättestora. Dubbelt så stora som de skulle vara. När jag tog på dem blev det djupa gropar efter mina fingrar. Men hon grät inte, och hon klagade inte. Jag sprang omkring och letade efter mynt, letade överallt, i fickor och lådor, sa jag med ryggen mot Hedda, men hittade ingenting. Men jag förstod att det var fötterna som höll på att ta livet av henne. Att de måste av. Hon hade rutiga filttofflor på fötterna. Sköna varma tofflor. Men fötterna tog livet av henne. Det var gift i dem, det var på väg uppför hennes ben, jag måste stoppa det, annars skulle det inte dröja länge förrän det nådde hjärtat. Jag gick till köksbänken. Öppnade en låda. Hon var så tapper där hon låg, hon litade på mig. Att jag skulle komma på en lösning. Jag tyckte så synd om henne. I lådan hittade jag en brödkniv med tandad egg, den var mycket vass. Jag stod en stund med ryggen mot sängen och kände på kniven. Så gick jag bort till henne. Böjde mig ner och började såga av de små fötterna med kniven, ungefär vid vristen. Det blödde inte, inte en droppe. Det tyckte jag var konstigt. Och hon skrek inte heller, bara såg på mig med stora ögon. Till slut var båda av. Det gick så lätt, kniven var

Jag hade just fått behandling. Jag kände mig inte bättre. Det hade jag inte väntat mig heller. Det var hur som helst underligt att jag låg där, i sängen, ensam, på anstalt, på väg mot döden, och ingen stod i dörren och såg bekymrat på mig av det skälet. De var visst upptagna med andra saker. Det var med andra ord ingen som brydde sig. Personalen skulle infinna sig vid rätt tid, ha möten, skriva rapporter, dela ut mediciner, vara snälla, tålmodiga och vänliga, MEN DE KUNDE JU FÖR HELVETE INTE HJÄLPA OSS! Jag frös och var hungrig. Drog täcket om mig och låg helt stilla utan att röra mig. Långsamt blev jag varm och sömnig.

Jag vaknade av att det stod en skugga vid sängen. En ung pojke i ljusa kläder. Han log och bugade tre gånger. En äppelmunk, tänkte jag. Ett moget plommon. Ett geléhallon.

– Korian, sa han. Jag heter Korian.

Hans röst var liten och flickaktig.

– Jag ber så mycket om ursäkt om jag stör. Men om det inte är för mycket besvär, tänkte jag att vi två kunde göra varandras bekantskap som civiliserade människor, eftersom jag anser att det värsta med det här stället är att folk skjuter allt vad hövlighet och bildning heter åt sidan, och jag ser ingen anledning att tillämpa den här hafsiga och närmast likgiltiga stilen, när vi alla är så gott som vuxna människor.

Jag måste le mot min vilja.

– Får jag lov, fortsatte han uppmuntrad av leendet, om du inte har något emot det, att erbjuda dig mina tjänster. Om det är någonting du önskar. Jag klarar det mesta. Till exempel vet jag allt om massage, om du skulle vara plågad av ömma muskler eller något sådant, och jag kan en del om zonterapi, och du kan inte ana vilka mirakel jag kan utföra om du bara låter mig.

– Tack, sa jag trött. Jag vill helst sova.

– Ja, jo, det kan jag förstå, inkastad i den här lejonkulan som du är, och den chocken vet jag en del om, jag har varit här länge, mer än åtta månader, men jag kan trösta dig med att det går över och att du snart har funnit dig tillrätta. Tro det eller ej, men så är det.

– Det är jättebra att vara här, sa jag. Det är mycket bättre än utanför.

– Ja, inte sant? Jag menar, utanför råder ju fullt kaos. Jag funderar uppriktigt på hur de menar att vi ska klara oss där ute, ömtåliga själar som vi är. Har du någon gång försökt korsa en gata i Tokyo, mitt i rusningstrafiken? Jag skulle hellre kasta mig för lejonen, ja det skulle jag. Annars, som sagt, står jag till tjänst med allt. Till exempel kan jag suga på dina tår. Det är en speciell upplevelse. Jag känner mig djupt skakad när jag tänker på hur få människor som faktiskt har upplevt det. Om du frågar mig, så tycker jag att det är en mänsklig rättighet att någon suger på ens tår då och då.

– Korian, sa jag, du ska slippa det. Jag har inte duschat på flera veckor. Har du många kunder? frågade jag nyfiket.

– Nej, jag har ju inte det. Folk är otroligt snåla mot sig själva, det är en tragedi. Vi människor förtjänar allt det bästa, varje dag, hela tiden, om du frågar mig. Så enkelt är det. Om vi bara kunde inse det skulle mycket vara löst.

Jag kände ett leende rycka i mungipan. Korian rodnade klädsamt.

– Ska vi ta en promenad? föreslog jag. Vi kan gå till Brønnen.

– Du har ledsagare, sa han snabbt.

– Jösses vad ni vet allihopa. Jag tror förresten att de har glömt bort det där med ledsagare. De gav mig tillstånd att gå ut med Formel.

– Ja, men saken är den, hur smärtsamt det än låter, att personalen litar på Formel. Och ingen litar på mig. Förklara det den som kan.

– Jag förstår, sa jag.

– Men nu när jag har nämnt det, om du alltså inte tycker att jag är för närgången, kan jag inte få slå mig ner en stund så kan vi prata om livets bekymmer? Personalen uppmuntrar det, att vi ska samtala med varandra, det har du säkert hört. Och om du pratar med oss andra blir du fri från ledsagare fortare än kvickt och kan gå vart du vill. Bara ett litet tips från en enkel själ, log han.

Han var så ren och slät och gyllene där han stod i den öppna dörren. Det lyste om honom.

– Vad har du unnat dig själv idag? frågade jag vänligt.

– Jag har precis unnat mig själv att göra din bekantskap. Man borde unna sig en ny människa varje dag. Jag måste förresten få lov att rekommendera dagens middag, sa han ivrigt. Kokt kall makrill med gräddfil och gurksallad. Fisken här är bra. Ja, inte så bra som i Tokyo, men absolut ätbar.

– Varför är du här? slank det ur mig.

Det lilla leendet försvann ett ögonblick och gav vika för ett par nervösa kast på det runda huvudet.

– Ja, eh, saken är den, hur smärtsamt det än låter, att min far, diplomaten, är i Tokyo, där han alltså arbetar, och min mor … eh, min mor …

Han körde fast.

– Jag förstår, sa jag.

– Å nej, på intet sätt, det skulle vara för mycket begärt, ja, det här säger jag inte på något sätt för att nedvärdera dig, men du förstår inte. Du förstår helt enkelt inte.

Jag skämdes lite.

– Får jag förresten fråga vem som är din stödperson? sa han sedan.

– Stetson.

– Ah! Roligt namn. Vet han att du kallar honom det?

– Troligen inte.

– Du har tur. Han är en fantastisk människa, på alla sätt.

– Vem har du? frågade jag nyfiket.

– Ja, eh, saken är den att själv har jag fått en kvinna som kallas Mulatten. Hon är inte färgad eller så, utan hon har solat så mycket solarium. Jag har försökt förklara att på sikt kommer det att straffa sig. Jag menar, hon är inte mer än trettio, men fortsätter hon så där blir hon gammal i förtid. Jag menar, rynkig, alltså.

– Tycker du om henne?

– Tycker om och tycker om. Man behöver inte nödvändigtvis tycka om allting, hon gör ju sitt jobb så gott hon kan, och jag har ingenting att sätta fingret på, så där helt konkret, men det är ju inte någon direkt tillgivenhet mellan oss, om du förstår vad jag menar. Å andra sidan, det är väl för mycket begärt. Eller vad tror du?

– Ja. Det är för mycket begärt.

– Men när det gäller Stetson har du tur. Han döljer ingenting. Han är sig själv. Du kan prata med honom.

– Vem får du terapi hos? ville jag veta.

– Ah, det är Torbjørn. Han i blå bussarong.

– Tycker du om honom?

– Tycker om och tycker om. Man behöver ju inte tycka om allting. Vet du att han har en afghanhund? Jag menar, det säger det mesta om en människa, att han väljer en afghanhund när han kunde ha valt en grönlandshund eller en mastiff. För att inte tala om en grand danois. Men en vinthund, alltså. Vet du vad man säger om vinthunden? Den är som katten, den är sin egen herre. En människa som skaffar sig en vinthund önskar sig egentligen inte en hund. Vet du förresten att afghanhunden var ett av djuren som Noak tog med sig i arken?

– Nej.

– Har du hund?

– Nej.

– Vill du inte ha hund? Har du tänkt på det? Du bör fundera på det. Senare. När du kommer ut härifrån. Den sänker ditt blodtryck, och om du lär upp den kan den suga på dina tår.

Jag la mig ner igen. – Mitt blodtryck är för lågt som det är, sa jag trött. Jag är hela tiden på väg att svimma.

Hans ordflöde var behagligt. Det som bekymrade mig var att jag blev lite förtjust i honom. Det var otvivelaktigt ett friskhetstecken.

– Ursäkta, Korian, sa jag försiktigt för att inte såra honom. Jag är egentligen ganska trött. Och så fryser jag så. Jag tror att jag måste vila lite.

– Jag förstår, jag förstår. Men saken är den, hur smärtsamt det än kan låta, att strax har vi gemensamt möte. Och om du inte kommer, blir du hämtad. Och i värsta fall av Cato. Du vet, CATO.

– Ja, jag vet.

– Cato är en pest. Låt honom inte röra dig, jag är säker på att han smittar.

– Ja.

– Prata inte med honom. Stanna inte om han ropar. Svara inte på frågor. Cato är luft. Vi håller helt enkelt på att frysa ut honom. Vi har kommit ganska långt. Det börjar bildas rimfrost runt hans näsvingar. Men som sagt, gemensamt möte. Gemensamt möte är inte det värsta. Bara kom som du är. Det är ingen som gör sig fin.

Jag måste resa mig igen för att se om han skämtade. Det gjorde han inte. Han bugade sig ut genom dörren och försvann.

Mötessalen låg på första våningen, längst bort i korridoren till höger. Folk satt i en demokratisk cirkel, personal och patienter om vartannat. Det var få som satt som vanligt, raka i ryggen och med fötterna på golvet. De låg, eller vägde på stolen eller vände den bak och fram. Eller så satt de på golvet framför stolen. En uppfinningsrik typ hade vänt stolen upp och ner och satt sig på undersidan av sätet med stolsbenen som ryggstöd. En annan stod demonstrativt och lutade sig mot väggen med armarna i kors. Jo, det var minsann ett gäng. Jag häpnade över att de bröt mot alla regler som fanns. Ingen hade tänkt göra vad som förväntades av dem. På ett sätt förstod jag dem. Själv satte jag mig på den lediga stolen bredvid Stetson, rak i ryggen och med benen ihop. En skäggig kille i blå bussarong fungerade som mötesledare, det var väl han med afghanhunden antagligen. Han hade goda nyheter. Han spejade ut över våra huvuden, de slöa huvudena, de alltför tunga huvudena, de förvirrade, galna, plågade huvudena, och sa:

– Personalen har beslutat följande: Vi ska på stugfärd.

Upplysningen föll ut som en oönskad julklapp. Det gick en rysning genom församlingen. Jag fick plötsligt syn på Eva som jag delade rum med, hon satt och hängde på stolen, såg ner på sina händer som låg i knät och väntade på att mötet skulle vara över så att hon kunde gå in i ett annat rum och sätta sig och lägga händerna i knät. Några stönade. Andra ryckte på axlarna, stolarna skrapade.

– Varden disponerar som ni vet fyra stugor, så vi får plats med en grupp per stuga. Vi tror att det blir ett trevligt avbrott i vardagen. Nya omgivningar, natur och sådana saker. Maten ska vi laga själva. Några frågor angående det här beslutet? Något ni funderar på?

Illavarslande tystnad. En osedvanligt fet, gråhårig men alls inte gammal man satt och fingrade på en hemrullad cigarett han självklart inte fick tända. Stormcentret pillade på sina finnar. En söt mörk flicka började plötsligt att sjunga. Ave Maria. Hon hade en klockren röst, och alla stannade hänfört upp och lyssnade. Men så blev hon avbruten av den blå bussarongen och slutade. En man reste sig. Den fete gråhårige. Han var så tjock att han nästan inte kom upp ur stolen. Jag menar, Korian var rund, Tjuven Tjuven var knubbig, Sonja med barnet var frodig och Odin var enormt kraftig. Men den här mannen var smällfet.

– Freddy? sa mötesledaren entusiastiskt. Du har något på hjärtat?

Freddy stönade och flåsade, fick ordning på sitt fläsk och började tala. – På hjärtat har jag, enligt läkaren, inte något annat än för mycket fett. Nej, jag har en fråga. Den här stugfärden, är den obligatorisk?

Han var utpumpad efter alla ord.

– Ja. Som det mesta här på Varden är den det. Bara sjukdom godtas som frånvaroorsak.

Stormcentret flög upp från stolen. Ögonblickligen kände jag vinddraget genom rummet.

– För fan, sjukdom? Vi är ju sjuka hela gänget, det är ju för fan därför vi är här! Vad är det för slags resonemang? Utflykter är till för friska, sociala, välanpassade friluftsmänniskor, inte för ett gäng galningar! Vet ni hur jag har det på natten? Vet ni vad som händer? Har ni hört hur jag skriker när mardrömmarna sätter igång? Jag har ett enkelrum här på Varden. Tror ni att det är någon, någon som helst i det här sällskapet, som frivilligt delar rum med mig i en trång stuga? Är det någon som anmäler sig frivilligt kanske? Låt mig se. Vem vill dela rum med mig på en stugfärd?

Ingen ville.

Feta Freddy applåderade. Den mörka söta, som vi kallade Jungfru Maria, började på en psalm, Kärlek från Gud. Han som jag sedan skulle lära känna som Moffa lyssnade betagen och tvinnade mustaschen.

– Ingen förväntar sig att ni ska klara av allting, sa bussarongen genom psalmsången. Eller fjällvandra eller något sådant. Vi ska med ganska enkla medel bort från Varden för att uppleva någonting annat. Vi åker i fyra minibussar och tar med sovsäckar till alla, vi lagar maten själva, de som klarar det hjälper till. Vi går korta eller långa promenader i skogen. De som inte orkar låter bli. Det kommer inte att ställas stora krav. Ni behöver omväxling. Stugfärden är helt enkelt en del av programmet, och därför är den viktig.

En grupp per stuga, tänkte jag, plötsligt ganska få runt matbordet, personalen skulle upptäcka att jag inte åt, de skulle avslöja min hemlighet. Inte som här på avdelningen, där vi var så många

70

runt bordet och där ny personal kom till på nya skift hela tiden, utan samma personal, morgon, middag, kväll och natt, dag efter dag. Jag kunde inte följa med. Jag måste se till att bli sjuk. En plötslig hög feber eller elaka utslag. Det satt förresten en flicka med elakartade utslag inte så långt bort. Hon kunde ha varit söt, om det alltså inte var för utslagen. Hennes ansikte och hals och armar var fulla av röda fläckar, hon hade svullnader här och där och var liksom uppsvälld. Jag tänkte: Kanske hon är en av de lyckliga som slipper. Hur ser man till att snabbt få feber? Om jag ändå hade varit allergisk mot något.

– Och när det gäller dig, Tore, och vilka du ska sova tillsammans med så kommer vi nog på något. Och vi ska ju inte vara där i veckor heller. Bara en helg. Dessutom, att tvingas lyssna till grannens mardrömmar kan vara en del av många människors vardag, även om ni är utanför samhället, som ni säger. Om det är någon de bryr sig om ska de tåla det.

– Och om det är någon som de inte tål? undrade Stormcentret.

– Då måste de lära sig att ta hänsyn. Det tillhör det ni måste lära er medan ni är här.

En annan man reste sig. En ung, ljushårig och ganska snygg kille med rödblommig hy och stora lockar.

– Jag hoppas att ni är medvetna om att den här stugturen kan provocera fram saker som hålls tillbaka i de här trygga omgivningarna och att den faktiskt kan göra några av oss sjukare? Och vem tar i så fall ansvaret för det? Hur är det med alla som har ledsagare? Har ni tillräckligt med folk? Har ni gjort det förr? Vi har suicidala människor här. Och det vill jag bara ha sagt, att det är gott och väl när folk dör, och det är ännu bättre när de dör frivilligt, men jag vill inte att det ska hända medan jag är i närheten. Och det var bara det jag ville säga. Pitten och kuken! avslutade han. Ingen reagerade. Jag hickade till.

– Tics, viskade Stetson. Du vänjer dig.

– Stackarn, sa jag.

– Inte så länge han är här inne. Det är värre utanför. Han utbildar sig till präst på teologprogrammet, och det säger sig självt att den mannen inte kan släppas lös i en predikstol.

Jungfru Maria reste sig och var plötsligt helt klar. Nu skulle hon inte sjunga utan komma med ett klagomål. Hon hade varit i stryk-

71

rummet och strukit en vit blus som hon hade fått i present av sin far, och det visade sig att strykjärnet hade bruna fläckar på undersidan och att blusen, som var dyr, köpt hos Ferner Jacobsen, blev helt förstörd. Och vem skulle ersätta den? Kunde någon svara?

Mötesledaren sa: – Jag ska ta kontakt med socialen. De kanske kan skaffa oss ett nytt strykjärn.

– Jag talar inte om strykjärnet, jag talar om blusen. Fyrahundrasjuttiofem kronor, sa Maria strängt. Bara så att du vet.

– En vit blus. Jag ska se vad vi kan göra. Men du måste kanske ta det du får. Och låt mig tillägga, det är din sak att vända på strykjärnet och titta under innan du börjar stryka. Det går faktiskt att rengöra det. Det ligger strykjärnsrengöring i lådan där inne.

– Min sak? Vet du hur mycket jag har att tänka på? Jag ska säga dig en sak, skrek Maria, nu med större kraft (borta var psalmsången och den fromma uppsynen), att det finns karlar här som stryker sina skjortor när de är smutsiga. Och det är därför strykjärnet blir brunt och kladdigt under. Och jag har sett folk, ja, jag ska inte nämna några namn, men jag har sett folk stoppa skjortor i tvättmaskinen med tobakspaketet i bröstfickan. Är det då så konstigt att strykjärnet blir brunt? Jag bara frågar!

– Inga karlar här på Varden stryker skjortor, mumlade Feta Freddy. Maria föll plötsligt ihop, förskräckt över sitt eget utbrott, damp ner på stolen och träffades av ett förklaringens ljus. Hon började på Närmare Gud till dig och blev den andra Maria igen. Hon var helt enkelt två olika personer. Hon hade förresten något av det ljus i ögonen som Tussi hade haft.

Jag studerade den blå Bussarongen, hans missklädsamma byxor med knän på, det ovårdade skägget. Med vilken rätt, tänkte jag, med vilken rätt har människorna som jobbar här kommit hit? Vad tror de att de kan och vet? Vad förstår de av vad som egentligen försiggår i huvudet på Formel, eller Ruben eller Korian? De hade kanske läst böcker. Flera av dem hade säkert gått på kurs. Men att se in i huvudet på en människa är fysiskt omöjligt. De har bara våra ord att stödja sig på. Bara de ord vi väljer att ge dem. Drömmen jag hade gett till Hedda. Hon trodde på mig när jag berättade något. Säger du något till en människa och lägger pannan i djupa veck så tror de dig. Tanken öppnade vanvettiga perspektiv. Jag kunde ge dem det huvud jag ville. Det huvud jag orkade med

72

att de fick se. Jag tittade bort mot flickan med utslagen. Hon såg ner hela tiden, men då och då drog hon handen över kinderna som om de brände. Jag tänkte på Tussi, som alltid hade fuktiga ögon. På sorgsna Eva med de svarta kläderna. Vad var sanningen om vilka de var?

– Flera frågor? sa Bussarongen.

– Inte så länge du är mötesledare, sa Stormcentret.

– Balleknull! tillfogade Jørgen Tics. Och så avslutades mötet.

*

Vad vill du veta? Vad ska jag berätta? Att soldaterna ombads låta sina döda kamrater ligga, inte försöka dra bort dem från slagfältet. Fienden hade pepprat liken fulla med sprängämnen. Spelar det någon roll vad jag säger?

Så du vet redan att de ligger där, sprängfyllda med dynamit? Var har du gjort av den här bilden? Lagt den i en låda, säger du? Men lådan går ju upp hela tiden, jag smäller igen den, den går upp, jag får inget annat gjort än att smälla igen lådan, till slut har jag inte tid till något annat, jag orkar inte något annat.

Gräsmattorna började bli gröna, och solen värmde genom fönstret och ner i sängen där jag låg. Men jag var trött och jag frös. Jag låg ofta i sängen. Gick jag upp, kände jag kylan. Jag tänkte: Det blir aldrig varmt mer. Min vän Peter dök plötsligt upp med en stor bag och en pappkartong. Först blev jag förvånad, så mindes jag att jag själv hade bett honom komma.

Han stod vid sängen och vred händerna, visste inte vad han skulle säga. Han sa precis det: Jag vet inte vad jag ska säga, så jag håller käften.

– Det är bra, sa jag.

Bagen var full av kläder och toalettsaker, och i en sidoficka hittade jag fyrtio Prince. Jag blev rörd. I kartongen låg Bang Olufsen-anläggningen och några utvalda skivor.

– Du vet väl inte hur länge du måste vara här, sa han och harklade sig, jag tänkte att, om du inte tycker jag är fräck, att jag kanske kunde få låna din bil medan du är här. Hålla den varm, så att säga.

Jag ryckte på axlarna och nickade. Letade rätt på nyckelknippan till lägenheten, tog av bilnyckeln och gav honom den.

– Jag har ingen extranyckel, sa jag. Var rädd om den.

– Det ska jag.

– Den måste ha bensin för att gå. Nittioåtta oktan. Och olja och vatten. Det rinner rakt igenom, du måste fylla på ofta.

– Jag ska komma ihåg det.

Så stod han en stund med hängande armar, bara såg på mig och log sorgset. Det gjorde mig ingenting att han tittade. Jag visste vem Peter var, Peter visste vem jag var. Det var inga spänningar mellan oss, bara ro och vila.

– Hur går det med aktionsteatern? frågade jag.

Min vän Peter var nämligen skådespelare vid sidan om, med i en grupp de kallade Den Fria Teatern. De hade inte mycket till övers för Ibsen och Shakespeare, de föredrog att spela direkt på gatorna och kommentera tillvaron utan manuskript.

– Alltför många saker som ligger och väntar, sa han allvarligt. Vi hinner inte med allt.

När Peter hade gått, studerade jag innehållet i bagen. I en sido-ficka, inslagen i silkespapper, hittade jag en bild som alltid hängde över min säng, var jag än bodde, jag hade haft bilden i åratal. Peter visste det. Han hade stått i min lägenhet och sett på bilden. Tänkte att jag kanske skulle sakna den. Det sved lite i ögonen då jag såg den enkla teckningen. Klippt ur en konstkatalog, inte ett dugg värdefull, men det vackraste jag hade sett. Döden med flicka i famnen. Tecknad av Käthe Kollwitz. Det fanns inte en spik i väggen någonstans, så jag satte bilden på fönsterbrädan med en mugg som stöd. Efteråt gick jag igenom innehållet i den blommiga necessären och blev nästan förvånad över allt som låg där, allt jag hade trott att jag behövde. Flaskor och burkar och stift i alla fasoner. Jag gick till spegeln. Den var fläckig och på några ställen vågig, så att mitt ansikte, om jag tittade ner i spegelns vänstra hörn, blev utdraget och närmast deformerat. Huden var grå och slapp, vid ögonbrynen flagnade huden av, om jag kliade med en nagel lossnade lösa tunna sjok av torrt skinn. Halsen var rynkig. Mina skor var för stora, till och med fingrarna var tunnare, jag måste flytta den enda ringen jag hade från ringfinger till långfinger, och trots det var den för stor. Peter hade kommit ihåg både trosor och sockor och skjortor och byxor, och dessutom hade han hittat en

74

blå sammetsklänning, som jag en gång hade köpt i ett anfall av förtjusning över att finnas till. Jag tittade dumt på klänningen. Drog upp några rena kläder ur bagen. Hittade tvål och hårschampo i necessären. Gick på vacklande ben nerför korridoren och in i duschen. Klädde av mig. Skruvade på kranarna. Känslan av värme var så överväldigande att jag sjönk ihop på golvet. Jag kunde ha suttit i en gryta, värmen kunde ha stigit till kokpunkten, jag skulle inte ha rört mig. En evighet satt jag stilla under vattnet. Så småningom klämde jag ut en klick schampo och tvättade håret länge. Sköljde väl. Plötsligt skar en röst genom bruset från duschen.

– Fan, du sitter på golvet och duschar! hörde jag och tittade förvirrat över kanten på dörren, där Catos finniga ansikte såg ner på mig. Han var också röd i ansiktet, av ångan inne i duschen. Ett ögonblick satt jag med ryggen mot honom, först fullständigt ställd, men med ens slagen av ett slags likgiltighet.

– Alla här inne frågar varandra samma sak, sa jag lågt. Varför är du här? Har du hört det, Cato? Att vi frågar varandra det?

Han svarade inte. Jag fortsatte med ryggen till: – Men när jag ser på dig behöver jag inte fråga. Svaret är uppenbart.

Han utstötte några motbjudande, grymtande ljud och hans steg hasade över golvet och försvann. Jag vred av vattnet och torkade mig länge. Värmen jag hade haft i kroppen försvann och kylan kom tillbaka. Jag gick tillbaka till rummet. Hittade hårtorken i bagen, satte i kontakten och började blåsa håret, som i flera veckor varit brungrått, nästan mörkt, men som nu långsamt blev helt ljust, så som det skulle vara. Lockarna vaknade till liv, de snodde sig som förr omkring öronen, och det var underligt att se sig i spegeln och känna igen sig själv igen. Är det här ett friskhetstecken? tänkte jag bekymrat. Nej, det här var att gå in i döden med stil, som Odin brukade säga. Jag la mig på sängen. Vänligheten stack in huvudet.

– Gruppmöte, log hon. Börjar om fem minuter. Kors, har du permanentat dig?

Jag stirrade dumt på henne. Jag skulle just svara men blev avbruten av ett våldsamt sus. Som en sjö som vällde in i huvudet, och jag tänkte att äntligen brister blodkärlet, jag har alltid vetat att det var så jag skulle dö. Drunkna i en varm flod.

– Är allt okej? frågade Vänligheten. Ska jag följa med dig dit bort?

Jag höll andan, lyssnade till bruset och dyningarna, det var ett sug och ett sus, kaskader av blod som sköljde in och färgade ögonlocken röda. Men brottsjöarna drog sig långsamt tillbaka och jag kunde höra igen.

– Jag visste inte att du hade så fint hår, sa Vänligheten.

Gruppmöte. Det luktade surt och instängt i det lilla rummet, veckans korridorstädare hade ansvaret för att vädra och tömma askfatet, men ingetdera var gjort. Gardinerna var delvis fördragna, det var skumt och dammigt. Intill väggen stod ett gammalt piano. Jag kunde, om jag ville, gå bort och sätta mig på pianopallen och hamra loss på de gula tangenterna, till exempel något av Sibelius, men när allt kom omkring, Sibelius var svår, ställde stora krav på utövaren, och jag kände mig inte helt säker. Jag hittade en ledig plats. Mitt emot satt Feta Freddy och Jørgen Tics. Jag såg Kajsa med utslagen, de var ännu mer inflammerade nu, och Maria som nynnade på en psalm.

*Hjälp mig Gud att finna lycka, hjälp mig Gud att finna fred. Se på mig från Gudatronen, se i nåder till mig ned.* Moffa tvinnade och tvinnade mustaschen, blicken hängde vid hennes ansikte. Stormcentret rafsade ihop lite tobaksboss i ett cigarettpapper och var helt koncentrerad på denna viktiga uppgift. Till höger om mig satt en svarthårig, svartklädd kille med hängande huvud, man kunde inte se hans ansikte, och jag funderade på om det kunde vara den galna finnen längst bort i korridoren som alla talade om. Vidare satt där en kille med krulligt hår och grön kakiskjorta, uppenbart en av personalen (han såg så samlad och närvarande ut), och en äldre man med mörk, bakåtkammad Draculafrisyr och blek hy. Klockan visade precis elva. Draculafrisyren harklade sig. Fingrarna avslöjade en lätt skälvning och resten av honom att han inte levde ett sunt liv. Han var egentligen för gammal för att vara på Varden, Varden var en ungdomsavdelning med patienter i åldrarna sexton till fyrtio. Den här mannen var äldre. Men han var uppenbarligen mycket neurotisk, på gränsen till paranoid, och när han öppnade munnen talade han hackande och skrovligt, dessutom hade han en obegriplig och inte särskilt trevlig dialekt.

– Hajna, sa han och såg på mig. Välkommen till oss. I det här rummet träffas vi varje dag precis klockan elva, för en timmes samtal. Efter klockan halv tolv är det tillåtet att röka, inte förr. Jag är doktor Freiner. Avdelningsläkare.

Jag höll på att ramla av stolen. Att den där fågelskrämman till karl, den där bleka bengeten med det urgröpta ansiktet, den här hackande, darrande, flackande gestalten hade ett professionellt ansvar för oss, det kunde inte vara sant. Jag måste kasta en blick på de andra för att se om han menade allvar, det var trots allt många som utgav sig för att vara något annat än de faktiskt var, Jungfru Maria till exempel, men han skojade inte.

– Vad ska vi tala om idag? sa doktor Freiner.

Moffa lyfte huvudet. – Diagnosen, sa han lågt. Idag ska vi tala om diagnosen.

Freiner flyttade sig längre in på stolen. – Är du så besatt av diagnosen? hackade han. Det ska du inte vara.

– Nej, sa han. Det är det ni som är.

– Nåja, det är väl inte precis så, harklade sig Freiner. Han retirerade redan. Diagnosen är bara ett hjälpmedel.

– Nej, det är en bruksanvisning. Utan diagnosen är ni ingenting.

Plötsligt vände han sig till mig. – Fråga Freiner vilken diagnos du har fått. Jag slår vad om att du fick den så snart du hade kommit innanför dörren. Kanske hade du inte mött honom ens, kanske har du inte mött honom förrän nu, men lik förbannat har han gett dig en diagnos. Han är väldigt snabb, Freiner.

Det såg ut som om Freiner hoppades att jag inte skulle fråga.

Tanken på att det som var fel med mig hade ett namn hade aldrig slagit mig. Det var ju inget fel på mig, jag var bara tillbakadragen.

– Har jag fått en diagnos? sa jag och tittade på honom.

Han vred händerna. – Ja, nu är det så att du bara har varit här ett kort tag …

– Hon frågade om diagnosen, sa Moffa.

– Har jag fått en diagnos? frågade jag igen.

Freiner undvek min blick.

– Vi är självklart inne på att ge dig tid …

– Diagnosen! skrek Moffa.

– Vad vi kallar det är inte särskilt viktigt …

Då reste sig Moffa och tornade upp sig framför Freiner. Även om han inte rörde honom med ett finger, kunde vi tydligt se att Freiner kände sig obehaglig till mods. Stormcentret gnäggade, Jungfru Maria sjöng, och Formel löste ekvationer.

– Depressiv neuros! sa Freiner med en bestämd nick.

Moffa släppte inte taget. – Har du inte ett tillägg? Ni brukar ha ett tillägg, för säkerhets skull.

– Möjligen på väg mot borderline.

– Just det. Och via den diagnosen sätts hon automatisk på … vilka mediciner, Freiner? Du har väl bläddrat i FASS.

– Det minns jag inte på stående fot …

– Du sitter, för helvete. Och vi har gott om tid. Det där kan du utantill.

– Truxal eventuellt. Tre gånger Nozinan och Hibanil. Skulle jag tro. Helt enkelt för att hon behöver det.

Moffa släppte Freiner med blicken och satte sig igen.

– Så jag får de tabletterna för att de automatiskt följer den diagnos som du har gett mig? sa jag förvånat.

– På intet sätt, sa Freiner sakligt. Vi kan faktiskt se dig som individ. Även om det inte låter så.

Jag tänkte en stund på det här. – Men om du inte hade lyckats ställa någon diagnos överhuvudtaget? Vad hade du gett mig då?

– Nu är det ju så, sa Freiner, att vi ändå skulle ha placerat dig i landskapet …

– Sätt henne i bur, brummade Moffa. Ni sätter oss i bur!

– Jag menar, vi har ju en viss erfarenhet, fortsatte han oförtröttligt. Vi har varit här några år och sett en del.

– Du gör allt på rutin, sa Moffa. Du har slutat tänka. Fråga honom om biverkningarna nu.

– Har de några biverkningar? sa jag bekymrat.

– Det är absolut inte så att alla …

– Räkna upp dem! skrek Moffa. Kom igen. Hon har rätt att få veta det.

– Hajna kan antagligen tala själv, sa Freiner hårt. Men någon enstaka gång …

– Det är för fan inte någon enstaka gång, jag har gått igenom alla! skrek han.

– Trötthet och dåsighet. Blodtrycksfall. Viktökning. Men bara av stora doser under lång tid …

– Fortsätt! skrek Moffa.

– Allergiska reaktioner. Då och då pigmentförändringar i huden och i några fall förändringar av pigmentet i ögonen. Ikterus.

– Vad för något?

– Du blir gul som en kines, sa Moffa.

Jag stirrade förfärat på Freiner.

– Fortsätt, sa Moffa. Du är inte färdig, Freiner.

– Vattenansamling. Obstipation.

– Tala norska, din fegis!

– Förstoppning. Pareser och menstruationsrubbningar.

– Och så avrundar vi. Du är snart i mål, Freiner.

– Muntorrhet. Hjärtklappning.

– Duktig pojke. Det är som jag säger. FASS kan de utantill. Välkommen till anstalten, Hajna.

Och så stängde Moffa igen munnen och sänkte huvudet.

Jag tittade förskräckt på Freiner och bort på Erkkis lår i de svarta, smutsiga byxorna, han hade ännu smalare lår än jag och han luktade inte gott. Jag var plötsligt glad att jag hade duschat och gjort mig i ordning, vi satt ganska trångt. Jag såg mig omkring och betraktade Feta Freddy. Därefter Stormcentret och Kajsa med blåsorna. Så skulle jag själv se ut om ett tag. Nåja, när allt kom omkring hade jag aldrig varit vacker och hade därför inte mycket att förlora.

Freiner hade lagt armarna i kors. – Hajna, eftersom du är ny här, har du mer på hjärtat?

– Inte idag, sa jag lågt.

Moffa harklade sig olycksbådande och spände ögonen i Freiner.

– Jag tycker vi ska tala om Kajsa, sa han hårt. Blåsorna blir större, de är stora som femkronor och de bränner och kliar.

– Vi håller dem under uppsikt, började Freiner.

– Varje gång ni byter mediciner säger ni att den här gången tål hon dem, för det här är alldeles nytt och noga testat. Du förstår visst inte att Kajsa är mycket speciell. Hennes kropp finner sig inte i vad som helst, den säger ifrån. Den ropar högre för varje gång. Tänk om hon kunde få slippa. Tänk om ni kunde skryta med att på hela Varden är det en patient av fyrtio som klarar sig utan

79

mediciner. Det hade varit något, eller hur? Det hade varit något att servera på nästa läkarkongress!

Freiner flackade med ögonen och kontrollerade Draculafrisyren, att den låg slät och bakåtkammad över hans spetsiga hjässa. Han vred sig inför våra blickar, han önskade uppenbarligen att han var någon annanstans, jag kunde inte förstå att han verkligen satt där, lika försvarslös som en hackkyckling. Det enda han hade att hålla sig till var en studie som vi inte hade någon nytta av. Kakiskjortan var oberörd. Han var ung, kanske ett par och tjugo, men hans blick var fast och man kunde se att han lyssnade och la på minnet.

– Det är nu en gång så, att de allra flesta mediciner har biverkningar, sa Freiner. Låt mig rikta mig till absolut alla. Här har vi tvingats väga för- och nackdelar mot varandra. Kajsa har behov av det lugn som medicinerna ger henne, även om det dessvärre då och då ger henne andra besvär. Och det är inte lätt för Kajsa, det förstår vi allihop. Frågan är om tillvaron skulle vara bättre för henne utan mediciner.

– Kunde man inte pröva? föreslog Moffa.

– Jag är ansvarig läkare på den här avdelningen, och jag har, tillsammans med resten av personalen, kommit fram till att Kajsa bör vara medicinerad i någon mån.

Rösten steg i styrka, men ögonen flackade trots allt. Jag orkade helt enkelt inte se på honom, se all denna ynklighet. Förvirrat försökte jag förstå hur en sådan patetisk figur kunde sitta som huvudansvarig för människor med schizofreni och självmordstendenser, och det som var värre ändå.

– Se på mig, sa Feta Freddy.

Alla såg på Freddy.

– Jag kan nästan inte röra mig. Bara för några år sedan var jag väldigt smal. Jag var nästan spinkig. Och mitt hår var mörkt. Jag hade till och med lockar. Och efter några få månader på dessa helt nödvändiga mediciner, som du säger, Freiner, ser jag ut så här. Se på mig! Jag är så fet att jag inte ens kan lägga det ena benet över det andra. Hur tror du det känns? Tror du att man får självförtroende av sådant?

Maria anade det hotfulla i stämningen och ville lugna sinnena med en psalm. Hon satte igång med Härlig är jorden och Erkki stönade uppgivet. Kanvas öppnade munnen för första gången.

– Kajsa, sa han. Moffa är bekymrad för hur du har det. Hur tänker du själv?

Kajsa var dotter till en av Norges mest kända konstnärer. Fadern var aldrig och hälsade på henne, han var upptagen med sin konst, ett kall är ett kall. Nu lyfte hon det rödflammiga ansiktet och såg på Kanvas. – Jag får inte sova, sa hon lågt och slog ner blicken igen. Det bränner hela tiden. Moffa vet det, för han har rummet bredvid. Det gör mig inte något att vara uppsvälld, men jag får inte sova.

– Det är så, grep Freiner in, att det ständigt dyker upp nya och bättre mediciner, och jag bortser inte ifrån att vi snart har något annat att erbjuda dig. Låt mig nu säga att …

– Nej! skrek Moffa. Sluta med det där, Freiner. Ser du inte att varje gång hon får något nytt så blir hennes reaktion värre? Hennes kropp försöker varna er. Jag är säker på att det tar en ände med förskräckelse.

Freiner ville säga något men höll igen, som om han egentligen inte borde säga det, men nu var han inträngd i ett hörn.

– Låt mig få påminna om hur Kajsa fungerar utan mediciner, kom det till slut. Hon klarar till exempel inte att ta till sig föda. När hon las in vid ett tidigare tillfälle, hade hon inte ätit något som helst på en vecka!

Jag fick ett våldsamt hostanfall. Själv hade jag inte ätit något som helst på fyra veckor, och de hade inte ens upptäckt det.

– Hon kommer heller inte ur sängen, och hon klarar inte att följa programmet, som trots allt är ett av villkoren för att få vara här.

– Du tror att vi är lyckliga över att vara här, är det inte så? sa Moffa bittert. Att vi har maximalt flyt som har krånglat till oss en plats på din avdelning. Ska du inte flagga lite med väntelistorna?

– Vad dig anbelangar, sa Freiner plötsligt, och precis då anade jag för första gången en antydan till ilska i den hackande rösten, han var ungefär lika hotfull som en spyfluga, så är du en av de mest resurskrävande i gruppen här, ja, kanske på hela avdelningen.

– Jag vet att jag snart måste ut. Jag skiter i det. Jag pratar om Kajsa.

Moffa tittade i några sekunder på sina kraftiga nävar.

Det blev tyst. Jag var röksugen. Det luktade mat i rummet, det betydde att kantinerna med lunchen hade kommit till köket på Varden och att Kockan höll på att öppna dem och lägga maten på fat. Det var inte så att jag skulle ha något, men jag såg att Moffa och Feta Freddy redan var någon annanstans och att tanken på mat jagade bort alla andra tankar hos dem.

– Får vi röka nu? frågade Stormcentret.

Freiner kontrollerade tiden. – Om sju minuter, svarade han.

– Fan, sju minuter från eller till, det spelar väl ingen roll, menade hon. Har någon något emot att jag tänder en cigg?

Ingen svarade. Ingen sa emot Stormcentret.

– Det där har vi diskuterat färdigt, hackade Freiner.

– Den här maten, sa Kanvas plötsligt och vände sig mot Freddy, den här maten som du måste ha hela tiden, berätta för oss om den.

– Va? sa Freddy.

– Var någonstans är den god?

Freddy förstod inte ett dugg.

– Tänk noga. Det närmar sig lunch. Vi känner lukten ända hit upp. Snart kan du sticka gaffeln i en stekt potatis. Så stoppar du in en bit i munnen, kanske doppad i smält smör med persilja, och du tuggar och tuggar, och så sväljer du, och den sjunker långsamt ner i kroppen tills den landar i din mage.

Kajsa började plötsligt att fnissa.

– Var är maten god? sa han igen. Innan du har fått den på tallriken, medan den ligger i din mun och du tuggar? Eller först när den landar i din mage?

Freddy tänkte länge och väl på maten. – Nu nämner du tre stadier, sa han tankfullt. Och du ber mig välja ett. Nej, det är omöjligt. Den är god hela tiden. På alla sätt. Bilden av mat, lukten av mat, att tugga den, att svälja den. Hela tiden, sa han allvarligt.

– Och när jag äntligen har svalt den och den ligger i magen, då känner jag mig så tom. Ja, även om jag då egentligen är mätt. Av mat. Och det enda jag tänker på är hur jag ska bygga upp förväntningen inför när jag ska äta nästa gång. Så är jag igång igen, på sätt och vis. Idag är det fisk till middag, till exempel, och till kvällsmat har Kockan lovat att värma upp skinkpajen från igår. För att vara ärlig så är jag redan vid den där skinkpajen. Hon brukar ha purjolök i.

Nu var han blank i ögonen.

– Vad skulle hända, frågade Kanvas lågt, om du någon gång stod över en måltid? Har du tänkt på det?

– Stå över en måltid? sa Freddy förskräckt. Blotta tanken fick honom att rysa. Jag måste ju ha mat!

– Nu tänder jag för fan en cigg, sa Stormcentret.

*

*Det är hög tid att någon griper in och säger något om vad som hände det där året på Varden, 1978. Som säger något om hur saker och ting var, sett ur en annan synvinkel. Jag var på Varden, jag också, vi var så många där, vi var där på högst olika grunder och hade inte mer gemensamt än andra människor, eller lika mycket, om du föredrar det. Men det som slog mig när jag först mötte Hajna var hennes otroliga arrogans gentemot allt och alla. Hon gick alltid omkring med näsan i vädret och blandade sig lite eller inte alls med oss andra. Hon deltog aldrig i sociala aktiviteter, bortsett från det som var fastslaget genom programmet, som hon faktiskt följde. Inte för att hon trodde på det, men för att det var det enda sättet att bli lämnad i fred. Det var det hon ville. Gå omkring som en skugga i korridorerna, ligga stilla i sängen, vara nästan osynlig. Det var som om hon hade sett allt och inte ville se mer. Vi visste ingenting om hennes barndom, hon ville aldrig tala om den, men hon sa heller aldrig att den hade varit hemsk eller svår på något sätt. Den är ointressant, sa hon, den är helt enkelt inte viktig. Hon ville inte träffa någon, inte föräldrarna, inte vänner (det fanns ett par undantag, men hon hade så gott som aldrig besök), men hon knöt vissa band till några få patienter, till exempel Formel, Tussi och Odin. Jag tyckte om Hajna, även om hon var så förskräckligt arrogant, hon bråkade sällan och var inte svår på något vis, men hon var samtidigt snål. Med sig själv och vad hon ville. På sätt och vis var hon omöjlig att läsa, och sådant tycker inte vi om som arbetar med psykiatri. Vi behöver ju en del signaler för att komma vidare. Hon hade inte särskilt höga tankar om oss som jobbade där eller om psykiatrin generellt, hon betraktade Varden som en förvaringsanstalt, och jag tänker inte komma dragande med någon form av förträfflighet, men Varden var faktiskt ett anständigt ställe där en rad mycket svårläkta människor fick utmärkt hjälp. Problemet med Hajna var att hon inte ville se det där. Trots att hon*

83

*var så observant. Hon begrep det mesta, som den gör som stryker längs
väggarna och inte deltar. Som sitter tyst i varje folksamling och lyssnar.
Som använder ögonen. Till exempel gick hon en dag till Torbjørn (arbeta-
de som socialkurator på Varden, gick alltid omkring i blå bussarong) och
frågade om hans föräldrar blev väldigt ledsna den dag han föddes. Och de
såg att han var harmynt. Torbjørn såg häpet på henne. Ingen visste det,
han hade aldrig berättat det för någon, och operationen hade inte efter-
lämnat något ärr. Hans mun var helt felfri utan tecken på den medfödda
defekten, och dessutom var den gömd i skägg och mustasch. Ja, jag hör det
när du talar. En liten åtstramning i din överläpp som drar ihop bokstä-
verna, ja, inte alla, men i en del ord, till exempel ord som börjar med "m"
eller "b". Jag förstår fortfarande inte hur någon kunde märka det. Men
det gjorde Hajna. I sin värdering av dem som jobbade på Varden var hon
skoningslös. Det sas att hon hade en rankningslista, men ingen fick se den.
Jag har ofta funderat över vad hon tyckte om mig och jobbet jag gjorde,
om hon var förtjust i någon dolde hon det väl. Hon ville inte känna så,
hon hade tagit farväl av livet och ingenting skulle beröra henne mer.
Bortsett från andra patienter, de var på den rätta sidan. Jag hade jobbat
på Varden i två år och jag hade vissa ambitioner. Till exempel hade jag
föresatt mig att jag skulle kunna dra ut en människa ur skalet, att jag förr
eller senare skulle kunna det bara jag fick tid på mig. Några gånger ver-
kade det som om Hajna förstod det här, och det kunde skapa en glimt av
rädsla i hennes isblå ögon. Denna rädsla gav mig trots allt hopp om att
det fanns en framkomlig väg, och vänlighet och förståelse var inte en del
av den. Hon hade själv en nästan brutal uppfattning om vad livet bestod
i, skulle man komma någonstans måste det vara på samma sätt. Med
hänsynslöshet. Inte för att vi som arbetade där någon gång råddes till det-
ta när experterna satte igång med sin vägledning av oss unga, outbildade.
Men du vet, var och en försökte på sin kant. Lätt var det inte. De flesta på
Varden var fulla av misstro och tvivel. Det sipprade ut giftig gas från
brandsläckaren i taket, fienden stod och lyssnade utanför fönstren, det var
krossat glas i maten. Andra var supermänniskor och såg genom väggar-
na. Man kunde inte förhålla sig på samma sätt till Formel som till Hajna.
Därför tog jag mig någon gång friheter. Jag avgav inte alltid rapport när
vi hade möten, då blev det diskussioner och det hade vi inte tid till, det var
för lite tid till patienterna som det var. Ibland verkade det som om hon
tyckte om att jag tog mig igenom till henne. Men det var inte lätt att säga
vad Hajna tyckte om. På sätt och vis var hon annorlunda, en utmaning,*

*som Odin eller Erkki. Hajna hade också roliga namn på alla som var på Varden. Tussi. Tjuven Tjuven. Disco och Formel. Själv fick jag smeknamnet Stetson.*

\*

Ursprungligen var Varden ett sanatorium. Senare blev det en del av sjukhuskomplexet. Ibland tänkte jag på det när jag gick genom korridorerna. Alla som hade legat här och spottat slem och blod i små stålbäcken, legat här i månader och år. Små barn tagna från sina föräldrar, omgivna av främmande vuxna. Små klena barn. Så många tankar de måste ha tänkt, så gott om tid de måste ha haft att ängslas. Svåra frågor utan svar. Var jag inte tillräckligt snäll? Ville inte mor ha mig mera? Jag var glad att jag inte var barn längre. Det är ett helvete att vara barn, så mycket att vara rädd för, så mycket man inte förstår. Vuxna är så snåla med förklaringar. De tror att sanningen skrämmer, men då känner de inte barns gränslösa fantasi. Jag tror inte att Sonja tänkte särskilt på sådant. Hon satt i en stol i dagrummet med ett moderligt ljus över ansiktet. Sonja var så vacker och yppig, Sonja var först och främst mor till en liten bedårande flicka, jag minns inte vad hon hette. Sonja kallade henne bara "ungen min". Ungen var på barnhem och Sonja var på Varden, fråntagen vårdnaden, men naturligtvis bara tillfälligt, åtminstone påstod Sonja det, och då kunde jag ibland se de andra vältaligt höja på ögonbrynen som om de visste bättre. Ungen var fyra och Sonja brukade ta fram ett foto av henne som hon lät gå runt. Och ve den som inte ville titta! Och så la hon ut texten om hur snäll ungen var, och klok, för att inte säga enastående, det är så mödrar tänker, eller rättare sagt, det är så mödrar borde tänka. Jag bad att få se bilden. Sonja dök ner i en svart och ganska löjlig handväska, smak hade hon inte, hon var målad och lackerad överallt och luktade som ett helt parfymeri, men jag såg på bilden och såg att ungen var vacker och mörklockig, som Sonja. Enastående vacker.

– Så snart jag kommer ut härifrån ska ungen hem till mig, strålade Sonja, och Disco höjde på ögonbrynet medan Korian böjde på huvudet.

– Jag hänger med på allt och tar medicinerna, jag har till och med dragit ner på rökningen, sa hon och tände en Prince, den fyrtionde den dagen, och druckit har jag inte gjort på sex månader. Tror ni inte att jag måste till Blå Korset för att få kapslar, jag tog upp det på gruppmötet, men de sa att det var en genväg till nykterhet och inte riktigt motiverat och att det inte skulle hålla om jag inte slutade av egen fri vilja, vad ger ni mig för det? Och viljan är inte särskilt fri när man är fast i skiten som jag var. Och jag visste att grejen för mig var att få smak på det nyktra livet för att se vad jag gick miste om. Det nyktra livet är förresten väldigt överreklamerat, det tycker åtminstone jag. Vi rekommenderar inte kapslar, sa Freiner, fan vad jag blev förbannad. Men det var förödmjukande att ringa dit och be om tid. En gammal gubbstrutt till överläkare väntade på mig på mottagningen där nere, visst skulle han ordna så att jag fick mina kapslar, men först skulle han tala om vad han tyckte om mig, att jag gick på fyllan, jag som hade ett barn och allting. Jag var tvungen att sitta på händerna för att inte rusa fram och klösa ögonen ur honom. Han sa: Män blir så tafatta, så ynkliga och barnsliga och sentimentala när de dricker, så förskräckligt hjälplösa. Men kvinnor, sa han och såg mig i ögonen, kvinnor blir bara tarvliga.

Vad ger ni mig för det? Så bar det av till en läkare som skar upp mig och satte in fem kapslar under huden, här, i ljumsken, de är alldeles vita och glatta och mjuka som ormägg, och då och då har jag funderat på att klösa ut dem, klösa ut dem med naglarna bara för att få mig en drink. Fast då får jag en chock, säger skitstöveln på Blå Korset. Men när det gäller min unge lyder jag domstolen om jag måste. Det är min unge. Jag existerar inte utan henne. Igår lärde jag henne cykla på tvåhjuling. Hon klarade det nästan. Om en vecka ska jag tillbaka. Hon kommer springande så fort hon får se mig. Jag får inte lov att vara ensam med henne, men jag låtsas inte om barnomsorgspedagogen och talar inte med henne, och som tur är fattar hon och håller sig alltid några meter bakom och försöker göra sig osynlig. Men en dag är det jag som bestämmer. De har sagt att hon kanske kan få komma hit på besök någon gång och stanna en hel dag, då ska ni få se henne i verkligheten. Hon är mycket sötare i verkligheten.

Så la hon bilden på plats, drog ett bloss på cigaretten och drömde sig bort.

Jag lärde känna Sonja genom fritidsaktiviteterna, vi hade båda

valt ridning, det var det enklaste. Själv red jag en häst som egent-
ligen hette Count Basie men som fått smeknamnet Greven, en
riktigt svart satan till häst med lång gles man. Det sas att Greven
en gång hade slitit sig ur en murken grimma och sparkat ihjäl en
kinkig ponny som stod i boxen bredvid. Men nu var han gammal,
han var tjugo, tjugoett, precis som Formel, och på god väg mot
korvfabriken.

Sonja kunde vara mellan tjugofem och trettio år, hon hade
vacker felfri hy och mörkt hår med kastanjefärgade slingor som
såg äkta ut. Hon hade stora mörka koögon, som förstorades ytter-
ligare av för mycket smink, men de djupa brunnarna gjorde in-
tryck och det var omöjligt att inte stirra på henne. Det gjorde vi
alla. Hon var så aptitlig, så felfri, och kläderna var rena och hon
var välvårdad ända ut i fingerspetsarna med blanka röda naglar.
Du måste förstå att detta gjorde intryck på oss. På Varden var det
annars så att folk kom raka vägen från de fuktiga bolstren och
damp ner vid frukostbordet. Det hände att de hade pyjamasen
under kläderna. Sonja var annars en enkel själ och hade inte
mycket att tala om, hon talade om ungen och teveprogrammen
och vad det var till middag, och det var i stort sett allt. För övrigt
såg hon lycklig ut, jag menar verkligt lycklig. Hon hade något att
kämpa för. När hon bara fick tillbaka ungen skulle allt bli bra. Hon
hade en kurator som hjälpte henne med det, som skickade in an-
sökningar och rekommendationer och försäkringar om att Sonja
uppförde sig väl på Varden och hade slutat dricka. Jag önskade
mig inga barn, men jag avundades Sonja att hon hade något att
kämpa för. Att hon hade en människa som betydde något för hen-
ne, som kanske till och med väntade på henne och hoppades att
hon skulle krångla sig ut från det här mörka stället och ta med
henne ut i solen med present i väskan och löfte om eget rum. Var-
je söndag reste Sonja till barnhemmet tillsammans med kuratorn.
På måndag började hon tjata igen, att det bara var en vecka till
nästa gång. Sex dagar, fem dagar. Ungen min, å, ungen min, tjata-
de hon, och de mörka ögonen lyste av förväntan och planeringen
var i full gång om vad hon skulle ha med sig vid nästa besök. Kan-
ske choklad, eller bokmärken eller såpbubblor. All denna förvän-
tan blev nästan för mycket för mig. Jag lämnade rummet och gick
ut i korridoren, började gå uppför trappan till nästa våning. Rum-

men låg på vänster sida, till höger var det bara skrubbar och skåp, hyllor och sådant. En dörr stod öppen. Jag tittade in, det var Stormcentret som bodde där. Hon låg på sängen. Av någon anledning stannade jag. Hon vände på huvudet.

– Vad glor du på?

Jag ryckte på axlarna men svarade inte. Hennes rum var ostädat och fult, kläder och skor låg slängda på golvet, nattduksbordet svämmade över av tomma cigarettpaket och chokladpapper och annat skräp. Jag tog ett par steg in på golvet.

– Har du sett Sonjas unge någon gång? frågade jag. Jag menar i verkligheten?

Stormcentret lyfte högra handen som hon hade en tjock rullad cigarett i och drog ett häftigt bloss.

– Ja, det har jag. En gång. Liten knubbig docka. Röd som blod, vit som snö och hår svart som ebenholts, sa hon dramatiskt.

På väggen ovanför hennes säng hängde ett fotografi. Två unga flickor, den ena lång och ljus med långt hår ner till axlarna, ett vitt hårband höll undan det från pannan. En mindre, mörk flicka stod bredvid. De hade armarna om varandra, båda log in i kameran.

– Väninnor till dig? frågade jag. Stormcentret rynkade pannan, hon var rödflammig i ansiktet. Så snart hon hade tagit kål på de största finnarna dök det upp nya, särskilt runt munnen och näsan. Hon hade stora näsvingar. Håret låg i stripor över pannan. Hon hade ofta klösmärken i ansiktet, långa röda streck över kinderna. Moffa sa att hon gjorde dem själv.

– Det är jag och min flickvän, sa hon kort. Jag såg på bilden igen. Det kunde det inte vara. Vem av dem var Stormcentret? Hon den långa och ljusa, nej, hon var ju vacker, slank och långbent med praktfullt hår och solbränd hy. Men den andra var mörk och dessutom för kort för att vara hon. Jag stirrade och stirrade på bilden och ner på den som låg i sängen, den tjocka, grova, otvättade människan.

– Är det länge sedan? sa jag tvekande, inte utan rädsla för hur jag själv skulle se ut efter en längre tid på den här anstalten.

– Taget i somras.

Tolv månader, tänkte jag, och så ser hon ut så här. Det är inte möjligt. Vad gör de med oss?

– Du tycker jag ser för jävlig ut. Det hör jag på din röst.

– Nej, nej. Men jag kände inte igen dig.

– Har du sett dig själv i spegeln på sistone? sa hon plötsligt.

– Helst inte.

– Du ser ut som en fågelskrämma. Du skulle ha sett Freddy när han kom, han var vacker. Du skulle ha sett Erkki.

– Erkki har väl aldrig varit vacker?

– Jo, det har han.

– Kommer din flickvän och hälsar på dig? ville jag veta. Jag nickade mot bilden.

– Hon är inte min flickvän.

– Men det sa du ju nyss.

– Hon var det i fjol. Inte nu längre. Hon hittade en annan.

– Varför heter du Tore? frågade jag.

– Har du valt ditt namn själv? undrade hon.

– Nej.

– Där ser du.

– Varför är du här? sa jag djärvt.

– Jag är manodepressiv.

– Jaha. Varannan gång sådär?

– Just. Det växlar hela tiden.

– Så snart går du över i en depressiv period?

– Jag är depressiv nu. Snart blir jag manisk. Då blir jag smal som ett streck och ingen känner igen mig. Jag har varit såhär länge. Det är ärftligt. Freiner säger att jag måste räkna med att leva med den här sjukdomen resten av livet.

– Har du tänkt göra det?

– Nej. Och nu tycker jag du ska gå. Du är egentligen inte intresserad, du håller bara på och försöker placera in dig själv i landskapet här. Känner du dig utanför? Inte riktigt som vi andra? Inte fullt så galen kanske? Välkommen till klubben.

Jag stod kvar och sparkade på linoleummattan.

– Vad är det med Freiner? undrade jag.

Hon granskade mig ingående.

– Vad menar du?

– Det är någonting med honom. Ni vet vad det är, det ser jag på er. Jag ser det på gruppmötet.

– Det får du komma på själv. Vi håller inte på och skvallrar på varandra här inne.

89

– Han borde inte vara här, menade jag.

– Nej. Inte jag heller. Och inte Moffa. Ingen skulle ha varit här. Vet du vad det blir till middag idag?

– Ingen aning. Jag äter inte.

Stormcentret skrattade skrällande. – Jaså, du är i den gruppen. Nåja. Detta om detta. Men jag tycker det luktar kyckling. Jag undrar om det kanske blir sprödstekt kyckling med sallad och pommes frites. Såsen brukar vara ätbar, någon sorts ljus sås med grädde och champinjoner. Ibland får vi broccoli till.

Hon satte sig upp i sängen och flinade med gula tänder. – Gå och lägg dig du. Jag antar att du har något slags alternativ till maten och det passar kanske bäst i sängen. Eller är du så undernärd redan att lusten är borta? Den försvinner när du blir nog mager, vet du.

– Vad vet du om det? sa jag förnärmat.

– Jag vet allt om det. När jag är manisk äter jag inte.

Hon la sig ner igen. Jag gick vidare längs korridoren mot mitt eget rum. Det susade så starkt i huvudet att jag nästan inte kunde stå på benen. Att Stormcentret hade varit en skönhet en gång plågade mig. Att ingen här var sig själv längre utan feta förvrängda skuggor som man inte kunde känna igen, kuvade skepnader utan styrka. Vad hade hänt med dem?

MENY VECKA 16

Måndag:     Pannbiff med brun sås.
            Stuvad kål.
               Yoghurt.

Tisdag:     Fiskbullar i currysås.
            Morötter.
               Grönsakssoppa.

Onsdag:     Risotto.
               Sviskongröt.

Torsdag:    Salt kött med rotmos.
               Citronfromage.

Fredag:        Potatisgratäng och råkost.
               Mandelpudding.

Lördag:        Ägg och bacon.

Söndag:        Biff med lök.
               Ärter och morötter.
               Fruktpudding med vaniljsås.

– En ung kvinna blev hämtad mitt i natten, drogs ur sängen och
fördes bort. De tog henne till fängelset. Ställde frågor hon inte
kunde svara på. Hela natten blev hon grymt torterad och när so-
len gick upp dog hon äntligen. En putslustig typ kapade av alla
fingrarna på hennes högerhand med en sabel och så dumpade de
henne på trappan framför föräldrarnas hus. Fadern fann henne
med ett finger som stack ut ur vardera örat och ett finger ur var-
dera näsborren. Tummen hade hon i munnen.

Jag vände Hedda ryggen och såg ut genom fönstret.

– Var har du läst det där? frågade Hedda tyst.

– Varför tror du jag har läst det? frågade jag. Kanske har jag hit-
tat på det själv.

– Varför skulle du göra det?

– Vet inte. Men tänk vilket redskap jag skulle kunna bli i galna
händer.

En stund satt Hedda tyst och tänkte, antagligen letade hon efter
en ny strategi.

– Det är viktigt för dig att handla rätt, sa hon. Hon satt där och
log i vallmokjolen med termoskannan full av nyponte.

– Tänk på barnet du berättade för mig om. Själv tänker du bara
på det faktum att du lämnade barnet, efter att ha kapat av hennes
fötter, för att få någon, vem som helst, att bekräfta att du var
tvungen att handla som du gjorde. Men att vilja handla rätt, i var-
je situation, är en god sak. Det betyder att du är pliktuppfyllande.

– Nej, sa jag trött in mot fönstret, allt jag ville var att rädda mitt
eget skinn. Ingen skulle kunna ta mig för något eller ställa mig
inför rätta.

– Är det så du tolkar din dröm?

– Ja.

91

– Men ditt motiv, påstod Hedda, ditt motiv är hederligt nog. Du älskade det här barnet. Det gjorde dig ont att du måste såga av fötterna på henne, men det viktigaste – du räddade hennes liv. Som läkaren i drömmen sa. De skulle ha tagit livet av henne. Har du alltså inte också handlingskraft?

Jag såg ut över de gröna ängarna. Hedda ville så gärna att jag skulle tycka om mig själv och mina motiv, det var vänligt, nästan rörande. Det var dessutom hennes jobb. Det var lätt att tycka om Hedda. Jag tyckte om henne rent visuellt, hennes åsyn, hennes doft, det var behagligt att ha henne i närheten. Samtidigt var jag likgiltig, ibland trött, visste vad hon skulle säga. Det var kanske hennes strategi, att vara en fast hållpunkt, representera tryggheten. Hon trodde väl att det var det jag behövde.

– Berätta något för mig, sa hon lågt.

Jag kunde tala eller tiga, det spelade ingen roll. Men tiden gick fortare när jag talade. Jag talade in mot fönstret, närmast till mig själv. Brydde mig inte om att någon lyssnade, visste att det inte var viktigt. Men Hedda trodde det. Så jag gav henne det hon ville ha.

– Jag var bara i tonåren när jag hade en mardröm. Nu vet jag att folk ofta missbrukar ordet mardröm. De använder det ständigt och jämt, även om de bara menar att de hade en obehaglig dröm. En mardröm är något annat. Jag vet det nu. I hela mitt liv har jag bara haft denna enda. Den kan inte beskrivas men jag försöker i alla fall. Det var sommar och sol, jag gick långsamt genom ett vackert landskap. En landsväg med vilda blommor och säd och gräs och löv som susade. Det var sent på dagen, solen stod lågt. Långt bort såg jag en skog, den var tät och grön. Jag gick mot skogen. Det var inga andra på vägen. Allt var stilla. Efter en stund såg jag något en bit längre fram som jag inte kunde tyda. Och jag kände en lukt, en sorts unken stank som jag inte förstod. Jag såg hur det blänkte i glas och metall. Kom in i en kurva, det var en öppen plats på vägens högra sida och det knastrade under mina sandaler, men så stannade jag med ens och gömde mig instinktivt bakom ett träd. Just i den här kurvan hade det hänt en förfärlig olycka. Jag såg två bilar inkörda i varandra, krossat glas, förvriden metall, marken under bilvraken var genomdränkt av blod, som en röd matta, och jag förstod vad som luktade. Döda människor låg kringspridda. Några satt fast i de krossade bilarna, andra låg utkastade på marken, fullständigt lemlästade, det var män, kvinnor och barn. Jag stod alldeles stilla och såg på detta. Då hörde jag ett ljud. En man kom gående bakifrån en av bilarna. Han vinglade och verkade redlöst berusad. Stödde sig mot plåten på en bil som kanske var hans egen, den som han hade kört i fyllan så att han, denne blodige och sönderrivne men trots allt levande man, var skuld till den fruktansvärda olyckan. Och det förstod han. Det trängde långsamt men obevekligt in i honom genom ruset. Han såg sig omkring, förstod att ingen hade sett honom, ingen kände ännu till olyckan och alla var döda och ingen kunde förklara vad som egentligen hade hänt. Då hördes en svag jämmer från en av de skadade som låg på rygg i gräset. Han stelnade till, började gå, letade efter den enda människan som ännu levde, den enda som kanske kunde vittna. Han vacklade omkring och fann en flicka i min ålder, hon hade sommarklänning och var svårt skadad, och så böjde han sig ner och stirrade på henne, stirrade in i hennes skräckslagna ansikte. Plötsligt tog han tag i henne och ruskade henne, hon skrek hjärtskärande eftersom alla ben i hennes kropp var brutna, och hon kunde inte göra motstånd och inte stå upp så han släpade henne i håret bort till bilvraken och slog henne i plåten, tog tag i hennes hår, hon hade långt ljust hår, och satte igång att dunka hennes huvud i plåten för att slå ut den sista resten av liv i henne. Jag stod bakom trädet och darrade av skräck, måste sluta ögonen för att slippa se, och han slog och slog hennes huvud mot plåten innan han äntligen släppte taget och hon gled ner i gräset och fick frid till slut. Han torkade svetten ur pannan. Reste sig, kisade runt på olycksplatsen, gick till sin egen bil, började mixtra med nummerplåten, och jag kunde inte hålla mig längre, jag hade hela handen inne i munnen men snyftade ändå. Han vände tvärt och fick syn på mig. Förstod vad jag hade sett. Och så kom han mot mig i fullt raseri. Jag var ju ett vittne som han måste göra sig kvitt. Då vaknade jag äntligen. Det var ju bara en dröm.

Jag vände mig sakta om. – Bara en dröm, Hedda.

Hedda var tyst en stund, och faktiskt ganska allvarlig för att vara hon. Hon reste sig och fyllde på nyponte ur termoskannan, satte sig igen.

– Du har sett något som det inte var meningen att du skulle se.

Och nu fruktar du konsekvenserna?

Jag log och vände ryggen till igen.

– När hade du den här drömmen? Är det länge sedan?

– Länge sedan. Jag var femton år.

– Det är nio år sedan, sa Hedda. Och du minns den så väl?

– Jag minns den i detalj. Jag minns lukten. När jag vaknade och kom ihåg drömmen sprang jag ut i badrummet och kräktes. Efteråt vågade jag inte somna om, jag satt i sängen tills det blev morgon. Den mannen, jag minns hans ansikte, jag ser det alldeles tydligt framför mig. Jag skulle ha känt igen honom om jag hade mött honom på gatan.

– Är det tänkbart?

Jag skakade på huvudet. Nej du, tänkte jag, så lätt går det inte. Varför skulle jag hosta upp allting för en socialkurator som jag nästan inte kände?

– Men svara mig nu. Hjälp till lite! Är det så att du någon gång har sett något du inte skulle se och att det fortfarande plågar dig?

– Så är det väl för alla.

– Du vet vad jag menar. Något som har förstört något för dig?

– Det berättar jag aldrig. Inte för någon!

– Varför har du bestämt dig för det?

– Antagligen för att det är för jävligt.

– Är det länge sedan?

– Jag var ... ett stort barn. Stor nog att förstå. Fattar du?

– Fanns det ingen i närheten du litade på som du kunde gå till?

– Ingen.

– Om du hade berättat det. För någon. Vad skulle ha hänt? Vad var du rädd för?

– Ingen skulle ha trott mig. Oavsett vem jag hade gått till, ingen skulle ha trott mig. En vuxen skulle ha blivit förfärad, lamslagen och sedan rasande över en sådan historia, en sådan vanvettig fantasi. Och ingen skulle ha trott mig. Nu är det för sent. Preskriberat, om du så vill.

– Om du var barn var det kanske inte så lätt för dig att säkert bedöma det?

– Jag är vuxen nu. Jag är fortfarande säker på det. Ingen skulle ha trott mig.

Ruben gungade neråt korridoren och påminde om en tungt lastad kamel på väg genom öknen. Underkroppen kom först. Han var smal och hade en kattlik kropp, byxorna hängde långt ner på höfterna. Ögonen var dramatiskt inramade av svart kajal.

Än så länge var det inga män på Varden som hade väckt Rubens intresse, kanske med undantag av Stetson som då och då fick finna sig i långa ögonkast utan att känna sig stött eller förolämpad för den sakens skull, det var han för klok för. Han lyfte på den vita hatten och blinkade galant tillbaka. Ibland kunde man se Ruben värdera andra patienter, till exempel Korian med den runda, delikata kroppen och den gyllne huden, eller Moffa med de muskulösa överarmarna. Ruben betraktade inte folk på samma sätt som andra, han tog långsamt in dem genom en slöja av svarta ögonfransar. Ruben var hemma i sin egen kropp, som Hedda skulle ha sagt, och han älskade varenda del av den. Hans röst stämde med självförhärligandet, den var djup och släpig, som om den smekte sig själv. Det var två ting som var omöjliga att föreställa sig. Att se Ruben springa och att höra Ruben skrika. Ett av hans kraftuttryck var att höja på ena ögonbrynet.

Ruben åt lite och bara speciell mat. Han bråkade aldrig med någon, om det blåste upp till storm reste han sig ljudlöst och gled som en skugga ut genom dörren. Han sa aldrig något på de gemensamma mötena och han var inte intresserad av att tala med Kontrollkommissionen de sällsynta gånger den kom på besök. På hans mun, som var bred och ganska snygg, låg ett litet men inte påklistrat leende. Han var fint klädd, ren och snygg, och håret var alltid putsat. Jag hörde aldrig att han svor, såg aldrig att han fick besök och på tolv månader kan jag inte minnas att han en enda gång stod vid patienttelefonen mitt emot personalrummet. Han rökte Camel, knackade cigaretten tre gånger i bordet innan han tände den med en fånig tändare. Han gick till sängs vid samma tid varje kväll och var alltid uppe till frukost, där han åt en brödskiva, i regel med ost på. Jag visste att han gick i terapi hos Freiner. Jag funderade allvarligt på vad de talade om. Om han satt som jag och diktade upp spännande drömmar medan Freiner nickade med Draculafrisyren.

Jag undrade vad Freiner drömde. Om han kanske torterade oss i sömnen, eller om han hade mardrömmar där vi jagade honom med högafflar. Han såg alltid så trött ut. Ibland kände jag medlidande med honom. Vi tyckte inte om honom och det visste han. Ändå satt han där, ändå styrde han den kantiga, trotsiga, förtvivlade gruppen genom möte efter möte. Om Maria tog upp en psalm och några stönade, särskilt om hon började på en med många verser, lyfte han handen och stoppade varje ansats till elaka kommentarer. Och alla måste sitta och höra på Maria ända tills hon var färdig. Hon hade vacker röst och kunde alla psalmer, det var en ny varje gång. Psalmer jag aldrig hade hört, även om det inte var så konstigt, jag var inte troende och gick aldrig i kyrkan, jag hade gått ur och föredrog känslan av fritt fall och meningslöshet framför möjligheten att hamna i ett harpoklingande ljummet paradis med ängsblommor. Men Ruben. Jag gick bort till honom där han satte sig i soffan och slog mig ner på stolen bredvid. Han var mitt i en Camel. En behaglig doft av sofistikerat rakvatten nådde mig, men inte genast, han hade aldrig på för mycket. Jag sa ingenting. Fumlade efter Petterøepaketet och satte igång att rulla. Jag var spänd på vem som först skulle säga något, och vad. Ruben talade inte i otid. Men jag hade föresatt mig att en gång för alla få reda på vad han gjorde på Varden. Det hade blivit livsviktigt för mig att kartlägga alla och finna deras motiv, se om de liknade mina, få bekräftat att vi hade något gemensamt, för det kändes inte som om vi hade det och det förvånade mig. Vi satt i samma båt men i olika hytter. Och Annvor, till exempel. Varför var Annvor på Varden? Första gången jag såg Annvor komma i korridoren med en stor raggig schäfer i koppel trodde jag hon arbetade på Varden, att hon var kurator eller sjuksköterska. I varje fall måste hon vara en utbildad människa, det syntes på sättet hon gick på, även om hon faktiskt släpade lite med ena benet, men bara en aning så att man nästan inte såg det. Men kanske kunde man misstänka att hon hade haft polio som liten. Hon var så outsägligt vacker. Så formidabelt välvårdad. Enkel men elegant. Högburet huvud, kanske till och med högre än jag, och det säger inte lite, men i alla fall, ingen bar huvudet högt på Varden. Och hunden sedan! Det var ju inte tillåtet att ha hund på Varden. Inga djur överhuvudtaget. Jørgen Tics hade bett vackert att få ta dit sitt marsvin, Cæsar, som han hade hos en vän, men det hade blivit avslag på ett stormöte. Dessutom hade Erkki sagt att han genast skulle spåra upp djuret och bita huvudet av det om det skulle visa sig i korridorerna. Men Annvor hade hund. Och vad mera var, hon hade lägenhet på vinden. Annvor bodde inte i ett vanligt rum som vi andra, inte ens enkelrum var gott nog åt henne. Hon hade lägenhet. Visserligen liten, men dock. Sedan fick jag höra att hon satt där uppe och studerade. Hon studerade psykologi medan hon var patient på Varden. Och hon var befriad från stormötena. Förstå det den som kan. Men Ruben. Han var fortfarande tyst, han sög på cigaretten och polerade naglarna. Så småningom tittade han åt mitt håll.

– Du ser ut som om du hade varit i slagsmål med ett lejon, sa han och nickade mot mina kinder. Jag log. Det gjorde mig ingenting om folk trodde det. Det var i alla fall bättre än sanningen.

– Varför är du här, Ruben? sa jag, säker på att han inte skulle slå eller skrika eller rusa iväg i raseri, för han var inte sådan.

Han log överseende.

– Det här är en knarkaravdelning.

– Ja, men du klarar dig tydligen bra utan knark?

– Tydligen, nickade han.

– Vad menar du?

– Jag klarar mig inte utan.

– Men du är ju aldrig ute och du åker aldrig på permis?

– Det behöver jag inte. Jag får hit det till avdelningen.

– Går du på knark? Här inne? Måste du inte lämna urinprov som alla andra?

– Jag får prov av Erkki. De är så lättlurade. Han drog ett bloss på cigaretten. Ingen anledning att åka härifrån. Mycket bättre att vara narkoman här inne än ute på gatan.

– Lägg av, sa jag och spillde kaffe i knät. Här inne är ingenting som det ska vara. Vad är det med Freiner till exempel?

– Är det något med Freiner?

Han knep ihop ögonen, de glittrade bakom fransarna.

– Han ser ut som om han närmade sig ett sammanbrott, menade jag. Så blek och mager och sån irrande blick. Han litar inte på sig själv, han trivs inte här. Om jag ser på honom, jag menar om jag ser ordentligt på honom, får han nervösa ryckningar i huvudet. Han går i samma kläder varenda dag. Han ser ut som en patient, avslutade jag.

Ruben skrattade ett hjärtligt skratt.

– Vad tar du? viskade jag. Är det fler här som …

– Hyssj, viskade han. Vi får alla inrätta oss så gott vi kan. Som du har gjort. Men kom ihåg, det första steget på vägen mot tillfrisknande är att erkänna sin sjukdom! viskade han ironiskt.

– I botten på varje psykiskt lidande ligger alltid ett element av extrem självupptagenhet, kontrade jag.

Så rökte vi en stund i tysthet. Dagrummet var ett stort rum med enorm takhöjd. Det var bara vi. Två individer inbäddade i tät rök. Växterna dog på fönsterbrädorna. Det stod saft i muggar på en vagn vid väggen, röd och gul. En sekund gick, en minut gick. Det var livet som passerade förbi utanför medan vi satt inne i röken och inte ville vara med längre. Egentligen var det tråkigt.

– Har du hört vad folk säger? sa Ruben plötsligt. I narkotikadebatten. Att vi inte kan avstå, säger de, att vi inte förstår hur farligt det är och avstår. Att vi inte kan ta oss samman.

Jag såg förvånat på Ruben. Han hade tydligen något på hjärtat.

– Om jag försöker förklara skönheten i ett rus för dem, hur ofattbart och vidunderligt det är, håller de för öronen och skriker: Skönmålning! Skönmålning! Och så vänder de sig bort i fasa. Då och då slipper ändå lite information igenom. Och jag fattar inte att de inte får lust att pröva själva. När vi berättar om färger som inte finns, musik från andra dimensioner, den totala känslan av välbefinnande, smärtfrihet och bekymmerslöshet. Fattar inte att de inte får lust att pröva, om inte annat så bara en harmlös linje för att få en smygtitt. Fattar inte denna brist på nyfikenhet, denna våldsamma skräck för att uppleva något helt annorlunda och fullständigt vidunderligt. Jag fattar inte rädslan för att få se något de aldrig förr har sett, aldrig förr har känt eller upplevt. LSD till exempel, fortsatte han, och nu var han helt hänförd, det förnämsta hallucinogenet, när man precis har tagit för sig av middagen och ärtorna börjar hoppa och dansa på tallriken, praktiskt taget leva sitt eget liv, ät inte mig, ät inte mig, säger ärtorna och hoppar och dansar. Och jag jagar dem med gaffeln och det vanliga, nyktra livet med ärtor som ligger döda och orörliga blir så platt och livlöst. Egentligen, avslutade Ruben, är det väldigt fegt att aldrig pröva narkotika. Nu talar jag om alla dem som gör det till en princip. Det är fegt helt enkelt.

– Amen, sa jag.

Formel kom in. Vi bytte samtalsämne.

– Har du sett Sonjas unge någon gång? frågade jag Formel.

– Ja. Söt unge. Ser ut som, som marsipan med lite röd karamellfärg. Lite tjock, men inte motbjudande tjock, bara rund och go. Liknar Sonja. Ingen vet vem fadern är, inte Sonja heller.

– Tror du hon får ungen tillbaka? Får hon flytta till något eget med sin unge?

– Vet inte. Det är tveksamt. Sonja är så manisk. Glasartad liksom. Hög hela tiden. Rätt och slätt hög på sin, sin egen unge. Sjukt om du frågar mig.

Jag tänkte en del på detta. Sonja var så säker på att få igen sin unge. Hon levde för att en dag kunna låsa dörren bakom dem; bestämma allt, mata ungen, klä ungen, visa upp henne. Se, det här är min unge. Jag funderade allvarligt på vad som skulle hända om hon en dag fick slutgiltigt besked att barnhemmet hade hittat utmärkta fosterföräldrar till barnet. Att hon bara fick någon sorts besöksrätt. Att de, efter noggrant övervägande och med tillgång till yrkesmässig expertis, gemensamt hade kommit fram till att barnet behövde något annat än Sonja. Något bättre än Sonja. Ändå antog jag att Sonja skulle överleva, trots allt njöt hon inte så lite av sig själv. Och det dök ständigt upp nya sminkprodukter som måste prövas och hon for in till staden varje gång det var rea. Gav sig strålande iväg och kom glittrande tillbaka.

– Undrar varför hon blev alkis, sa jag.

Formel torkade hjärnsubstans. Satt en stund och betraktade den lortiga trasan. Vid närmare betraktande visade det sig vara en utnött frottéhandduk. Fransarna var avslitna men jag såg hängaren.

– Hon hade nog sina skäl. Det har alla.

– Du ser trött ut, sa jag.

– Har varit på Blindern idag. Fick några ganska så jobbiga uppgifter, om jag säger så. Maritima formler.

– Du har varit där uppe och haft mattelektion?

– Ja. Men det är fint att känna att gröten bubblar även om det bara är lite kvar. Bättre än att sitta här med vakuum i hjärnan.

Har du hört dina tankar när du har vakuum i hjärnan? Det är som att tänka i vadd. Väldigt, väldigt obehagligt. Men eko är värre. Har du haft eko någon gång?

– Om det är så lite kvar borde de kanske få ligga alldeles stilla och inte slita med svåra mattetal? föreslog jag. Kanske är det därför du missar så mycket. För att det skvalpar över kanten när du anstränger dig?

Formel kunde inte låta bli att flina.

– Skvalpar över? Hehe. Jag kan höra, kan höra hur det skvalpar. Det hade varit värre om det inte hade gjort det. Det skvalpar inte så mycket hos Sonja, tror jag.

Jag flinade också. Och studerade Formel med nytt intresse. Hur galen var Formel? Vad höll han egentligen på med? Kunde man lita på de galna? Jag menar, kunde man lita på att de verkligen var galna?

– Men vad är det med matte som är så bra eftersom du håller på med det hela tiden? frågade jag. Förklara det för mig.

– Tja, han vred händerna mellan knäna på de grå blankslitna terylenebyxorna, det är väl det att, att räkneuppgifterna, de går ihop liksom. De har ett svar. Och bara ett svar som är rätt. Det är så skönt.

Han rodnade som om han hade avslöjat någon sexuell läggning som inte var allmänt accepterad.

– Ja, sa jag avundsamt, då förstår jag.

– Vad tycker du, tycker du om att pyssla med? frågade han.

– Tja, sa jag, jag tycker om att ifrågasätta saker och sedan söka mig fram genom en hel rad olika svar. Det finns så många svar. På nästan allting. Och inte så att bara ett är rätt. Till exempel: blir människan förädlad genom lidande?

Formel log med sin lilla mun.

– Ja. En del. Men så finns det alltid några, några som blir skitstövlar.

– Vet du vad Ruben håller på med här? sa jag och sneglade bort mot honom.

– Jadå. Vi lägger oss inte, inte i det.

– Du tar ingenting, du Formel. Röker inte ens. Du bara äter och går på promenad och löser mattetal. Du är så sund, du Formel. Du kommer att leva länge.

– Hm, ja, sa han fogligt, men också lite bekymrad inför utsikterna.

– Ska vi gå till Brønnen? sa jag.

Han spratt upp som en fjäder. – Kom så går vi!

Ruben log milt efter oss. Han hade antagligen tagit något.

I personalrummet fanns det ingen. Gardinerna var fråndragna och inte en själ stod att upptäcka. Inne i tvättstugan hittade vi så småningom Mulatten, och när jag fick syn på henne slog det mig att hon inte kunde heta något annat. Det var inte bara det att hon var så brun att det gränsade till det onaturliga för vår bleka skandinaviska ras, utan hon hade dessutom anlagt ett imponerande stort afrokrull i det bruna håret.

– Men du ska visst ha ledsagare, sa hon osäkert och såg på mig.

– Men det har de glömt, sa jag.

– Jag går hack i häl, sa Formel ivrigt. Och vi får, vi får för Stetson.

– Nåja. Sextio minuter. Inte en sekund längre. Hon såg på klockan. Så böjde hon sig över tvätten igen. Tvätten var ju viktig, mycket viktigare än vi, och tanken på att gå av vakten och lämna smutsig tvätt till kvällsskiftet var omöjlig för Mulatten. Vart vi hade tänkt oss och vad vi kunde hitta på var av mindre intresse. Och vi gick ut genom huvudingången över den stora asfalterade planen. Det var inte långt alls, kanske tio minuter genom tät skog. Formel gick först. Han gick med de korta armarna svängande i halvcirklar på var sida om den magra kroppen. Ett par gånger under promenaden stannade han och torkade hjärnsubstans. Då såg han ut som en liten vilsen pojke som plötsligt får se sitt eget öde. Så gick han tappert vidare. Formel bar sitt öde med värdighet, som Korian och Tussi. Vi kom fram till strandkanten och jag såg åter denna djupa tjärn som kallades Brønnen. Den var så levande. Skiftade uttryck varje gång vi kom dit. Den var vacker, svart och blank, nästan förförisk, men kunde också verka hotfull och bottenlös. Vi satte oss i gräset. Jag blev fuktig i baken. Formel var så oerhört medveten om att någon annan satt intill honom. Inte så att han verkade besvärad, men det syntes på honom att min närvaro tog en del plats i hans medvetande, att han var en aning, men inte på något sätt ovälkommet störd. Det var som om han tyckte om det, som om han satt helt stilla och kände på det faktum att vi var två. Kanske hade han gått mycket ensam. Kanske hade han frågat alla nya när de kom till Varden: Ska vi gå till Brønnen? Och ingen ville. Inte förrän jag kom. Jag ville fråga Formel om Freiner. Jag var säker på att han inte skulle dra sig undan, han var så tjänstvillig. Men så tänkte jag om. Det var som om det var en oskriven hemlig lag att man inte fick skvallra på Freiner och jag ville inte försätta honom i en lojalitetskonflikt. I stället sa jag: – Annvor. Varför är Annvor på Varden?

Formel signalerade omedelbart att detta inte på något sätt var hemligstämplat material.

– Annvor, sa han, har varit här ett år. Annvor är som ett lokomotiv. Det går sakta, men varken sten eller blötsnö på spåret kan stoppa henne.

– Inte?

– Annvor är enastående. Eller, hon var enastående. Du vet, osedvanligt begåvad. Den flickan är det huvud på, det ska jag säga dig. Det är huvud på fler, det är inte det. Men i Annvors huvud, där ska du inte tro att det är något som rinner ut.

– Du stammar inte, konstaterade jag.

– Nej, jag stammar inte hela, inte hela tiden.

Och så skrattade han igen och jag letade efter Petterøepaketet och kände att jag tyckte så mycket om Formel att jag kunde tänka mig att vara hans vän. Nej, mer än så, en god vän. Om Formel ville.

– Hon var först och främst söt. Du har ju sett henne. Om jag hade varit flicka skulle jag ha velat se ut som hon. Om jag alltså hade kunnat välja. Men det kan vi ju inte. För jag skulle ju inte frivilligt ha valt den här morotsborsten, det antar jag att du förstår, sa han.

– Morotsborsten klär dig, sa jag välvilligt.

– Hon började skolan och visade sig vara rasande duktig, fortsatte han. Ingenting var svårt, hon fick saker och ting förklarade för sig och hon förstod. Hon var bäst i allt. I gympan också. Och syslöjden. Och alla, alla ville vara med henne, pojkar och flickor. Och mamman och pappan hade råd, för de hade bara henne och hon var alltid snyggt klädd. Och så började hon på gymnasiet och hade femmor i alla ämnen. I alla ämnen. Och hon var fortfarande bäst i gympan. Spänstig som en unghäst, mjuk som en katt. Hon började tävla för att hennes lärare menade att hon var så smidig. Och så var hon tuff. Dödsföraktande, som tävlande måste vara, du vet, tävling handlar inte bara om träning och smidighet. Du får inte till en perfekt trippel salto om du inte är beredd att dö för det. Är du med?

– Jag är med.

– Sedan vann hon alla mästerskap hon ställde upp i, och då tände hon på allvar, hon tände helt enkelt på sig själv och alla möjligheter och skulle pröva på allt. Simning. Friidrott. Hon började på en konstkurs och läraren där sa att hon hade stor talang för att teckna. Och att hon kunde bli konstnär om hon ville. Och hon var med i sångkör och körledaren sa att hon hade en praktfull röst, som kunde utvecklas mycket långt med riktig undervisning, så om hon ville kunde hon bli sångerska, sannolikt en stor sångerska. Dessutom var hon inte oäven på flygeln.

– Fy katten, sa jag och kände obehaget att vara Annvor komma smygande.

– Javisst, menade Formel. Det blev ju svårt att vara Annvor. Omöjligt att välja när hon kunde allt. Och så blev hon aggressiv, blev helt omöjlig att vara tillsammans med, hon liksom slog omkring sig och ville jaga bort all beundran och alla förväntningar. Så kastade hon sig in i en skönhetstävling, i ren protest du vet, en sådan där Miss Norway-grej – och vann naturligtvis. Spelade in ett par reklamfilmer. Tänkte att hon kanske kunde bli skådespelerska, och det visade sig också att hon hade ...

– ... en alldeles osedvanlig talang för skådespeleri, insköt jag.

– Precis. Men då hade det blivit nästan äckligt att vara Annvor, och folk började dra sig, dra sig undan, ingen hade något att skryta med vid sidan av henne. Folk sa bara: Dig blir det något stort av. Och en dag gick Annvor in på sitt rum och satte i sig femhundra tabletter av någonting, jag minns inte vad. Och blev liggande länge innan någon fann henne. Då var hon i koma. När hon äntligen vaknade var hon blind och lam.

Nu var Formel trött och måste torka pannan igen.

– Blind? sa jag matt.

– Det mesta av rörligheten har hon fått tillbaka genom stenhård träning. Och lite av synen. Men hon ser bara skuggor.

– Det är därför hon har hund, sa jag.

103

– Ja. Det är därför hon inte hälsar. Folk tror hon är mallig, men hon ser dem inte. Men ändå, Annvor fick plötsligt något att kämpa för. Att komma på benen blev ett mål i sig. Att lyfta en sked med mat till munnen. Och ingen sa längre att dig, dig blir det något stort av. Och Annvor kunde slappna av och bara vara sig själv. Från den stunden fick hon beröm bara hon lyckades knäppa blusen, hehe. Och hon måste ha hjälp med allt möjligt. Och det hade Annvor aldrig behövt. Hon hade aldrig behövt något överhuvudtaget. Så kom hon hit. Och nu sitter hon på vinden och läser psykologi.

Jag tänkte länge på Annvor. – Så om jag hälsar först så hälsar hon tillbaka?

– Javisst. Du vet, det kan ju vara jobbigt att möta någon, se att det kommer en skugga mot dig och inte se vem det är. Och osäkerheten om det är någon du känner eller kanske bara en främmande som är på besök. Du måste hälsa så att hon hör din röst och då hälsar hon tillbaka. Annvor är helt okej, sa han till sist.

– Känner du någon av dem som är inne på isoleringen? undrade jag.

– Ja, Odin. Han kommer nog snart ut. Och när Odin kommer ut, kommer Tussi efter direkt, han klarar sig inte utan Odin.

– Ut? Riktigt?

– Nej, ut till oss. På öppen avdelning. Det är trist när Odin är på isoleringen. Men han trivs där och det är nästan, nästan omöjligt att släpa honom därifrån. Han säger att ute på öppna avdelningen är det för många om maten. Han är rädd att han inte ska bli mätt.

Jag kastade fimpen ut i det svarta vattnet. Den låg kvar och guppade.

– Om man kastar sig i här, vem är det då som kommer och hämtar upp en? undrade jag.

– Ja, det finns dykare. Som regel från brandkåren. Tjärnen är liten. Det är lä-lätt att hitta dem. Och om inte så flyter de ju upp efter ett tag. Det är för att huden långsamt förlorar sin vattenavstötande egenskap så att vattnet läcker in i kroppen, och då får man det där uppsvullna äckliga utseendet …

– Jaja. Så om någon försvinner, jag menar avviker från avdelningen och blir efterlyst och så, då kommer de ganska fort hit och kollar?

104

– Ja. Och nere vid, vid badbryggan i det stora vattnet. Ingen dör på avdelningen. De drar sig undan som gamla katter för att dö.

– Är det länge sedan sist?

– Nio månader. En flicka. Henne fann de i hennes hyreslägenhet, hon hade tagit bussen hem och lagt sig i sängen. Henne kände jag inte så väl. Ville inte komma med hit till Brønnen. Sa aldrig något. Ungefär som Kajsa. Men, du vet, omöjligt att prata med alla de där blåsorna i ansiktet. Hon säger, hon säger att de bränner som cigarettglöd.

Jag såg på Formels magra ben i för korta grå byxor, de magra vaderna, vita som skummjölk. Han hade nötta sandaler och raggsockor med hål i. Jag blev rörd av det. Bruna sandaler med pyttesmå lufthål.

*Sanningen. Formel är söt, men jag ändrar mig inte för det. Trevligt sällskap den tid som är kvar. Riktigt trevligt, faktiskt.*

– Skulle du vilja ha en käraste, Formel? tog jag plötsligt mod till mig och frågade.

Formel stack ett strå i munnen.

– Inte då. Nej, hur kan du tro det?

– Tycker du inte om flickor? Föredrar du pojkar kanske?

– Nja, sa han och drog på det. När man inte har försökt med någondera, någondera, är det inte så gott att veta.

Han såg plötsligt generad ut.

– Det kan väl komma på ett ut, menade jag. En käraste är en man håller kär, det är det viktiga. Vill du ha ett räkneproblem?

– Ja tack. Jag tar gärna ett räknetal, log han.

– Har du gröten i ordning?

– Den är blick stilla, som tjärnen.

– Ettusentvåhundratrettiofyra plus femtusensexhundrasjuttioåtta gånger nio delat med tio, sa jag och höll andan.

Det gick en sekund, det gick tio sekunder och han knep ihop ögonen så att det unga ansiktet blev en grimas av ansträngningen. Jag såg käkarna arbeta och blodådrorna svällde på halsen. Det såg ut som fysisk smärta.

– Sextusentvåhundratjugo komma, komma åtta! stönade han lyckligt. Jag blev alldeles paff. Det hela hade tagit honom femton sekunder.

– Men jag fattar det inte! Är det verkligen rätt svar?

– Ja. Jag har miniräknare på rummet. Du kan kolla om du vill.

– Men hur gör du det? Det går bara inte!

Han rodnade klädsamt. – Tja, jag har alltid kunnat räkna. Man får hitta en metod, och när man räknar hela tiden som jag lär man sig till slut att räkna fort.

– Vad är du annars bra på? ville jag veta.

– Ingenting annat, sa han dystert.

– Jag menar, bortsett från att ta dig an nya patienter på Varden?

Han klöste i marken med vita fingrar. Naglarna blev smutsiga.

– Jag skulle gärna vilja undervisa i matte, sa han tyst. Men problemet är att ingen annan räknar, räknar som jag räknar. Jag klarar inte att lära ut det. På Blindern försöker de få mig att räkna som man ska. De säger, säger att det är det rätta sättet att räkna på. Men det går så sakta och jag är så, så otålig.

Vi var tysta en väldigt lång stund. Han tuggade på strået, jag rullade en cigarett till. Jag frös och var trött.

– När du en gång ska dö, försökte jag, jag menar om du kunde välja. Hur skulle du vilja dö då?

Han funderade länge. Spottade ut bitar av strået och torkade sig om munnen med handduken. Jag tänkte: Den trasan är ju full av hjärnsubstans, nu får han munnen full. Och jag undrade hur det smakade och föreställde mig en tam, fadd smak som kanske påminde om havregrynsgröt kokt på fiskspad.

– Tja, jag vet inte riktigt. Bara att det måste ske fort.

– Det är konstigt, sa jag, ingen är rädd för döden. Vi är bara rädda för att veta att nu dör jag. Inte sant, Formel?

– Egentligen tror jag inte det är så väldigt farligt när den tanken slår en. Jag tror vi får en akut psykos, att den kommer på en sekund. Ett slags skydd. Och så tänker vi tanken helt utan fruktan. Vi tänker: Nu dör jag. Så konstigt.

– Akut psykos?

– En blixtsnabb hallucination.

– Vad ser vi då, Formel?

– Det vet du väl. Tunneln med det vita ljuset.

– Vet du vad jag önskar mig i julklapp? frågade jag.

– Nej. Våning på vinden?

– En nära-döden-upplevelse.

– Om du inte äter snart, får du den garanterat.

– Inte äter? sa jag oskyldigt. Vad menar du med det?

– Du bara smörar och smörar brödskivor som du aldrig äter. Du är smart. Jag vill inte vara elak, men hur många, hur många tröjor har du utanpå varandra?

Jag såg in i hans isgröna ögon. – Jag har tre stycken. Och tjocka strumpbyxor under byxorna.

– Men det kommer att skita sig när vi ska på tur till stugan. Det är på de där jävla stugfärderna de upptäcker allting. Vi åkte på stugfärd, få se nu, det var för två år sedan ...

– Två år! Har du varit här så länge?

– Nej, jag kommer och går, men vi var på stugfärd och vi hade en kille som gick på heroin. Han skaffade sig det på avdelningen, inga stora doser men tillräckligt för att härda ut. Och så for vi, och leverantören fick ju inte tag i honom långt där uppe i skogen, du vet. Och så fick han abstinens, som han egentligen hade kommit över, om du förstår, och då var han avslöjad. Tråkig historia. Han var inne på fjärde rundan och åkte ut direkt. Till en överdos. På de där turerna upptäcker de allt.

Detta var en mycket obehaglig tanke. Jag såg ut över tjärnen. Tänkte på dem som hade vadat ut i det svarta vattnet och på vad de hade tänkt. Om de hade varit oändligt sorgsna eller bara väldigt beslutsamma. Eller iskalla av fruktan. Om de hade sett tunneln och det vita ljuset.

Efteråt satt jag och vilade ut efter promenaden. På dagrummet stod en liten bokhylla. Den hade säkert alltid stått där men jag hade inte lagt märke till den, läsning intresserade mig inte, koncentrationen var usel, som den blir när man är undernärd och går på medicin. Det är möjligt att vi blev tydliga för terapeuterna men ingenting blev tydligt för oss, så var det sagt. En femton tjugo böcker låg på översta hyllan, på den nedersta låg tidningar och veckoblad. Jag hade ingen lust att läsa. Jag kunde inte ens titta på teve, eller jag kunde se men jag tappade tråden och det blev bara bilder som for förbi. Jag tog i alla fall fram en tunn häftad bok som var nött och trasig och utgiven nittonhundrafyrtiosex. Så koncentrerade jag mig djupt, drog in luft och läste första sidan. Efteråt blev jag sittande i tankar. Sedan läste jag i den blå boken varje dag.

*

Varje morgon kom den fylliga flickan med kaffe. Smygande in i rummet som en ande, prick klockan sju. Så småningom kompletterades denna morgonservering med en färdigrullad cigarett, som låg och vippade inbjudande på min askkopp med tändstickor bredvid, gärna en tändsticka framdragen med svavlet ut. Hon rullade fina cigaretter, tjocka och lösa med maximalt drag, som jag tyckte så mycket om. Ingenting är som skållhett kaffe och en tjock cigarett på fastande hjärta.

Efter denna ritual steg jag långsamt upp och gick fram till spegeln. Jag var slö men hade ändå infört en morgontoalett, som bestod av ansiktstvätt och handtvätt och tandborstning och en kam genom håret. En morgon upptäckte jag att ett läppstift fattades på hyllan under spegeln. Det var inte dyrt alls men hade en fin korallröd färg som jag hade letat länge efter på den tiden när jag trodde att sådant var viktigt. Jag hajade till, letade i necessären, i alla de små facken. Drog ut lådan i nattduksbordet, tittade under handfatet, men läppstiftet var borta. Jag tänkte på servitrisen som varje morgon stod inne i mitt rum medan jag låg och sov och att hon kanske hade tagit det. Fast vi hade inte nyckel till rummen och det kunde vara vem som helst, det var bara att gå in och förse sig. Kanske Stormcentret hade tagit det, eller Sonja. Nej, inte Sonja, hon hade en arsenal med läppstift och Stormcentret var inte särskilt fåfäng. Men det kunde vara hon med kaffet. Jag brydde mig inte så mycket om det. Jag hade slutat med läppstift. Men jag kollade vad som stod på hyllan för att minnas det till nästa morgon. I necessären hade jag dessutom ett blått hårspänne, ett blodrött nagellack, ett acnestift för tillfälliga finnar, en tändare, en nagelsax och en nagelfil. En bodyspray som luktade vanilj och en tub ansiktskräm. När nästa morgon grydde och kaffedoften nådde mig i drömmen, reste jag mig och gick till handfatet. Gick igenom innehållet ordentligt. Hårspännet fattades. Ett blått hårspänne, vad skulle hon med det? Hon kunde ju inte använda det, då skulle hon bli avslöjad. Vid närmare eftertanke förtjänade hon en liten belöning för den utmärkta servicen, inte gjorde det mig något att hon tog sig lite dricks, och själv hade jag inte ens varit inne på tanken att ge henne någon. Jag var med andra ord en gnidig själ.

108

Där och då bestämde jag mig för att inte säga något. Och vad mera var, jag beslöt mig för att se till att det alltid låg något där, på hyllan eller i necessären, något litet och frestande. Jag hade råd. Jag fick sjuklön var fjortonde dag och det enda jag köpte var tobak. Detta blev en av mina verkliga älsklingssysslor, att gå till affären på sjukhusområdet, som hade en riktigt fin avdelning för smink och toalettartiklar och hårpynt och sådant, och köpa en sex sju saker så att det räckte en vecka. Tjuven Tjuven blommade upp, jag tvekar inte att säga det. Och jag tyckte om samförståndet oss emellan. Hon visste nog att jag visste, och kaffet blev ännu sötare och cigaretterna ännu tjockare. Och med den här vardagsglädjen och de andra fasta rutinerna slog jag mig långsamt till ro på Varden. Jag kände alla vid namn, hade för länge sedan kommit på vilka jag borde hålla mig undan (Erkki, Stormcentret, Cato, Mulatten) och vilka jag trivdes med (Stetson, Formel, Korian och Moffa). En dag mötte jag Stetson i korridoren, han klappade mig på axeln och sa att jag tydligen hade funnit mig väl tillrätta och att han var glad för det. Men då sa Formel att det han faktiskt menade var att jag hade blivit institutionaliserad.

Det lät inte så bra, men egentligen brydde jag mig inte. Jag kände att jag magrade hela tiden och jag hade för länge sedan upptäckt vad jag tålde och inte tålde av fysisk ansträngning. Och bara jag såg till att få tillräckligt med vila, tillräckligt med kläder och att inte resa mig för hastigt från en stol, aldrig springa, alltid hålla hårt i ledstången när jag skulle upp och ner i trappor ,så höll jag mig på benen. Men stugfärden plågade mig. Jag måste bli sjuk fortare än kvickt.

Dagen före avresan satt vi som vanligt och hängde i dagrummet, när Stetson förkunnade att ett fantastiskt svenskt tivoli hade gjort sitt intåg nere i centrum. De hade slagit sig ner på den stora planen bakom järnvägen och han disponerade minibussen. Så om vi ville kunde vi ta en snabbtur. De flesta glodde stumt på honom och puffade vidare på sina cigaretter. Men jag ville. Karuseller och andra halsbrytande anordningar var naturligtvis inget för mig, med hänsyn till mitt fysiska tillstånd, men att sakta ströva omkring och se folk, det lockade mig plötsligt. Och vädret var vackert och lagom varmt så jag sa ja. Men ingen annan ville. Och jag tänkte att då blir det väl inställt, det var inte så många i tjänst.

Men vi fick åka i alla fall. Och jag fick sitta fram i den röda mini-bussen tillsammans med Stetson.

– Fint att du sa ja, sa han, det är så svårt att få några med sig. De bara sitter och hänger. Det är trist.

Jag ville ta de andra i försvar. Försökte förklara hur trög man blev av alla medicinerna och hur minsta ansträngning kostade på. Borsta tänder var en ansträngning. Skjuta tillbaka stolen efter middagen var en ansträngning. Svara på frågor var en ansträng-ning. Han nickade att han förstod. Så frågade jag efter Tussi och Odin inne på isoleringen och även om han inte kunde säga så mycket till mig, han hade ju tystnadsplikt, så förstod jag att allt var bra med Odin, men att Tussi hade fått ett våldsamt bakslag för att någon hade tagit honom med till Rikshospitalet och visat ho-nom alla mikroorganismerna. I all välmening förstås. Han kunde inte hålla sig för skratt, och så skrattade vi båda två, men med samma sorgsna skratt eftersom vi tyckte om Tussi och eftersom han nästan var för god för att vara verklig.

– Vem kom med det fantastiska förslaget? undrade jag. Men då teg Stetson och ville inte säga något mer.

Vi lämnade sjukhuset bakom oss. Alla tjugoen byggnaderna, sjön, broarna, bryggorna och Varden. Nu högt uppe till höger med det ståtliga tornet ruvande över landskapet. Att lägga allt bakom sig, äntligen vara ute på vägen, vara en del av trafiken, det kändes underligt. Att allt låg där och såg ut som förr. Jag petade Stetson på axeln.

– Ser du tornet? frågade jag.

Jo, det var klart att han såg tornet, men samtidigt var det ju det att det såg han varenda dag när han körde den lilla röda Renaul-ten längs den kurviga vägen. Han bodde fem kilometer bort i en liten lägenhet, berättade han. Men han mindes väl den första gången han körde hit för att inställa sig till en anställningsinter-vju, då Varden med all sin ståt hade fyllt honom med respekt.

– Det är omöjligt att tänka sig Varden utan tornet. Inte sant? sa jag till Stetson, som inte hade något emot att jag rökte fast han inte rökte själv.

Han nickade.

– Och ändå. När Varden skulle byggas hade arkitekten för sä-kerhets skull gjort två ritningar. Ett med och ett utan torn.

– Åhå, sa Stetson förvånat.

– Det här var nittonhundraarton, fortsatte jag och ignorerade hans bligande, för Varden var det sista bygget i det här enorma komplexet och det fanns inte mycket pengar kvar. Men när styrelsen satte sig ner för att se på ritningarna och förelades byggnaden utan torn var de faktiskt belåtna. Och så mycket stod klart att det inte var något att säga om kostnadskalkylen heller, och var inte byggnaden både stor och stolt och rymlig på alla vis så säg? Låg den inte vackert i omgivningen? Och alla nickade och klappade händer, arkitekten hade infriat alla förväntningar, äntligen kunde arbetet påbörjas. Men då drog arkitekten fram den andra ritningen, den med tornet, närmast för ro skull, som en oskyldig dröm, för att visa hur det kunde ha blivit. Om det alltså hade funnits tillräckligt med pengar, men bara för ro skull naturligtvis, han var inte storhetsvansinnig eller så, han trodde inte alls på att få igenom något så extravagant, han hade bara haft lite tid över, närmast gjort det för sin egen skull. Och var han inte konstnär kanske? Och de såg på tornet med inritade urtavlor på alla fyra sidorna och på det glänsande koppartaket och kapitulerade tvärt. Rusiga av hänförelse valde de det alternativet. Och Varden byggdes och stod färdigt 1923. Med torn och allt. Och kritiken haglade över de olycksaliga huvudena. För byggnaden gick på inte mindre än fyra komma sex miljoner kronor, och det var mycket pengar den gången. Men nu. När vi ser på Varden är det stört omöjligt att tänka sig byggnaden utan tornet. Det är ett landmärke, inte sant?

– Kors vad du vet! sa Stetson imponerad. Han skakade flera gånger på huvudet.

– Fråga mig var jag fått det ifrån.

– Var har du fått det ifrån?

– Lite här och där. Du vet, som ung hade arkitekten en liten lägenhet i Oslo med utsikt över domkyrkan. Varje morgon när han vaknade såg han tornet. Tornet blev en del av honom själv, det blev till en dröm som han bar med sig genom livet. Och han var listig. Han förverkligade sin dröm genom att förföra de andra.

– Smart kille, log Stetson. Där har du något att lära, Hajna.

Vi kom ner i centrum och hittade en parkeringsplats. Det var mycket folk och tivolit var verkligen toppen, som Stetson hade sagt. Det kändes konstigt att stiga ur bilen och sätta foten i marken. Ingen stirrade. Vi var en man och en kvinna i vanliga kläder och ingen tittade på oss. Jag såg mig omkring, på rotorn som snurrade och kastade folk åt alla håll, jag såg en ostadig berg-och-dalbana som riste och skakade så att det skrek i skarvarna (det är ju skarvarna som är den svaga punkten i varje konstruktion, annars spelar det ingen roll vad resten är gjort av, men skarvarna, tänkte jag), det var skjutbanor och lila och rosa nallar i nylon till dem som sköt prick. Det gjorde Stetson. Jag valde en rosa nalle och tryckte den hårt mot bröstet, jag bestämde där och då att dö med den i mina armar. De hade stånd med korv och sockervadd och tombola, och man kunde visa sin styrka genom att drämma en klubba i en metallplatta och få en klocka till att ringa och bli fotograferad som kung och drottning genom att sticka huvudet i ett hål i en målad fanerskiva. Som en skampåle, tänkte jag. Ett ungt par, förmodligen älskande, höll som bäst på att bli förevigade. Man skulle haft ett par ruttna tomater att kasta och sedan strövat vidare, medan de stod där och varken visste ut eller in just när de trott att livet var underbart. Stetson gick sakta omkring och jag följde efter, lite vacklande och osäkert, jag var van vid den plana korridoren på Varden. Det luktade mat överallt, kväljande sött från sockervaddståndet, jag tyckte om att stå och se på när de gjorde sockervadden, det var som ett mysterium att sockerkristallerna kunde förvandlas till det bomullsaktiga ämnet. Det luktade pommes frites och våfflor och jag blev förfärligt hungrig. Men folk köade överallt för att få mat, priser och ett ögonblicks lycka, de trampade omkring och slickade sig runt munnen och räknade pengar och tryckte på knappar och knuffades och bråkade om någon slank före i kön, och när jag såg mig omkring kände jag bara medlidande med dem. De skulle aldrig få vad de drömde om, ingen av dem.

Stetson frågade om jag hade packat för utflykten. Tandborste och varma kläder och sådant. Jag höll på att säga att jag inte skulle följa med men sa inget. Han sa att det skulle bli fint, de hade varit där förut, stugan låg så vackert i småkuperad skogsterräng och man kunde lära känna folk på ett helt annat sätt än på avdelningen. Och så blir du fri från programmet några dagar, det blir väl skönt? Att han nämnde stugfärden förstörde mitt goda humör. Trodde han verkligen att vi skulle ha något utbyte av den?

Var det inte något som personalen gjorde för sin egen skull, för att få omväxling, för att sätta sprätt på några fattiga budgetslantar, för att ha något att skriva i sina handlingsplaner? Ingen skulle tro att de inte hade idéer och planer, att de inte hade något att erbjuda patienterna. Man åkte inte bara till tivoli, en vårdare med en patient, det var ju rena lyxen, utan dessutom stugfärd, trettiosex patienter. Efteråt fick de kompledigt. Det var antagligen det bästa. Ledigt mitt i veckan. Stetson frågade om mina föräldrar. Om de kanske snart skulle komma på besök.

– Du menar pappa och Conny?

– Kallar du henne inte mamma?

– Hon är inte min mamma.

Han gick några steg under tystnad innan han fortsatte.

– Det kanske är lika bra att vi får det undanstökat. Jag förstår att det är svårt. Alla tycker det är svårt. Men om du låter dem komma, låter dem se att du är på benen och påklädd och har mål i mun, så gör du det lättare för dem.

– Är det min sak? Att göra det lättare för dem?

– Du slipper inte ifrån medkänsla med andra bara för att du är intagen på Varden. Sa Stetson.

Orden kom som en kalldusch.

– Nu svävar de i total ovisshet, sa han. Jag hör det på din styvmors röst när hon ringer. Det är svårt för henne. Kanske skulle det göra dig gott att ta emot dem en timme eller två. Sedan kan ni slappna av.

Jag såg Connys ansikte framför mig och visste att hon aldrig skulle slappna av. Hon visste inte vad det var. Och tänk om de stötte på Erkki i korridorerna, eller Stormcentret eller Formel med trasan. Det skulle inte precis lugna dem. Frågan var om de skulle klara det eller om det skulle göra ont värre. Vad tänkte de sig? Milt leende sjuksystrar i vitt, välvårdade växter och tröstande människor som gled omkring med dämpade röster? Om Conny hade stuckit in näsan i dagrummet och fått syn på Kajsa med alla blåsorna, de var värre än någonsin, hon såg ut som om hon hade fått böldpest men Freiner sa att det inte var bölder, bara helt ofarliga svullnader som innehöll rent vatten, som om det var den naturligaste sak i världen att ha ansiktet fullt av vatten, om Conny hade sett allt detta, vad skulle hon ha tänkt?

– Inte än, sa jag buttert.

– Du vill hålla dem på sträckbänken lite? log han.

– Det är inte deras fel att jag befinner mig på anstalt.

– Jaså minsann. Är du alldeles säker?

Jag fick lov att titta upp i ansiktet på honom för att se om han skojade. Det var skratt i rösten.

– Naturligtvis, sa jag kort.

– Alldeles, alldeles säker? log han. Inte en enda anklagelse? Inte en enda bitter episod som du har lagrat i din härjade själ?

– Lägg av!

Då fick jag syn på en svart och blank låda, ungefär stor som en jukebox, som stod intill en vägg, och jag styrde stegen dit. Stetson följde efter. Vi läste skylten på lådan.

– En skriftanalysmaskin! sa han förtjust. Visa mig din handstil så ska jag säga dig vem du är! Har du lust att försöka?

– Jag vet vem jag är.

– Kostar bara tio kronor. Jag bjuder.

– Du först.

Han tog upp en tia ur fickan och stoppade in den i springan. Det föll inte Stetson in att bekymra sig för vad maskinen skulle säga. Han var nöjd med sig själv och räknade med att andra hade kommit till samma slutsats, och det stämde naturligtvis. Maskinen började genast att ticka och lysa. Hjärnan där inne var igång, i full beredskap så att säga, och Stetson tog pennan som var fäst i maskinen och skrev sin namnteckning på en papperslapp, som därefter försvann i en springa. Han hade en markant upprättstående handstil som var lätt att läsa. Plopp! sa det och så var papperet borta. Antagligen satt det någon där inne och nappade det till sig. Stetson höjde ögonbrynen och väntade, häktade tummarna i jeanslinningen.

– Nu har den väl fullt jobb att lista ut vem jag är, skrattade han. Nu är jag banne mig nyfiken.

Jag nickade och väntade. Det passade mig att stanna här, jag kunde luta mig mot väggen och vänta. Det skulle enligt skylten på maskinen ta två minuter att göra en lista på de mest grundläggande av hans karaktärsdrag, och jag slöt ögonen och försökte göra en egen lista på hur jag kände Stetson, snabbt, innan maskinen blev färdig, för att kunna jämföra. Efter en stund kom papperet ut, det var täckt med blå maskinskrift. Stetson rev av längs perforeringen och sköt hatten bakåt i nacken.

– Samarbetsvillig. Öppen. Nyfiken och smidig. Optimistisk, balanserad, resonabel. Klartänkt. Omtänksam. En praktisk natur.

Jag stirrade på Stetson. – Stämmer det?

– Självklart, skrockade han. Det stämmer alltihop. Nu är det din tur.

– Den sa ingenting negativt, sa jag. Men det hade jag inte väntat heller. Det fanns ingenting negativt att säga om Stetson.

– Det är klart att den inte säger något negativt, sa han, då skrämmer den ju bort folk. Den vill ju ha pengar.

Jag våndades. Inte för att jag trodde på den dumma maskinen, men jag våndades för Stetson ville säkert att jag skulle läsa högt, och oavsett vad maskinen kom fram till skulle orden bli hängande mellan oss. Han stoppade i en tia till och maskinen började surra. Jag tog pennan och skrev. Det var länge sedan jag hade skrivit mitt eget namn, men det satt i handen, den gick av sig själv och efteråt kunde jag inte skylla på att namnteckningen inte var som den brukade, för det var den. Vi väntade i etthundratjugo sekunder och Stetson hade ett spänt flin på sin vackra mun och jag tänkte att han gjorde narr av mig. Det här blir en av de roliga historierna han berättar när han har fest på sitt rum. Han har säkert fest ofta, han är som Annvor tänkte jag, alla vill vara med honom. Papperet tickade ut och jag läste, men inte högt. Det gjorde däremot Stetson. Såhär sa maskinen:

Intelligent. Kreativ. Pinsamt nyfiken på gränsen till snokande. Skeptisk och avvaktande. Pliktuppfyllande, reserverad. Väl utvecklad fantasi. Och jag tänkte att det kunde ha varit värre, men det återstod en mening och den hånlog mot mig från papperet.

*Har bara förakt till övers för andra människor.*

En stund stod jag förvirrad och såg på lappen.

– Det var värst, sa Stetson och sköt fram hatten igen. Det må jag säga!

– Där ser du, sa jag surt. Där ser du hur jag är. Nu är du väl nöjd.

– Ska jag trösta dig? frågade han skrattlystet.

Jag skrynklade ihop papperet och stoppade det i fickan. Jag visste ju att maskinen hade rätt, en annan sak var att få det rätt i synen, och därtill när någon annan såg på. Men jag föraktade inte

Stetson. Alltså hade inte maskinen helt rätt. Och jag föraktade inte Formel heller, och inte Tussi eller Odin. Inte Kajsa eller Maria eller Freddy. Och inte Eva eller min vän Peter. Men Freiner. Och Cato förstås. Och Mulatten. När det gällde den tokige finnen var jag inte säker.

Vi gick vidare. Orden gnagde i mig, har bara förakt, förakt till övers för andra människor. Det pickade och stack överallt i kroppen så att jag ville hämnas, slå någon. Slå ihjäl maskinen med en yxa. Jag styrde stegen mot en korvkiosk och jag förstod inte själv vad det var för vits med det, jag hade ju slutat äta, hade befriat mig från den ynkliga lasten, hade bevisat att jag var något liksom självnärande, jag var inte ens hungrig eftersom raseriet dämpade suget i magen, men jag styrde stegen mot en korvkiosk. Och Stetson vankade efter för han var också hungrig, och vi missade kvällsmaten så det var alldeles i sin ordning med korv och pommes frites.

Det var lång kö och vi ställde oss längst bak. Tankarna försvann, det blev tomt, dånande tomt inne i huvudet. Det var en skrämmande känsla, jag kunde fortfarande vända tillbaka och säga: Nej förresten, men jag stod kvar för jag hatade den där maskinen och jag hatade mig själv för att jag lät mig provoceras, jag skulle ha korv och pommes frites. Stetson stod och vägde på fötterna av förväntan och hade ingen aning om vad som var i görningen. Han var skärpt och observant. Hade noterat att jag hade blivit mycket tunnare sedan jag kom till Varden. Men han hade ingen aning om att jag inte hade ätit på veckor. Ingen är fullkomlig, Stetson, tänkte jag vemodigt, men du är väldigt nära. Det blev min tur, jag nådde nästan inte upp till disken för kiosken stod på en lastpall, men jag vädrade i luckan och överväldigades av het olja och salt potatis och grillkorv och rå lök och räksallad och allt som jag hade varit utan så länge. Och så beställde jag och väntade ängsligt medan jag svalde och svalde. Äntligen fick jag en brännhet kartong i händerna, jag började genast darra, knäna blev som gelé och ville vika sig under vikten av det förfärliga som nu skulle ske. Bägaren vägde ett ton, det darrade och brann mellan fingrarna. Jag väntade på Stetson och vi hittade en bänk.

– Ah! sa han och spetsade en korv på plastgaffeln, och själv tog jag en bit potatis mellan två fingrar. Den dröp av fett. Jag såg saltet

116

i pyttesmå vita korn, den spröda skorpan utanpå, gyllengul till färgen, och så satte jag tänderna i den.

JAG SATTE TÄNDERNA I DEN. Lugn, tänkte jag, lugn nu, men inuti var den kritvit och så varm att jag brände tungan, men någonting hände, det var som om kroppen skenade, den tog helt och hållet över ratten, och även om jag innerst inne hade tänkt att jag måste äta sakta och försiktigt och inte mer än hälften så hjälpte det inte, för munnen stod vidöppen och jag stoppade in korv och pommes frites i gapet i en jämn ström. Det var ketchup och senap på korven, och jag kände svagt något oroande som jag inte heller orkade ta hänsyn till, känslan av att det brann invärtes. Jag tänkte inte, talade inte, bara åt och åt, jag var en enda stor hunger. Efter ett tag var kartongen tom. Jag satt kvar med den i knät och hjärnan var liksom fylld av cement som långsamt stelnade och det blev helt tätt och tyst där inne. Stetson smackade och torkade sig om munnen och utstötte en liten behärskad rapning. Äntligen såg han på mig.

– Trött, Hajna?

Jag nickade. Orkade inte lyfta huvudet för cementen, kunde inte se på honom, inte tala, jag funderade på när maten skulle resa sig i magsäcken och ta sin gruvliga hämnd, slå tillbaka som en flodvåg, jag räknade med en femton tjugo minuter, och det skulle visa sig att jag fick rätt. Jag måste med andra ord tillbaka till Varden och i säng fortare än kvickt, men jag kunde inte tänka eftersom allt som hette liv nu var koncentrerat till magregionen, där det bubblade och sjöd. Jag hade en vulkan i magen och den närmade sig ett våldsamt utbrott. Antagligen skulle jag inte överleva det. Magsäcken skulle spricka och jag skulle få bukhinne-inflammation. Jag hade aldrig trott att jag skulle dö av bukhinne-inflammation.

– Mår du inte bra?

Han såg bekymrat på mig, förstod inte vad som hände. Jag nickade, kunde inte resa mig, han försökte lyfta mig under armarna, jag sjönk tillbaka. Han ställde sig framför mig, lyfte upp hakan på mig, ville se mig i ögonen, men jag kunde inte fokusera längre. Han tog bättre tag, hävde beslutsamt upp mig och stöttade mig bort mot parkeringsplatsen. Jag vinglade viljelöst iväg och blev tyngre och tyngre.

117

– Var det något fel på korven? sa han. I så fall blir jag sjuk också. Knäna började vika sig på allvar. Något rött tornade upp sig och jag förstod att det var minibussen, och om jag bara klarade att kravla mig in i sätet innan magsäcken sprack så skulle jag vara tacksam. Kanske kunde Stetson köra raka vägen till Centralsjukhuset. Men det gjorde han inte. Han körde till Varden, och jag lyckades inte ta mig ur bilen, jag satt kvar och hängde med cementhuvudet och han sprang och hämtade Vänligheten.

– Hon har fått i sig något olämpligt, sa han bekymrat. Det är bäst att vi ringer till Freiner!

Efter ett tag var jag på plats i sängen och smärtorna var outhärdliga, det brann, det skar som glas i slemhinnor som inte hade smält något på veckor, det var som att bli uppsprättad av knivar. Jag kände senapen sticka som sylar genom skinnet, jag kände flottet skvalpa och varje saltkorn var ett nålstick. Men först och främst var det känslan av att svälla, att det pressades ut och upp genom kroppen, jag kunde nästan inte andas, och det enda som höll mig uppe, som hjälpte mig igenom, var vissheten att jag verkligen hade ätit för allra sista gången. Kroppen stötte ifrån sig allt med våldsam kraft. Det sprutade och skvalade ner i hinken som Vänligheten hade hämtat. Jag försökte inte kämpa emot, jag spydde som en gris. Spydde etter och galla, ursinne och förtvivlan. Äntligen var kroppen tom.

– Är det bättre nu? frågade Stetson ängsligt.

– Tanken är en tunn tråd, viskade jag. Den lyser i mörkret.

– Jaja. Du måste vila dig nu. Jag åker ner till tivolit igen. Och sticker ut ögonen på korvgubben. Med en plastgaffel.

Det spelade ingen roll hur illa allting var. Han fick mig ändå att skratta.

– Här, sa han och strök något mjukt över min kind. Det var den rosa nallen.

*

Jag glömde lägga en present till Tjuven Tjuven. Och vaknade av att hon stod vid handfatet och fräste.

– Din jävla snåljåp! sa hon surt. Jag hittar ingenting.

– Förlåt, snyftade jag. Jag var sjuk igår.

118

– Sjuka är vi väl allihopa! gläfste hon.

Så tog hon kaffekoppen och försvann ut ur rummet.

Det var en tröstlös morgon. Och planen stod fast. Vi skulle iväg till stugan och jag slapp inte undan trots en allvarlig matförgiftning. Stetson sa: Du hade verkligen oflax, den där korven måtte ha varit skitrutten. Kände du inget misstänkt på smaken? Är du alldeles säker?

Jag fick sitta fram mellan Moffa, som omedelbart rev upp en Snickers, och Kanvas, som skulle köra. Efter tio minuter ville folk stanna och köpa sig något att äta i ett bageri och jag stönade över all denna glupskhet, det fanns helt enkelt inte ord för den, medan jag besvärades av en kraftig salivavsöndring. Kanvas svängde in på parkeringsplatsen och de vällde ut ur bussen och vimsade omkring i bageriet bland wienerbröd och bullar och kringlor och kom ut igen med stora vita påsar doftande av färska bakverk. Freddy hade den största påsen. Moffa hade köpt tre wienerbröd med mandelfyllning och stack dem under näsan på mig. Jag skakade på huvudet. Utsvävningen på tivolit, den smula mat som magen trots allt hade behållit, hade påmint kroppen om vad den hade saknat och satt igång en ändlös smärtsam sammandragning av tarmarna, de ropade och skrek efter mat, de tiggde och bad, de gnällde och grät. Jag koncentrerade mig djupt och var så stark och envis. Och utnyttjade tiden till att förbereda en flyktväg uppe vid stugan, för antagligen skulle den första punkten på programmet där uppe vara mat. Och det skulle vara det första de tänkte på nästa morgon. Och när de hade stökat undan frukosten, skulle de strax börja diskutera lunchen och vad de då skulle laga till. Kanske ägg och bacon. Omelett eller risgrynsgröt. Om jag tackade nej i första omgången skulle de knappast reagera, jag var ju ordentligt matförgiftad så ett visst motstånd skulle de betrakta som normalt. Kanske till och med två måltider i rad. Men så, tredje gången, skulle de se mer nyktert på mig, kanske genomskåda alla tröjorna, se hur infallna kinderna hade blivit, och mina händer, hur ådrorna syntes så tydligt, blågröna som på en gammal människa, och jag var ju bara tjugofyra. Jag måste helt enkelt sticka till skogs, hitta en gammal lada eller vad som helst och lägga mig och dö. Men i så fall kontaktade de väl folk och någon skallgångskedja, till exempel en larmpatrull av oavlönade, idealistiska, sensationshungriga ungdomar som skulle komma störtande med ficklampor och hundar. Jag slöt ögonen medan jag tänkte på detta och Moffa sa: Är det säkert att du inte vill ha det sista wienerbrödet? och jag fräste ett nej, och plötsligt nickade han och förstod alltsammans.

– Visst, sa han bara. Visst. Och jag tänkte att det här kommer att skita sig. Kanvas körde och var upptagen av vägen, och bak i bussen hände inget särskilt. Maria drog några psalmer. Feta Freddy grymtade och fes och drog in snor genom näsan, och vi hade kommit överens om rökförbud i bussen så Kanvas måste stanna varje halvtimme. Då vällde vi ur bussen och bolmade och hostade. Maria och Jørgen Tics satt kvar inne i bussen. Jag stod och såg på Freddy medan jag rökte. Han hade mjäll på axlarna. Och jag kom ihåg att Stormcentret hade sagt att han var vacker, att han var det först men att han hade varit på Varden för länge. In i bussen igen och så rullade vi iväg, en hel liten last med galningar. Folk vi passerade kikade in genom rutorna och jag undrade hur tydligt det syntes att vi inte var som de. En blick på Stormcentret räckte ju. Hon satt och petade sig i näsan.

– Varför fick Erkki slippa? frågade jag Kanvas.
– Slippa. Vad då?
– Det här. Den här löjliga turen.
– Löjliga? Han log vemodigt. Ja, Erkki. Han är ju lite egen.
– Men vad ska vi göra i en stuga?
– Äta och ha det skönt, svarade han.
ÄTA OCH HA DET SKÖNT. Jag visste det!
– Och spela fia. Gå på tur i skogen. Samtala. Lyssna på radio. Det är så fint att sitta tillsammans runt en radio. Det är radioteater ikväll. "Skräcken i skogen." Tycker du om radio, Hajna?
– Ja, sa jag. Varför vill du jobba på Varden?
– Jag blev tvungen. Han fortsatte att le.
– Ingen blir väl tvingad till det?
– Jo. Jag vägrade göra värnplikt.
– Åhå! Du gör civil värnplikt.
– Svar ja. Utkommenderad i sexton månader.
– Du skulle säkert ha haft det bättre i lumpen.
– Nej. Jag skulle inte ha velat vara utan det här.
– Varför vill du inte leka krig med de andra grabbarna? Berätta!
– Tja, han drog på det, jag skulle inte ha klarat av baracklivet.

– Så du är inte pacifist?

– Har aldrig varit pacifist.

– Men vad sa du i intervjun när du mönstrade och de frågade om det?

– Jag sa förstås att jag var pacifist.

Kanvas var okej. Han gjorde sitt jobb.

– Ingen av de andra på Dillingøy var pacifist, förklarade han. Utom Jehovas vittnen förstås, det var fullt av Jehovas vittnen där, de vägrar allting. Nej, jag trivs på Varden.

Han såg ut att mena det. Vi åkte en stund under tystnad. Vi åkte bort från folk, ut på landet, upp över fjället, in i skogen där vi kanske hörde hemma. Stugan var mörk, kall och fientlig, jag tyckte inte om den. Jag stannade på golvet med bagen i famnen och såg folk springa omkring och tända ljus och lägga in i spisen och packa upp mat. Stora paket med korv, flaskor med ketchup och senap. Jag blev genast illamående. Gick upp på loftet där jag skulle sova och la mig på en skumgummimadrass med kläderna på. Jag frös som en hund utan päls.

Stetson ropade: – Maten är klar!

Jag låg kvar. Han klättrade uppför stegen och tittade inåt i halvmörkret.

– Jag rör inte en korv igen så länge jag lever, förkunnade jag.

Nej, det kunde han förstå. Men de hade ju annan mat. Bröd och kakor. Spaghetti kanske?

Nej tack.

Det bästa jag visste i hela världen var att säga nej tack. Folk blir så tafatta när man säger nej tack, de vill helst att man säger ja till allting. Att säga nej gav mig en känsla av makt och kontroll, en känsla av att stå ensam men oändligt stark. En känsla av att vara befriad från mig själv. Nej, men tack ändå, sa jag, nu vill jag sova. Han klättrade nerför stegen igen och hämtade en sovsäck, som jag ålade mig ner i. Jag slöt ögonen. Låg och lyssnade till rösterna där nere. Sonjas pärlande skratt. Jørgens plötsliga utbrott av obsceniteter mellan rapandet och smaskandet, de kom så lätt och snabbt, och eftersom jag hade vant mig vid dem förlorade de sin saft och kraft. De hade radion på, bänkade sig runt den, sökte en stund efter Skräcken i skogen och så blev det tyst där nere. Ibland fnissade någon hysteriskt. Jag skulle kunna ligga här för alltid. Se

121

flammorna dansa i det svarta taket, lyssna till rösterna och skratten och prasslet av godispåsar, följa de lysande trådarna i mörkret som var mina tankar.

– Ägg och bacon, Hajna!

Det var Stetson som ropade. Jag låg kvar och lyssnade med bankande hjärta för jag visste att han strax skulle ropa en gång till, och när jag inte svarade andra gången skulle han klättra upp på stegen och ruska i sovsäcken och jag skulle bli tvungen att öppna ögonen, och han skulle fråga varför jag inte kom ner till frukosten och vad fan skulle jag svara? Jag låg med spända muskler och armarna hopflätade som om de gömde en förfärlig hemlighet som just skulle till att avslöjas. Att jag hade fört dem bakom ljuset. Så hörde jag hans steg och hans andhämtning och en hand ungefär där jag hade mitt vänstra ben.

– Frukost, Hajna.

Jag svarade inte. Han kom upp helt och hållet, kröp på knäna tills han var framme vid mitt huvud. Jag knep ihop ögonen. Han klappade utanpå sovsäcken.

– Hajna, är du vaken?

Jag svarade fortfarande inte. Jag ville hem till Varden, där jag kunde försvinna i mängden.

– Hajna, säg något.

Men jag sa inget. Och det blev tyst, och jag kunde höra att han tänkte. Stetson var inte dum. Stetson hade jobbat länge på Varden och hade sett mycket. Jag låg stilla och väntade, visste att det skulle komma.

– Du har slutat äta, inte sant?

Jag svarade inte.

– Jag tar din tystnad som ett ja. Hur länge har du gått utan mat?

Jag svarade fortfarande inte.

– Hajna. Trodde du verkligen att du skulle kunna föra oss bakom ljuset för evigt?

– Ja, sa jag.

– Nu förstår jag varför du blev sjuk på tivolit. Vi ska hjälpa dig.

– Vill inte, mumlade jag.

– Men det vill vi.

Så gick han ner igen och jag hörde att han ropade på Kanvas.

Tydligen gick de ut ur stugan för att prata. Jag tänkte att nu sätter de igång ett helvete för att få mig att äta. De kommer att hota mig, locka mig, övertala mig. Kanske de kommer dragande med något motbjudande näringspiller. Jag hörde de andra glufsa där nere och smaska och rapa och glas som klirrade och skicka smöret och ta inte allt jordnötsmör då! De diskade, städade, vädrade och försvann ut, en efter en. Jag låg kvar. Låg helt stilla och dog mycket långsamt. För var minut kom jag närmare döden. Någon gick på stegen igen.

– Stig upp, Hajna. Vi ska ut.

Jag trodde inte jag hörde rätt.

– Kom ner. Ta på dig jackan. Vi ska ut och gå.

Stetson var så bestämd. Han lät nästan arg. Jag tyckte inte om det, jag ville att han skulle vara på min sida, men nu var jag inte säker. Jag gjorde som han sa, vågade inte protestera. Gick försiktigt nerför stegen, letade reda på jacka och skor, följde efter honom ut. Han var allvarlig. Jag hade dåligt samvete och jag hatade honom för det. Vi sneddade inåt en tät granskog, han bad mig gå före så att jag kunde bestämma takten. Jag frös men kände en svag värme sprida sig i kroppen allteftersom vi gick. Jag satte ner fötterna mycket noga på den smala stigen, rädd för att snubbla. Hela tiden hörde jag hans andetag, han gick under total tystnad. Jag försökte komma på vad han ville, varför han ville att jag skulle ut och gå, och funderade på hur långt han hade tänkt sig för jag hade inte mycket krafter. Jag var hela tiden på vippen att svimma och kände redan behov av att sätta mig. Vi kom äntligen från det mörkgröna ut i en glänta och befann oss ute på en fjällhylla. Jag gick bort till kanten. Det stupade brant ner kanske tjugo meter. Stetson kom efter.

– Det är långt ner, sa han lågt.

Ja. Det såg väl jag också. Ingen skulle överleva ett fall från kanten. Jag stod och kände på det. Tyckte det var en upphetsande tanke. Snabbt och slutgiltigt. Inte det här fega självplågeriet jag höll på med. Var det det han ville säga?

– Litar du på mig? sa Stetson. Han tog tag i axlarna på mig och vred mig runt så att det blev svårt att undvika hans granskande blick.

– Naturligtvis, sa jag halvhjärtat.

123

– Svara mig ordentligt!

– Ja, sa jag. Då lyfte han händerna och lossade en blå stickad halsduk som han hade runt halsen. Han gjorde det sakta. Jag förstod inte vad han ville. Stod alldeles stilla och såg på halsduken och på hans händer och tänkte att vi var helt ensamma långt inne i skogen och ingen annan visste var vi var. Han stod stilla med halsduken i händerna.

– Vänd dig om, sa han bestämt. Mina ögon blev fulla av vatten. Jag kunde inte röra mig. Jag tänkte, han ska strypa mig med den där halsduken, jag har alltid vetat att mitt liv skulle ta slut på det viset. Att någon skulle göra av med mig, tyst och snabbt, utan vittnen. Men jag vände ändå på mig, stod med uppdragna axlar och väntade. Kände att han kom närmare, alldeles intill, innan han mycket försiktigt la halsduken över mina ögon. Han knöt ändarna bakom huvudet på mig. Jag såg ingenting, bara ett blått mörker.

– Känns det för hårt? undrade han.

– Nej, sa jag.

– Vi ska ut och gå. Du ska gå först.

– Jag ser ingenting, upplyste jag.

– Jag ska styra dig. Jag ser utmärkt, jag är en klarsynt människa. Men vi har ett stup framför oss så vi måste vara mycket koncentrerade hela tiden när vi går. Litar du på mig?

Jag svarade inte. Jag var ensam med en man, nåja, man och man, jag såg ingenting, kunde inte springa ifrån honom, inte komma undan. Nej, jag litade inte på honom, jag litade inte på någon, hade aldrig gjort det.

– Gå, sa Stetson, han gav mig en lätt puff i ryggen. Och jag tog några ytterst små trevande steg.

– Fortare, sa han. Jag gick lite fortare och kände att jag mådde illa, att man aldrig känner någon, inte vet något om framtiden. Och vem var egentligen Stetson?

Han gick rakt bakom mig med händerna på mina axlar. Manövrerade mig till höger och vänster och höger och i cirkel och tillbaka igen, och jag tappade riktningen och visste inte längre var jag hade stupet. Varje steg var nästan som att dö. Och om han ville kunde han knuffa ner mig och sedan säga att jag tog mitt liv och inte en käft skulle ställa några frågor. Jag började skaka i knäna. Jag ville inte vara med längre, kunde nästan inte stå på benen, i tankarna hade mitt huvud slagit i stenskravlet djupt där nere flera gånger och på rak arm kunde jag inte komma på någon som skulle sakna mig gränslöst, jag var inte viktig eller enastående på något vis. Jag var faktiskt helt obetydlig och det hade jag tagit konsekvenserna av. Jag menar, om man inte kan bli något viktigt, kan man lika gärna dra sig tillbaka. Hela tiden gick jag. Instinktivt anade jag att vi nu var på väg mot stupet. Det var liksom ett öppet rum framför mig, en klyfta som andades kyla upp i ansiktet på mig och jag började bli mig själv och anade vart han ville komma. Han ville komma alldeles fram till kanten av stupet, kanske tio centimeter från döden, och där skulle han stanna. Där skulle han ta bort halsduken så att jag kunde se. Så att jag måste fråga mig själv vad jag egentligen ville. Och så stannade han sedan vi gått i vad som kändes som en evighet. Han tog bort halsduken. Jag såg rätt in i stammen på ett träd. Det spärrade vägen för mig.

– Sätt dig under trädet, sa Stetson. Du måste vila lite.

Han nappade till sig lite gräs och satt och studerade de små stråna.

– Varför vill du inte äta?

– För att jag vill dö.

– Då kan du väl hellre skjuta dig i huvudet. Eller hänga dig i den där grenen. Han såg upp mot en kraftig gren i trädet. Jag har ett rep bak i minibussen. Nylon. Brister garanterat inte.

– Det går för fort. Jag måste ha kontroll.

– Jag äter varje dag, sa Stetson tankfullt, flera gånger om dagen. Tycker du det går an? Förtjänar jag det?

– Naturligtvis, sa jag, du har ju rätt att leva.

– Har inte du rätt att leva? sa han.

– Nej, har aldrig haft det.

– Vem har tagit ifrån dig den?

– Ingen aning. Det spelar ingen roll.

Han strök mig snabbt över kinden. Jag svarade inte. Slöt ögonen, vilade huvudet mot den tjocka granstammen. Tänkte att det enda jag ville var att dö där, vid foten av trädet, med Stetson bredvid. En ganska beskedlig begäran, tänkte jag. Det var obegripligt att folk hade invändningar. Inte fick man leva sitt liv som man ville och inte fick man dö som man ville. Man var hela tiden livets fånge, allt levandes fånge. Själva tidens.

– Vad tänkte du på när du gick omkring utan att se något? frågade Stetson efter en stund.

– Jag tänkte på Annvor, sa jag.

*

En ung flicka på sjutton år hade en gång för länge sedan, 1944, rest till Paris för att studera. Hon hette Emilie. Jag hade läst om henne i den blå boken i dagrummet. Emilie var självsäker och viljestark och trodde att hon kunde klara allt. Ingenting kunde hålla henne tillbaka, inte bekymrade föräldrar, inte rädsla för det främmande. Att ordna med vanliga vaccinationer eller kolla om hon var TBC-negativ hade hon i sitt övermod struntat i. Det fanns ju så mycket annat att ordna, hon måste packa och planera och lägga upp en resrutt och naturligtvis hitta någonstans att bo. Ett torftigt krypin, hon behövde inte mycket, skulle bara sova, äta och läsa. Ganska omgående blev hon sjuk med feber. Den steg hastigt och värdinnan fick henne inlagd på sjukhus. Diagnosen hon fick av de franska läkarna löd på miliartuberkulos, en dödlig sjukdom som spreds genom blodet och nästan alltid slutade i hjärnhinneinflammation.

Hon kom hem till Norge med flyg. Blev undersökt av läkare. Men så var det ändå inte den här farliga miliartuberkulosen utan en kraftig lungsäcksinflammation och angripna lungkörtlar. De förde Emilie till Varden. Till detta sjukhus där jag själv befann mig. Kanske låg hon i samma rum, i samma säng. Visst, de hade väl andra sängar nittonhundrafyrtiofyra, kanske järnsängar. Medan vi hade enkla träsängar, de var faktiskt inte så illa att sova i, och så var de rymliga. Lyckligtvis, med tanke på Odin och Moffa. Emilie hade tur. Streptomycinet hade kommit till norska sjukhus och febern drog sig långsamt tillbaka. Lungsäcksinflammationen läktes, körtelbesvären lugnade sig och till slut kom hon upp efter många veckor i sängen. Lite ostadig på benen, men uppe var hon. Därmed ville Emilie hem. Hon var en sådan otålig människa, hon ville vidare, ville bli något. Och hon var mycket vacker. En verklig skönhet. Och hon fick som hon ville. Men en av läkarna, som hette Alexander, oroade sig för henne. Sa han. Så han besökte henne i hemmet med jämna mellanrum för att försäkra sig om att allt var bra. Eller kanske han var förälskad och tog detta som en kärkommen anledning att få träffa henne då och då. Tänkte jag i mitt stilla sinne, så som man ibland läser mellan raderna. Hon var ju alltid så vackert klädd, så snygg och aptitlig. Med en sjal om halsen. Alltid denna sjal om halsen. Och allt var som det skulle, hon mådde utmärkt. Och sådan tur då, att de hade uppfunnit streptomycinet. Men den unge läkaren Alexander hade en känsla. En känsla som vi ibland kan få, som smyger sig in och stör något inom oss och som vi inte kan förklara. Han tog av henne sjalen, mycket försiktigt. För min inre syn såg jag den där läkaren, ingenstans beskriven, men han var säkert lång och mörk och blek och nästan blyg när han stod med den i handen. På halsen hade Emilie en bula. En tuberkulös böld, sprickfärdig och med papperstunn yta. Innehållet var dödligt. Det var i allra sista stund de fick bort den. Hon hade haft den länge. Hade gömt den under sjalen.

Jag låg stilla i sängen och tänkte på Emilie. Hon var och förblev ett mysterium. Varför hade hon inte sagt något? Varför visade hon inte bölden när Alexander kom på besök? Tyckte hon den var ful? Visste hon att den kunde ha dödat henne? Hon var en vaken flicka. Hade rest ensam till ett främmande land för att studera, hon ville något med sitt liv, hon hade planer. Så kommer den här bölden och hon gömmer den. Jag förstod det inte.

Vi var tillbaka på Varden, det var tidig morgon. Tjuven Tjuven smög sig in och hasade över golvet på mjuka tofflor. Fast jag låg med ryggen till kunde jag se henne för mig, skrattgroparna och de runda kinderna. Genast kände jag kaffedoften. Jag hörde kannan ställas på nattduksbordet. Det prasslade av plasten när hon öppnade tobakspaketet för att rulla en cigg åt mig. Sedan var hon borta vid handfatet. Jag hörde blixtlåset i necessären när hon öppnade den. Hon skulle strax få syn på de stora örringarna i lila plast som jag hade lagt där, lätt tillgängliga. Och stoppa dem i fickan. Provade hon dem kanske framför spegeln? Jag trodde inte det. De skulle se flotta ut på henne. Det var egentligen trist att hon aldrig använde något av det hon stal, eller fick, jag vet inte vad jag ska kalla det, bara att hon förtjänade det. Men kanske la hon på hög, en hel liten skattkista, kanske hon serverade kaffe till alla, kanske alla lämnade henne en gåva. Kanske hela avdelningen var med på det här spelet. Tanken var fascinerande. Men så var det knappast. Aldrig i livet att hon fick något av Stormcentret eller Erkki, till exempel. En gång frågade jag Korian om Erkki. Var han kom från, vem han var egentligen, varför han alltid gick för sig själv.

– Jag vill gärna göra dig uppmärksam på att det finns enskilda individer på denna avdelning som du gör klokt i att hålla ett visst avstånd till, sa Korian då, det är alls inte så att du behöver känna dig förpliktigad att säga något snällt till alla. Man umgås helt enkelt inte med Erkki, man blir bara olycklig av det. Han drar ner dig som en insekt. Splatt säger det, och så ligger du där.

En gång, tänkte jag då, hade Erkki varit ordentligt elak mot Korian. Erkki var inte särskilt snäll, ingen på Varden var speciellt snäll, kanske bortsett från Korian och Tussi.

Jag måste upp. Jag skulle vägas. Det fanns inga flyktmöjligheter. Jag sörplade kaffe och drog Petterøe ner i lungorna, reste mig, drack en massa vatten, fick på mig kläder, jag tog på mig mycket kläder. Eva sov. Var bara en svag kontur under täcket. Jag blev hämtad av en äldre kvinna på närmare sextio år. Hon var liten och vacker med snövitt hår och vänliga ögon bakom runda glas. Det var henne de kallade Mor, som hade varit sjukskriven i flera veckor och äntligen var tillbaka. Alla talade så varmt om Mor. Hon var en sonett, en petit-chou med florsocker. Jag följde lydigt med. Jag gladde mig inte, för att vara ärlig hade jag ingen lust att få veta hur mycket jag vägde. Jag föredrog att leva ovetande om sådana triviala ting. Hon följde med mig in i undersökningsrummet. Satte sig på en stol. Hon påminde om en liten klok ärkeängel.

– Du får ta av dig kläderna, sa hon.

Jag stirrade på henne. Nej, detta gick över alla gränser. Hur mycket vägde väl ett par tunna tröjor, hade de blivit tokiga?

– Nej, sa jag. Det är väl inte nödvändigt. Vad tror du egentligen? Att jag har blylod i fickorna?

– Det har hänt förr, sa Mor torrt.

– Jag vill inte klä av mig.

– Du måste. Du ska vägas två gånger i veckan från och med nu, vid samma tid och alltid av mig. Du måste vara snäll och göra som jag säger.

Hon var plötsligt mycket bestämd och alls ingen ängel. Jag

tyckte inte om att klä av mig, det var något gränslöst förödmjukande över alltsammans. Jag skulle vägas och bli befunnen för lätt.

Jag hade druckit en liter vatten. Magen bullrade som en trumma. Trosorna behöll jag på. De hade förresten blivit för stora, kanske två nummer. Och så steg jag upp på vågen. Stod och såg missmodigt ner på mig själv. Hade inga bröst längre, de såg ut som två våta tepåsar som dinglade utefter revbenen. Mor skruvade och ordnade med den stora vågen, var pinsamt noga. Jag stod alldeles stilla. Kände mig avklädd och kontrollerad. Så nickade hon och jag steg ner och började ta på mig kläderna. Stod trotsigt och frös med ryggen till i det nakna rummet. Hon skrev något i en bok.

– Fyrtiofem, sa hon långsamt. Du väger fyrtiofem kilo.

Jag ryckte på axlarna. Det var ganska mycket, halvvägs till nittio, ja, i engelska pund blev det ungefär nittio.

– Du är hundrasjuttiosex centimeter lång och du väger fyrtiofem kilo. Du är kraftigt undernärd. Har du ätit något överhuvudtaget?

– Så klart, ljög jag.

Hon reste sig, inte särskilt imponerande men värdig och säker och bestämd och riktigt vacker där hon stod. Solen sken in genom fönstret till undersökningsrummet och träffade hennes snövita hår och jag tänkte: Hon har varit sjuk länge. Kanske hon är trött. Men nu måste hon glömma sig själv och ställa upp för mig. Det måste kännas tungt. Att ställa upp för andra hela tiden.

– Varför är du här? sa hon plötsligt.

Jag slog ner ögonen, mina tår var tunnare än jag mindes dem.

– För att det var för svårt att vara utanför.

– Jaså. Är det så det är fatt. Jag trodde du var här för att få hjälp. Det blev tyst som i graven.

– Nej, sa jag lågt.

Hon gjorde som jag brukade göra hos Hedda. Gick till fönstret och vände ryggen till.

– Du vill inte ha hjälp. Du vill vara i fred med att förstöra dig själv och ingen ska bry sig?

– Något ditåt, sa jag buttert.

– Du använder Varden som en tillflyktsort medan du sakta går i döden?

129

– Tja, tillflyktsort, mumlade jag.

– Varför kunde du inte lika gärna ha stannat utanför? Du kunde ha legat och dött på ditt rum. Det kanske till och med hade gått fortare. Ska man förstå det så att du gärna ville ha lite sällskap på vägen? Lite omsorg kanske?

Jag var stum nu. Tyckte inte om den riktning samtalet tog. Jag tyckte hon var fräck.

– Har du klart för dig hur många som väntar på en plats på Varden?

– Ja! fräste jag.

– Som dör medan de står i kön?

– Det är säkert en hel hög. Har jag mindre rätt till en plats än de?

– Ja, om du inte samarbetar. Om du inte följer programmet.

– Jag ger fan i det satans programmet! Men jag kan upplysa om att jag är med på vartenda stormöte, på varenda jävla gruppterapi, och jag skurar korridoren och går till Hedda varje vecka, och sitter och skakar och slänger omkring på en häst varje torsdag och tömmer askkoppar och har kökstjänst och vad fan menar du med att jag inte följer programmet?

Jag var skakad över mitt utbrott, det var långt under min värdighet. Inte hade hon förtjänat det heller. Hon blinkade inte bakom glasögonen.

– Du äter inte.

– Nej. Och än sen då?

– Du bryter ner din kropp medan vi försöker bygga upp din självkänsla. Det kallar jag inte samarbete.

– Jag har alltid varit mager, ljög jag. Och det är tankarna jag har problem med, kroppen är det inget fel på.

– När du blev inlagd på Varden vägde du sextiosju kilo, sa hon snabbt.

– Och hur vet du det? bet jag av.

– Kära nån. Du blev undersökt och vägd, minns du inte det?

Jag såg förvirrat på henne. Det kom jag inte ihåg. Jag hade aldrig varit i det här rummet förut, inte en enda gång. Sextiosju kilo, jag måtte ha varit smällfet, jag måtte ha varit ett vandrande bevis på frosseri.

– I samarbete med läkaren här, och resten av personalen, kom-

130

mer vi att ge dig en vikt, sa hon bestämt.

– Ge mig en vikt? Ett sådant där? Jag pekade på monstret.

– En vikt du ska hålla. Som du måste finna dig i att leva med så att du fungerar. Du rör dig hela tiden på randen till att svimma. Jag förmodar att du lider av öronsus och frossbrytningar och en rad andra saker. Du kommer att bli vägd med jämna mellanrum. Om du ska behålla din plats på Varden, måste du hålla den vikten. Vidare, la hon till, ska vi ta dig till en näringsexpert som kommer att ge dig ett dietprogram. Det ska du också följa. Kom hit. Jag ska ta blodtrycket på dig.

– Nej, sa jag. Inte den strama manschetten på stygnen. De gör fortfarande ont.

– Då gör de väl det. Jag ska ta det försiktigt. Sätt dig här. Dra upp tröjan.

Jag gjorde som hon sa. Hon pumpade och pumpade och lyssnade i stetoskopet, såg visaren sjunka, pumpade igen, lyssnade igen, såg visaren sjunka. Såg allvarligt på mig.

– Jag fattar inte hur du kan hålla dig på benen. Med så lågt blodtryck. Jag fattar det inte.

– Man kan inte förstå allt, tröstade jag.

*

*Naturligtvis minns jag Hajna. Hon brukade glida omkring ljudlöst som en spinkig skugga, allt magrare, allt blekare. Jag tror inte Hajna hade mycket till övers för Varden eller oss som arbetade där. Det hon hade av sympati, om hon hade någon överhuvudtaget (nu tycker du kanske att jag är cynisk, men hon var faktiskt ganska arrogant mot allt och alla), riktades mot de andra patienterna. Ju sjukare de var, desto mer sympati fick de. Själv menar jag att Varden var ett bra erbjudande till unga psykotiska, neurotiska, manodepressiva eller anorektiska ungdomar, ungdomar dvs: sexton till fyrtio. Dessutom hade vi knarkare. Det är angeläget för mig att säga något om det senare fenomenet. För som med varje annat fenomen måste tillblivelsen av det moderna Varden ses i förbindelse med de strömningar som präglade tiden. När det gäller norsk psykiatri på 1950- och 60-talen, var det upptäckten av ataraktika som på ett dramatiskt sätt ändrade förutsättningarna för behandling av till och med mycket dåliga patienter. När det gäller behandlingen, hade den tidigare begränsats till famlande försök med metoder som idag kan verka groteska, till exempel lobotomi och elchocker, till och med utan narkos. När ataraktika hade infördts blev det möjligt att komma i kontakt med enskilda patienter och miljön på avdelningarna förändrades till det bättre. Det som Hajna och andra, till exempel Odin, hånfullt kallade neddrogning för att vi skulle få lugn och ro, var inte bara det bästa vi hade att erbjuda, det var det enda. Sinnessjukdom kan inte jämföras med feber, som kroppen producerar i självförsvar och som ska få verka ohämmat tills den ebbar ut av sig själv efter att ha dödat intränglingarna. Det trodde Hajna. Sanningen är att ataraktika kortade ner processen, och då måste vi dessutom komma ihåg att sinnessjukdomar redan i utgångsläget tar mycket lång tid att bota.*

*Hajna talade ofta om Varden som ett urtrist ställe. Jag vet inte riktigt vad hon väntade sig. Avdelningen var faktiskt så gott som nyrenoverad när hon kom till oss. Vi hade vackra möbler och gröna växter, dämpade färger överallt, och på varje dubbelrum fanns ett eget handfat med spegel. Badrummen var också renoverade och patienterna disponerade till och med en liten kokvrå, där de kunde koka kaffe och göra smårätter, detta trots att maten på Varden, ja, generellt i hela sjukhuskomplexet, var vida känd för både riklighet och variation.*

Ha! Hör på Kandahar! Ett tvättställ på varje rum! Och kokvrån. Den var så liten att om två personer ville in samtidigt blev det fullt. Och all den här renoveringen du pratar om, jag kan inte minnas att någonting på Varden var ljust och trevligt och vackert. Växterna rann från fönsterbrädorna som slemmig grönska. Jag minns Jørgens far, han kom på besök en gång. Och då han tittade in i dagrummet såg han nästan bedrövad ut. Takhöjden. Lysrören. De överfyllda askkopparna som svämmade över av fimpar och äppelskrottar. Den dåliga luften, dagstidningar och veckotidningar och kläder som låg kringkastade, stearin som rann nerför ljusstakarna, tomflaskor, smutsiga glas. Jørgen skämdes nästan över att behöva att ta emot sin far i en sådan oreda. Det var en svinstia!

*Tyst, Hajna! Nu är det jag som talar. Det enda rimliga här är att jämföra Varden med andra motsvarande institutioner. Och då hävdar sig vår avdelning mycket väl. Andra ställen av samma sort hade möbler som var fastskruvade i golvet, fyra- och sexpersonersrum och långt färre aktiviteter att erbjuda. Problemet med Hajna var att hon kom till oss i stor nöd, men hon ville inte ha den hjälp vi erbjöd. Hajna menade att detta väl i och för sig var en del av problemet, med andra ord vårt problem, och jag förstår det argumentet. Men hon kom som sagt frivilligt, och det innebär inte ringa kostnader att hålla en ung människa på institution ett helt år, som fallet var med henne. Om hon borde ha varit där så länge är en annan sak.*

*Varden var alltså att betrakta som en avdelning för narkomaner, även om avtalet med kommunen faktiskt inte innehöll mer än en klausul, att av de fyrtio sängarna skulle tio stycken alltid upptas av patienter med alkoholproblem. Bemanningen var inte heller dålig. Varden hade sex läkare, av vilka fyra arbetade aktivt på avdelningen. Men jag måste ju erkänna att, de sex läkarna till trots, var merparten av de anställda unga icke utbildade människor. Värme och vänlighet var inte nog. Narkomanerna hade annars ett beteendemönster som var okänt för oss. De var mycket rakt på sak, duktigare att diskutera regler. Personalen kände sig hjälplös, de ställdes inför problem de inte hade någon erfarenhet av. De hamnade i försvarsposition och blev vaktare i stället för hjälpare. Knark smugglades in på avdelningen, vi fick lov att dra igång med urinprov, visitera besökare och kontrollera post. Patienterna genomskådade personalens osäkerhet, bröt mot reglerna, skrevs ut och ville inte in igen. I stället blev de en del av överdosstatistiken. Och alltså mitt uppe i allt detta de verkligt sjuka. Vi motsvarade väl inte helt de förväntningar Hajna hade på Varden som "ett av Europas bästa" och så vidare. Men det får hon stå för. Hon var bara så sluten, så fullständigt otillgänglig, så extremt skeptisk till oss som jobbade där. Jag vet inte hur det har gått för Hajna. Det är ju omöjligt att följa alla, och även om vi hade en bra eftervård ville hon inte ha den. Det var inte mycket Hajna ville ha. Gud vet vad det har blivit av henne.*

\*

– Femtio kilo, sa Mor. Du ska väga femtio kilo, inte ett hekto mindre.

Jag var ganska nöjd, hon kunde ha sagt femtiofem, eller sextio, med andra ord etthundratjugo pund. Sedan tänkte jag på vad det innebar. Jag måste upp i vikt, fem kilo. Men det fanns hjälp att få, de hade experter på allt, också på mat. Eller rättare: näring. Mor skulle följa mig. Jag hade börjat tycka om Mor, hon var så tyst och varm och bestämd. Hon klagade aldrig. Hon sa ja eller nej eller detta ska jag diskutera med Freiner, du får svar efter middagen. Och så fick jag det. Hon glömde aldrig något och höll alltid löften. Hon log, men inte som Hedda jämt och ständigt. Hon var inte rädd för att vara allvarlig. Och jag hörde aldrig att hon pressade in den lågmälda, behagliga rösten i ett tillgjort förstående läge. Hon var sig själv. I telefon, med mig, på stormötet, med Kontrollkommissionen, det var samma röst. Du måste förstå att detta inte gällde för alla. Det gällde för Stetson och för Timber. Men inte för Mulatten eller Vänligheten. Vänligheten var vänlig mot oss men hade en annan professionell röst som hon använde på möten, och en sorts servicetouche i telefon eller till anhöriga. De anhöriga. Var var de? Personalen hade tystnadsplikt, ingen fick några upplysningar. De blev utestängda, de rev sig i håret, de klagade och bar sig åt. Men de fick inte veta något. Vad säger doktorn? Hur är framtidsutsikterna? Jag beklagar, fru Ditt eller Datt eller Dutten, men vi har tystnadsplikt.

Det är mitt barn! Hur vågar ni!

Ibland tyckte jag synd om dem. Men samtidigt, jag menar, se det i ögonen, de var emellanåt, i en del fall, som i Tussis, en direkt orsak till eländet. Man ska inte skylla allt på föräldrarna. Men man ska för katten skylla på dem som har skuld. Som Korians far och mor. Fadern, Kanapémonstret, som aldrig hade lärt sonen något annat än att äta brödet i pyttesmå tärningar och buga och fjäska och som nästan aldrig ringde eller skrev eller kom. Inte modern heller. Så var det.

Men nu var det näringsexperten. Vi måste ut och gå. Över de gröna gräsmattorna, förbi trädgårdsmästaren som låg på knä och pysslade om några förvillade krokusar på väg upp i det skarpa, iskalla ljuset, stackarna. Vi måste över parkeringsplatsen, nerför den långa backen, förbi speceriaffären och kafeterian och apoteket och in i en av administrationsbyggnaderna, där experten hade sitt kontor. Flera trappor upp. Det var med nöd och näppe jag orkade släpa mig upp efter ledstången, men jag ansträngde mig till det yttersta för att Mor inte skulle höra hur jag flåsade. Förresten flåsade hon själv. Hon hade ju varit sjukskriven flera veckor. Så var vi uppe, det var i vindsvåningen med brutet tak och träpanel på väggarna målad i en gammaldags grön färg. Och trasmattor. De flesta problem kan lösas med trasmattor, måtte de ha tänkt som inredde kontoren. Vi hade anmält vår ankomst. Dörren öppnades och en enorm kvinna kom ut, i blus och kjol och foträta skor. Hon var det tjockaste jag någonsin hade sett. Det började i kinderna, sedan böljade det neråt i flera hakor, runda axlar, en gungande barm och ett mittparti som nästan inte gick att tro på. Hon tog min hand och den bara försvann i allt detta mjuka och varma. Något var uppenbarligen inte som det skulle. Denna kvinna skulle lära mig att äta rätt? Jag såg förvirrad på Mor. Men hon var sträng och allvarlig, här skulle det inte muckas. Den tjocka visade in oss på kontoret, där var kostcirklar och planscher med ägg och mjölk och ost och kött och frukt och grönt och allt som var nyttigt, men själv var hon alltså ett enda stort misstag vad riktig näring beträffade. Var den riktiga näringsexperten kanske sjukskriven, och så hade de satt in en annan, kanske en kocka eller så (folk var ju ständigt sjukskrivna på det här stället, vi var självklart en påfrestning för dem, så enkelt var det med det, vi förlorade dem, vi brände ut dem, periodvis var vi för mycket för dem så de måste bort och ladda om batterierna, som det hette). Men det var hon. Och vi satte oss, hon hade själv en sorts bänk utan armstöd som hon gungade ner i. Jag såg i golvet. Var rädd att det skulle ge efter. Och det var tydligt att hon skämdes en smula för sin övervikt och att hon satt här i denna position, och jag kunde inte avhålla mig från att fundera över om hon kanske hade varit slank och söt den gången hon sökte jobbet. Vem ville anställa en näringsexpert med sådana dimensioner? Jo, det ville Varden.

– Vi ska först utröna vad du tycker om, sa hon och flämtade lite och två av hakorna gungade. Fingrarna var så tjocka att de spretade, hon kunde inte på villkors vis få ihop dem. På ett finger hade hon en tunn ring med en vacker sten. Ringen hade blivit för trång och borde klippas upp. Jag knöt mig vid åsynen av den trånga ringen, jag kunde inte samla tankarna på något annat än den. Sannolikt måste hon amputera fingret, det var bara en fråga om tid. När hon var död fick man ta bort den med tång. Förstöra den vackra ringen.

– Du ska slippa äta sådant som du inte tycker om, fortsatte hon.

Det har jag alltid sluppit, tänkte jag men lyssnade artigt, mest av hänsyn till Mor, som jag hade respekt för.

– Vi gör upp en lista och komponerar dieten utifrån den.

Pratar hon om ett musikstycke? tänkte jag.

Somliga människor, som kockar och gourméer, talade om mat som om det var musik, men jag hade aldrig trott att mat kunde konkurrera med Dvořák eller Franz Liszt, för att inte tala om Sibelius.

– Jag tycker om slanggurka, sa jag gravallvarligt. Grapefrukt. Melon. Grönsallad och ananas. Med Farris till. Eller Pommac.

Experten snörpte på munnen i ett snabbt leende och Mor satt orörlig i stolen bredvid. Försök inte, sa hennes skugga, jag hörde den i ögonvrån.

– Nåja, det är ju utmärkt. Det är matvaror du kan äta så mycket du vill av. Mellan måltiderna och när som helst. Vi ska se till att du alltid kan finna dessa saker i köket. Du kan bara gå dit och förse dig. Flämt, flämt.

Specialförplägnad, tänkte jag. De andra skulle börja knorra om jag tassade ut i köket jämt och ständigt och börja öppna dörrar där ute, slamra med assietter, fumla i besticklådan. Moffa skulle komma sättandes, och Stormcentret likaså. Och Kockan skulle inte finna sig i det. Nej, jag fick glömma att äta mellan målen.

– Vad tycker du om müsli? frågade hon och vickade lite på stolen, det sa gung gungeligung och det knarrade i kjolen.

– Och kanske lite yoghurt? Kefir är bra. Och grovt bröd. Gung gung. Du måste få i dig lite bröd. Och ett ägg då och då. Pust, flämt. Helst varje dag. Du borde också dricka mjölk. Ta lite socker i, du behöver energi. Och naturligtvis frukt, och lite middag varje dag. Du får gärna plocka bort såser och stuvningar, det behöver vi i alla fall inte, men kött och fisk och potatis, det är helt enkelt livsnödvändigt. Smask smask.

Jag såg redan ett berg av mat framför mig, och jag fick öronsusningar och ett lätt kväljningsanfall.

– Men du får ta det lugnt i början, annars blir du dålig. Om du orkar promenera lite varje dag så att du får frisk luft vore det jättebra. Motion är viktigt. Men gå inte så mycket att kilona rinner av igen. Du är en vuxen kvinna. Du behöver en kropp att bo i.

Ja, tänkte jag, en kropp att bo i. Inte ett sexmanstält.

Hon satte igång att skriva i en bok, rättade, suddade ut, strök över, började om på nytt, räknade kalorier i huvudet, det såg ut som om hon kunde det utantill, ett ägg åttio kalorier, en banan

136

hundra kalorier. Det sa gung gung och hon skrev och skrev, och så förde hon äntligen in dieten på ett rent papper. Hon räckte fram det över bordet. Receptet för mitt nya liv. Jag vek ihop det och stoppade det i fickan. Så tackade Mor och vi gick ut igen. Över den asfalterade planen, som myllrade av trafik, bilar och folk. Uppför backen. Båda flåsade. Mor måste stanna. Jag blev plötsligt bekymrad.

– Du kanske skulle haft en vecka till? sa jag försiktigt. En sjuk-skrivningsvecka till?

– Tjänar ingenting till, menade hon och skakade på det snövita håret. Omöjligt att få vikarier. Omöjligt att få folk överhuvudta-get. Och får vi dem så stannar de inte.

Plötsligt såg hon alldeles utsliten ut. Hon log matt och slog hjälplöst ut med händerna. Jag blev så rörd att jag önskade att jag var Gud och kunde skicka hem henne och säga: Du har slitit nog, Mor. Gå nu hem och vila dig. Sätt dig i en skön stol.

– Kan vi gå en sväng till badbryggan? frågade jag.

Hon stannade och såg vänligt på mig. – Det är lunch snart. Jag måste hjälpa till. Portionera ut mediciner. Skriva rapport.

– Bara en liten sväng, tiggde jag. Du kan skylla på mig om nå-gon säger att du är sen.

Hon ryckte på axlarna, log ner i asfalten och så gick vi utför backen igen, promenerade längs stranden och kom fram till bryg-gan. Den var torr och fin att sitta på. Mor satte sig också, lutade ryggen mot en påle, slöt ögonen. Allt var stilla. Vila dig, Mor, tänkte jag. En halvtimme. Tänk inte på någonting, bara vila dig. Så slog hon upp ögonen och såg på mig. De var blå och klara. Kanske väntade hon att jag skulle tala om något, om mina pro-blem, eller lägga ut texten om hur svår världen var, och jag såg att hon gjorde sig redo att lyssna, hon var helt närvarande. För mig. Jag slöt ögonen.

– Nu vilar vi, sa jag bestämt.

Det var en fin halvtimme. Alldeles stilla vid vattnet. Inte en människa så långt ögat nådde. Några fåglar kvittrade på prov, lik-som bara för oss. Det luktade tallbarr och friskt gräs och sjövatten och syrlig vårluft, jag drack och drack luft ner i lungorna och kän-de bryggplankorna bli varma under mig. La mig på mage, såg ner i det grumliga vattnet, la mig på rygg och såg upp i himlen. Den sa mig ingenting men det gjorde inget. Så gick vi tillbaka till Varden. Jag passerade personalrummet, tittade in genom glaset, såg dem sitta där och mumla och prata och röka. Vad talar de om när vi inte hör på? tänkte jag och rundade hörnet, där veckans matsedel satt på plats i all sin prakt. Det var så att jag nästan knäade under dess vikt. Jag var hungrig och jag frös.

## MENY VECKA 18

Måndag: Fläskkotletter, magra, fina, med en rand av saftigt fett, med surkål, den söta sorten med mycket kummin och ett halvt rivet äpple för den syrliga smakens skull, och kokt potatis, varm och vit, och steksky, massor av steksky och kanske ett kokt sviskon på kanten och mannagrynspudding, vetekärnor malda till pyttesmå gryn med ägg och socker och en tjock röd sås av mörkröda körsbär.

Tisdag: Sprödstekt flundrafilé, antagligen rödspätta, med sås av gräddfil och hackad persilja och potatis med massor av dill och kokta morötter skurna med räfflad kniv och apelsinris, klassikern från skolköket, stora söta apelsiner och mjukt kokt ris.

Jag åt kli och frukt och råkost. Kroppen fick tillbaka en del värme, jag var inte längre så yr, men hungern anmälde sig med full styrka. Det är mycket lättare att inte äta något alls än att äta lite. Vikten ökade. Mor gjorde ingen affär av det, hon vägde mig och nickade. Hon var inte så dum, Mor, men hon var trött. Hon borde inte ha arbetat på Varden utan för andra, tacksamma och artiga människor som satte värde på henne. Men jag var uppe i marschfart och kom upp i femtio kilo. Vad du än gör, sa Tjuven Tjuven, håll den vikten. Annars kommer de inklampande på ditt rum, fyra fem stycken, och tar dig med våld.

– Tar mig? Med våld?

– Tvångsmatning, sa Tjuven Tjuven och såg på mig med svarta ögon, det såg ut som om ytterst obehagliga minnen for förbi i hennes medvetande. Tre stycken håller ner dig. En kör in en

gummislang i munnen på dig, ända ner i magsäcken, och trär på en tratt och häller i varm soppa tills du nästan spyr. Det är motbjudande. Det är värre än gruppvåldtäkt, och jag vet vad jag talar om för jag har varit med om bådadera.

Jag la denna mardröm på minnet och gick för att svabba korridoren. Städskrubben låg på första våningen, bakom personalrummet. Det var ett litet rum med hinkar och moppar och olika tvättmedel, det luktade klor och grönsåpa, och där fanns packar av stålull och bonvax och polish, som vi aldrig använde, det var bara den riktiga städhjälpen som använde den, hon hette Margit. Hon kom varje fredagsmorgon. Korridorsvabbandet var bara en del av programmet, och mycket knapphändigt, särskilt när Stormcentret gjorde det. Men Sonja var ganska duktig, och Moffa. Jag letade efter en ren mopp. Dörren stod öppen ut mot korridoren, folk gick förbi. Jag kom emot något på väggen. Det föll ner på golvet med ett slammer. Ett slags lock av plast, stort som ett tefat. Skruvarna hade lossnat, det hade suttit fast i väggen. Jag böjde mig ner och kände med fingrarna. Ett stort hål i väggen. Det var så mörkt där inne, jag kunde nästan inte se. Tog upp engångständaren ur fickan, tände, ställde mig på knä och kikade in. En sorts kanal i väggen. Den fortsatte inåt och uppåt. Jag till hälften satt, till hälften låg med locket i händerna, då jag plötsligt hörde ett ord. Ett enda ord, kristallklart, inifrån hålet. Inifrån själva väggen. "Odin" lät det. Det var mycket märkligt, men det sa "Odin" inne i väggen. Jag hörde många röster. Satte mig upp och skakade på huvudet. La mig ner igen. Hörde fler ord. "På tiden nu. Leker med oss. Håller med Freiner." En dörr som slog igen. Jag reste mig upp. Såg mig omkring i städskrubben. Vad var på gång? Så fattade jag. Städskrubben hade en vägg gemensam med personalrummet. Det var personalen som talade! Jag kunde tydligt höra dem. Jag såg fascinerat på locket, satte igång att leta efter skruvarna. Mina händer darrade. Odin. På tiden nu. Han leker med oss. Vad menade de? Blixtsnabbt stängde jag dörren ut mot korridoren och klämde ner mig på golvet. Jag var en fluga på väggen, ett hemligt öra, en spion, och hade tillgång till hemlig information som åter kunde ge mig övertaget, ge mig makt. Något att köpslå med. Jag darrade och skälvde, kroppen värkte men jag tålde allt, jag kunde ha legat där till kvällen. "Dela rum med Moffa", hörde jag. "Mummel

mummel. Säkert inga problem. Ger besked i morgon." Så blev det
plötsligt tyst där inne och dörrar slog igen. I brist på skruvmejsel
skruvade jag i två av skruvarna så gott det gick med tummen och
pekfingret. Då behövde jag inte anstränga mig mer än nödvändigt
nästa gång. Jag tog en hink och mopp och smög ut ur städskrub-
ben. Jag mötte Freiner i korridoren. Medan jag svabbade tänkte
jag på orden i skrubben. Det är på tiden nu. Dela rum med Moffa.
Vad var på tiden? Att flytta ut Odin på öppen avdelning? Det ville
han inte. Han trivdes på isoleringen, det lilla rummet med en fast
liten åhörarskara. Ute hos oss skulle Odin drunkna i mängden.
Han var som ett stort barn och behövde mycket uppmärksamhet.
Leker med oss. Vad menade de? Lekte tokig? Odin var inte alls
tokig, hade aldrig varit det. Kunde jag varna honom? Hade inte
Odin rätt till medbestämmande, att yttra sig om sin egen situation
och vad som faktiskt var bäst för honom? Kunde jag smuggla in
ett meddelande? Eller helt enkelt besöka honom och berätta det
för honom? Men om jag inte fick honom på tu man hand? Det
var nästan omöjligt inne på isoleringen. Jag måste skriva en lapp,
besöka honom och sedan smyga ner meddelandet i hans skjort-
ficka. Jag bad om ett papper inne på personalrummet, gick upp på
mitt rum och skrev följande meddelande, hängande över natt-
duksbordet. "De planerar att flytta ut dig på öppen avdelning. Du
måste dela rum med Moffa. (Han är toppen.) Bara som upplys-
ning. Hajna."

Jag vek ihop lappen till en stenhård klump och gick nerför kor-
ridoren till isoleringen. Mulatten kom ut från tvättstugan. Det var
i stort sett där hon alltid uppehöll sig, antagligen kände hon sig
trygg där inne. I tvättstugan fanns det inga patienter, och därmed
heller inga konflikter, och de våta kläderna kom ut ur maskinen
rena och väldoftande, till skillnad från oss.

– Får jag besöka Odin? frågade jag.

– Odin? Han är på isoleringen. Men det får du väl. Du kan
komma med mig.

Så bar det av neråt korridoren mot den slutna avdelningen. Det
var konstigt att stå utanför dörren, det var så länge sedan jag hade
varit där inne, det kändes som en evighet. Och så låste hon upp
och jag blev stående i dörren och såg in i det minimala rummet.
Det var så litet och trångt att jag inte kunde fatta att jag själv hade

140

varit där och trivts så bra. Odin kom just ut från badet med den halva dörren. Det lyste blått under det oregerliga håret och han vevade ivrigt med armarna.

– Hajna! Lever du än?

– Det är bara som det ser ut, log jag. Tar du ett bloss och en kopp kaffe med mig?

– Timber! skrek han. Kan man få lite servering här? Jag har gäster!

Så kom han bredbent över golvet och kramade mig till kaffeved i de starka armarna. Skjortan, en gång i tiden ljusblå, nu fläckad av kaffe och sås, var som vanligt öppen ner till naveln. Det stod Mom I love you med rött och blått på den breda bröstkorgen. Han rufsade till håret och skägget. Han var nu en gång rätt mycket till karl, Odin, ingen skulle behöva tvivla, och jag kände att det var gott att se honom igen, kände hur mycket jag hade saknat honom. Vi satte oss vid bordet. Allt blev tryggt och stilla.

– Får du inte mat där ute? frågade han misstänksamt och granskade mig ingående.

– Jösses, jo. De äter hela tiden, sa jag. De har fler sorters pålägg än här inne och det är alltid en massa mat kvar efter middagen.

– Jaså du, sa han och dök ner i fruktfatet. Har du sett räkor där inne?

– Nej, inte räkor.

Timber hällde upp kaffe ur termoskannan och blinkade till mig.

– Du ser fin ut, menade han. Du är mager men du ser fin ut.

Jag vred mig som en mask. Det var liksom ett svek mot mig själv att jag både duschade och snyggade till mig och åt. Dessutom gick jag inte längre med skjortan utanpå jeansen, jag stoppade ner den innanför och det såg förskräckligt ordentligt ut. Klart att sådant betraktades som ett framsteg. Det räckte att kasta en blick på Odin så måste jag hålla med. Jag såg mot dörren som dolde sängen där jag själv hade legat. Jag undrade vem som låg där inne nu.

– Några nya som har kommit? viskade jag. Timber slog sig ner med oss, bredde ut Dagbladet över bordet och låtsades som om han inte lyssnade.

– Nej, sa Odin, det är samma gamla hela tiden.

– Och Tussi?

– Han håller på och ber om förlåtelse. Han börjar dagen med

141

det, sedan kommer nya böner, för det mesta gäller de hans mor. Och så fortsätter det. Han ska bli renare och frommare och snällare på alla vis. Om Gud bara kunde se i sin nåd till hans syndiga själ och undanröja smittan, inte för att han begär någonting, det får Herren alls inte tro, han ska bära sin börda med böjt huvud, och vissheten om evig lindring i Paradiset är naturligtvis mer än nog för att få honom att uthärda. Ja, inte för att han tar det som en självklarhet att få komma till Paradiset, Herren får inte missförstå, det är bara en bön från en enkel själ. Härmade Odin.

– Enkel och enkel, sa jag och skrockade.

– Stackars Tussi som ska till himlen, sa Odin. Det är så förskräckligt långt dit.

Jag rullade en cigarett, stack ner fingrarna efter tändaren i skjortfickan och fick samtidigt upp lappen. Jag tände, med lappen fastklämd intill tändaren och ett falköga på Timber, la tändaren på bordet, puffade fram lappen, sköt den över bordet till Odin med en stenhård blick in i hans blå ögon. Han smög den nyfiket till sig och stoppade den i fickan. Timber läste tidningen. Jag såg förstasidan: "Så blir du en bättre älskare." Timber var uppenbarligen nöjd med sina bravader i sängen, han bläddrade förbi och började läsa om raset i Rissa.

– Obegripligt, mumlade han. Kvicklerskred. Fem miljoner kubikmeter lera. Tio kilometer långt och tvåhundra meter brett. Trettiotvå hektar odlad jord. Tvåhundra grisar dog. Och en kvinna, avslutade han.

Jag la hakan i händerna. – En kvinna? Dog hon?

– Ja. Hon var handikappad.

– Varför nämner du grisarna först och henne efteråt? undrade jag.

– Vet inte, sa Timber torrt.

– Är kvinnan självklart viktigare än grisarna? frågade Odin och såg forskande på mig. Grisar är utvecklade djur. Intelligentare än hundar faktiskt.

– Jag orienterar mig utifrån min egen verklighet, någon annan har jag inte, sa jag. Och jag är inte en gris.

Odin hade fått upp lappen ur fickan och höll på att veckla upp den i skydd av tobakspaketet. Till sist läste han. Ögonen nästan spratt ut ur huvudet på honom när han kramade ihop papperet så att knogarna vitnade. Samtidigt sände han mig ett vantroget ögonkast, han undrade väl hur jag hade fått reda på detta. Han sörplade kaffe och började krama tobakspaketet mellan sina håriga nävar. Det var som fan, viskade han.

– Hur mår du, Odin? sa jag högt.

Han tog god tid på sig. Timber bläddrade och bläddrade i tidningen.

– Ja, du vet. Det går bara åt ett håll. Knappt har jag haft en bra period förrän jag känner hur det börjar strama åt igen. Jag tror det börjar närma sig nu igen. Det är en lättnad också, måste jag säga. Jag har ju vetat det länge. Jag känner mig inte hemma på jorden, och det ser jag till att ta konsekvensen av.

– Jag också, sa jag snabbt. Timber fladdrade med öronen. Jag sög på cigaretten.

– Men jag räknas ju som en gammal man, sa Odin tungt. Trettioåtta. Inte så mycket mer att uppleva för mig nu.

– Carmen då? frågade jag.

– Carmen är söt. Men hon fattar inte så mycket. Jag har förresten instruerat henne vad hon ska göra med mina ägodelar. Är det inte konstigt, Hajna, att sådana ting blir så viktiga? Människan förnekar sig inte. Men jag står inte ut med tanken att mina saker ska flyta omkring. De ska ha sin plats. En del ska kastas. Och en del får Carmen naturligtvis behålla. Och pengarna förstås.

– Har du mycket pengar? flinade jag.

– Tja. Det belöper sig väl till ett par tre miljoner. Inte precis något att gapa om, men en del är det ju.

Jag satte röken i halsen. – Var har du fått så mycket pengar från? flämtade jag.

– Har ju jobbat hela livet. Och nästan aldrig gjort av med något. Bara till röka. Och mat förstås. Vi äger huset. Inga skulder. Och så har jag fått ärva.

– Då har Carmen tur, menade jag. Men jag tycker du ser lite blek ut. Du har väl inte mist aptiten, Odin?

– Tror nog jag har gått ner ett halvkilo, sa han. Annars har jag en hel del huvudvärk. Det är som en borr. Ganska tunt, det sitter här uppe – han pekade med ett finger på en punkt på skallen – och borrar sig inåt.

Timber hade kommit till serierna.

– Det tycker jag du ska tala med Kandahar om, föreslog jag.

– Absolut! Den dag som i morgon är.

Plötsligt kom Tussi ut från sitt rum, ljudlöst över golvet. Jag var hos honom på tre steg. Han hoppade bakåt med händerna uppe som två stoppskyltar. De vattniga blå ögonen lyste av fruktan.

– Försiktigt, försiktigt! mässade han.

– Lägg av! stönade jag. Jag hade varit smittad för länge sedan om grejerna du har är smittsamma.

– Du förstår inte, stammade han, det här är lömska grejer. De verkar över tid. Kan ta lång tid innan de slår ut. Och då vet man aldrig vad som kan hända.

Jag bet ihop tänderna och såg på honom. Det var något som irriterade mig gränslöst. Att han fortfarande var här inne, att han inte kom någon vart. Detta nakna rum. Timber med den rutiga skjortan med näsan i tidningen. Odin som hade slagit rot i linoleummattan. Varför hände det ingenting? Varför blev det inte bättre?

Jag tog ett steg framåt.

– Jag tror du driver med oss, Tussi, sa jag lågt och förvånades lite över att jag plötsligt uppfylldes av en djävulsk lust att ta i honom. Det är vi som är orena, vi som har bakterier. Och du är vansinnigt rädd för att bli smittad av oss. Inte sant? Har jag inte rätt?

Det blev så tyst inne på isoleringen att vi kunde höra Odins cigarettaska falla.

– Gud, nu talar du nästan med Djävulens röst, Hajna, sa Tussi nervöst. Men jag förlåter dig för att du inte förstår, det är inte människan givet att förstå allt. Men för din egen skull bör du hålla dig på avstånd. Det här vet jag allt om.

– Jag tror inte du orkar med oss, sa jag misstänksamt. Du ser till att hålla oss på avstånd för att du inte orkar med oss.

Tussi började darra. Jag sjönk ner vid bordet. Timber hade ett konstigt uttryck i ansiktet och Odin började plötsligt skratta, det lät som en såg som går genom vresved.

– Häftigt, Tussi, sa han. Att få sanningen kastad rakt i nyllet sådär. Nåja. Vi kör alla våra lopp här. Vad säger du nu?

– Jag vänder den andra kinden till, sa Tussi med blanka ögon.

– Om du åtminstone hade gjort det, sa jag, men du släpper nog inte till varken ena eller andra kinden.

Jag reste mig igen och tog några steg över golvet.

– Jag vill bara ha en kram, sa jag. Sedan ska jag inte plåga dig mer.

Tussi stod som en herrbetjänt i den ljusblå städrocken. Fingrarna sprattlade inne i gummihandskarna. Hans mun var en liten rosa trut, den darrade skrämt. Jag gick fram och la min kind mot hans, mycket försiktigt. Den var så mjuk, så mjuk, som en barnkind, och mycket varm. Han rörde sig inte, blundade bara förskräckt. Vände ryggen till och försvann in på sitt rum. Jag visste att han knäböjde vid sängen och bad om det ena eller andra. Jag kunde inte glömma den mjuka kinden. Som att sjunka ner i en kudde.

– Jag tror jag måste få något mot huvudvärken, sa Odin bestämt. Jag känner att den blir värre. Jag måste få något nu.

Timber sänkte tidningen. – En Paralgin. Till att börja med. Okej?

– Vi får se om den verkar, sa Odin och gnuggade tinningen.

Timber hämtade Paralgin. Odin fick den serverad i en plastmugg med vatten till.

– Den där lilla smulan, fördelad på mina nittio kilo?

– Ge den tjugo minuter, sa Timber. Den kanske räcker.

– Ni som är så raska med piller annars, sa han surt.

– Krya på dig då, Odin, sa jag och gick mot dörren. Han blinkade och nickade. Timber släppte ut mig.

*

– Berätta något för mig, sa Hedda.

Jag stod vid fönstret med ryggen till.

– Freiner borde inte vara här, sa jag.

Hon teg och jag föreställde mig att hon sänkte blicken och såg ner på händerna i knät. Hon hade dem alltid i knät. Terapeuter hade den vanan att alltid sitta absolut stilla, med korslagda ben och händerna i knät. De försökte göra sig osynliga. Så att man nästan skulle glömma att de satt där och börja tala om sig själva. Det var detta "om sig själva" de var ute efter. Hemligheter vi inte visste om. Min egen läkare till exempel, doktor Raglan, skulle alltid ha mig att ligga på en soffa medan han själv satt bakom huvudet på mig. Med korslagda ben och händerna i knät.

– Vi ska inte diskutera doktor Freiner, Hajna.

Jag vände mig och himlade med ögonen. – Kära nån, det hade jag väl aldrig tänkt. Inte för ett ögonblick. Det var bara ett konstaterande. Han är missanpassad. Han är helt enkelt rädd. Särskilt för Erkki.

– Vi är människor, vi också. Berätta något annat för mig, sa Hedda. Jag såg ut över de gröna gräsmattorna. Förbrytarträdgårdsmästaren syntes inte till. Kanske hade han matrast. Hans matpaket var tjocka som bibeln.

– Det här sjukhuset ägs av Oslo kommun, sa jag.

– Ja, det stämmer.

– Vet du att den första anstalten för sinnessjuka här i landet låg i Oslo? Den första byggnaden som restes i avsikt att vårda sinnessjuka. Den hette Oslo Hospitals Dårhus. Det låter roligt, tycker jag. Dårhus. Hur har du det, Hajna? Har inte sett dig på länge. Ja, det är ju för att jag är på Dårhuset. Dåre betyder dum och galen. Vi är dumma och galna, sa jag tyst, nästan för mig själv.

Jag andades på glaset, ritade ett kryss i imman och fortsatte.

– Det öppnades i slutet av sjuttonhundrasjuttiotalet. Så länge sedan är det.

– Har du läste det någonstans? frågade Hedda häpet.

– Nej då, jag jobbade där, skrattade jag.

Hon måste också skratta.

– Det allra första dokumenterade fallet av sinnessjukdom härstammar också från Oslo. Jag undrar vad det kan vara med den staden, sa jag tankfullt.

– Berätta mer för mig, bad Hedda. Vallmorna gungade till, lukten av liljor flöt genom rummet.

– Han var invandrare, sa jag. Han hette Sigurd Jorsalafar. Kungen själv. Det är det jag säger, den här sjukdomen skonar varken fattig eller rik. Han var en gång på besök i Opplands fylke, när han plötsligt fick en hallucination. Han var i badet och fick se att vattnet var fullt av fiskar som simmade omkring. Synen gjorde att han drabbades av häftiga skrattanfall, och alltsedan den gången såg han fiskarna när han var i badet och varje gång brast han ut i våldsamt skratt.

Jag hörde Hedda småskratta.

146

– Men så blev det värre, och svartare. En gång höll han på att dränka en islänning genom att flyga upp, ta tag i honom och doppa honom så att en av kungens män fick skynda till och hålla honom tills anfallet var över. När han dog blev han gravlagd i Hallvardskyrkan. Du vet, Sankt Hallvard.

– Mm, sa Hedda. Oslos skyddshelgon.

– Han var barmhärtighetens apostel. Vad vet du om Sankt Hallvard, Hedda?

– Inte ett dugg, erkände hon. Jag borde kanske veta något. Jag bor ju i Oslo.

– Hallvard offrade sitt liv när han en gång försökte rädda en kvinna som hade beskyllts för stöld. Han gav henne en fristad. Ett gömställe på sin båt. Han skulle ro henne över Dramsfjorden. Men försöket misslyckades. Förföljarna lyckades dräpa både Hallvard och kvinnan han hade förbarmat sig över. Senare blev han helgonförklarad.

– Jag visste inte att du var så intresserad av historia, sa Hedda förtjust.

– Det är jag inte. Jag försöker bara få tiden att gå. Det ligger en gammal bok i dagrummet. Då och då läser jag i den.

– Berätta något mer för mig, sa Hedda.

Ett moln av torrt damm virvlade upp framför mina ögon.

– Jag är någonstans i Afrika. Går sakta längs vägen, den är torr och gul och det är mycket varmt. Det luktar illa, och allteftersom jag går blir lukten starkare.

Jag slöt ögonen och såg den här bilden. Såg mina dammiga fötter.

– Allt är stilla. Ingen människa inom synhåll. Men jag tror att det har varit krig. I fjärran kan jag se fordon och krigsmaskiner stå i dammet. Jag närmar mig någonting långt där framme och ser att det är människor som ligger på vägen. Jag vill stanna men kan inte och fortsätter mot människorna. De ligger på rad, noga placerade intill varandra, män, kvinnor, barn och gamla. Barnen ligger hoprullade ovanpå de vuxna. Alla är döda. De har varit döda länge, och det luktar av dem. De håller på att lösas upp. Jag börjar känna mig dålig men fortsätter ändå att gå tills jag kommer fram till dem, och jag passerar dem mycket sakta medan jag skrämt ser på ansiktena, ett efter ett. Alla är de utmärglade och fattigdomen skriker från de trasiga kläderna, om de överhuvudtaget har några

147

kläder. De är som skelett, och långt inne i de håliga ansiktena ligger ögonen och stirrar ut mot världen utan att se. Jag tar ett steg i taget, ser på ett ansikte i taget. Själv är jag vit och fet och slät som ett paket flott. Medan de är mörka och torra och delvis förtärda av asätare. Jag kan höra djuren morra på avstånd. De väntar på att jag ska avlägsna mig så att de kan komma fram och äta vidare. Jag ser en gammal rynkig man och en kvinna intill i samma ålder som jag själv. Två små barn, och en kvinna till, och jag går och går, vill inte se detta men det är som en film som rullar, som jag inte kan fly från eftersom jag har en roll i den. Någon har givit mig en roll. En lätt roll, inga repliker. Jag ska bara gå sakta förbi och vara någon sorts observatör. Så är det en kvinna igen. Hon ligger med slutna ögon och har en gång varit vacker, alldeles slät i kinderna, kanske trettio år, hon har ett barn liggande på tvären över bröstet, kanske henne eget barn. Men hon håller inte om det. De är trots allt inte tillsammans i döden, hon kanske inte hann innan någon högg bort halva ansiktet på henne med en machete. Barnet saknar en arm. Och jag står där och ser, måste ta ett steg åt sidan för lukten är förfärlig. Då öppnar hon ett öga. Det är det ögat som finns kvar och det ser rakt på mig, för hon är alls inte död och jag drar förskräckt efter andan när hennes käke plötsligt faller ner och munnen förblir öppen. Hon har nästan inga tänder. Det är lustigt. Den här tanken jag tänker, att hon ändå inte är vacker eftersom hon inte har några tänder. Jag står som förstenad och ser på henne, törs inte lyfta en fot. Hon ligger kvar så, med vidöppna ögon och gapande mun, och jag tänker: Nu är hon död. Hon dog just nu, medan jag såg på.

Jag teg och såg ut genom fönstret.

– Har du varit i Afrika någon gång? frågade Hedda. Hon hade återfått rösten.

– Nej.

– Är det ditt fel att det ligger döda på vägen?

Jag ryckte på axlarna. – Någons fel är det väl, sa jag.

– Ja. Är det ditt?

– En del, sa jag. En del av skulden är min. Men det är inte det värsta.

– Var är det värsta?

– Att jag vet om det. Att vi vet det, allihopa. Att vi ser dessa

148

bilder, att vi vet hur det är, några timmar bort med flyg. Men vi är upptagna av annat. Först och främst ska vi ha mat.

– Är världen så meningslös för dig?

– Totalt meningslös, sa jag dramatiskt.

– Hur många har du ansvar för, Hajna?

– Hur menar du?

– Har du man och barn som är beroende av dig?

– Det vet du att jag inte har. Och kommer aldrig att få.

– Du har ansvar för dig själv. Du ska skapa dig ett eget liv. Det är inte dina barn som ligger i vägdammet utan armar. Du är inte någon sorts Kristus.

– Kan vi hålla honom utanför det här? bad jag.

– Gärna det. Det var bara en liknelse.

– Har du hört om raset? kom jag plötsligt på. Raset i Rissa.

– Ja, det var förskräckligt. Tänker du på det?

– En enda kvinna dog. Hon var handikappad. Jag tänkte när jag hörde det att en gång blev hon handikappad och då har hon ibland sagt sig: Jag har ju livet. Det här handikappet dödar mig inte. Men så gjorde det det ändå. Hon kunde inte ställa sig upp och springa undan.

– Varför tänker du på det?

– Vet inte. Jag tänker på allt. Tänker hela tiden. Jag kan inte låta bli.

– Du kanske borde börja handla. Använda dina händer. Och din kropp. Bli trött. Du är inte bara huvud, du är en fysisk organism också. Du avvisar den, men den finns där. Du borde ta hänsyn till den, för utan den skulle du inte kunna tänka överhuvudtaget. Och, om du ursäktar, det kan inte vara lätt att tänka goda tankar i en misshandlad kropp.

– Goda tankar? sa jag undrande. Vad ska jag med dem till? De leder ingenstans.

Vi gick till gruppmötet på olika vis. Maria kom trippande, Jørgen kom tassande. Erkki kom haltande, kroppen över tröskeln i otåliga ryck. Stormcentret kom klampande, Kajsa kom smygande, Moffa kom bredbent och bredaxlad, drog upp jeansen, ordnade mustaschen. Klockan var elva, Freiner var sjukskriven. Doktor Kandahar var där i stället. En del stönade, en del ryckte på axlarna, själv satt jag orörlig och mönstrade honom med blicken. Kandahar hade kort krulligt hår, mycket mörkt med inslag av rött, och glasögonbåge i samma färg. Han var lång och slank och ambitiös och målmedveten och hade en stark röst, inte hackande och darrande som Freiners.

– Jag har med mig papper och pennor, började han. Låt oss tänka igenom saker och ting. Det finns ett eller annat, kanske flera saker i detta liv som ni sätter värde på.

Det kom en hånfull fnysning från Erkki.

– Ni lever ju fortfarande, antydde Kandahar med vågad ironi.

Han tog upp en anteckningsbok ur bröstfickan och rev av en sida åt oss var.

– Ska vi leka lappleken? frågade Moffa och tvinnade mustaschen.

– Jag tänkte det, log Kandahar och började dela ut papper och pennor. Stormcentret petade in sin penna i ena örat och började gräva efter öronvax. Kajsa skruvade isär sin för att se inuti den. Själv stack jag min i munnen, blev sittande och kände på metallsmaken.

– Jag vill att ni ska tänka efter noga och därefter skriva ner fem saker i denna värld som ni verkligen sätter värde på, sa Kandahar. Fem saker som verkligen betyder något, det kan vara vad som helst, sysselsättningar, fenomen, människor, eller djur för den delen. Tänk noga, och gå in i er själva.

– Kan inte gräva fram så många som fem saker, sa Feta Freddy modlöst. Hade jag haft fem saker skulle jag inte ha varit här.

– Kom med så många saker du kan då, sa Kandahar uppmuntrande. Gör ett försök. Ni kanske överraskar er själva.

Det blev tyst i grupprummet. Jag måste få en ny penna för udden hade blivit blöt. Stormcentret satt oroligt på stolen, hon gungade och gungade, flyttade kroppsvikten från vänster skinka till höger och gned och gned på stolsätet. Vi satt på galonsäten, det knarrade under baken på henne. Alla såg det. Kandahar låtsades som om han inte såg det. Kanvas iakttog henne lugnt och avmätt. Någon fnissade. Själv började jag skriva. Erkki var sysselsatt med att riva sin lapp i pyttesmå bitar. Han stoppade bitarna en och en i munnen och tuggade sakta. Det fick inte Kandahar att trilla av stolen, han var en stol i sig själv, rak i ryggen och välproportione-

150

rad. Han väntade tålmodigt. Jag slogs av tanken att jag hatade Freiner och all hans osäkerhet, de flackande ögonen och darrande fingrarna. Nu blev jag provocerad av allt detta lugn, denna självtillit hos Kandahar. Jag skrev överst på lappen. MÖRKER.

För jag hatade dagsljus. Jag blev alltid lättad på kvällen när mörkret började sila in och lägga sig bakom fönstren på Varden. Allt la sig till ro. Allt utanför, allt inne i mig. Erkki fick en ny lapp. Han blev sittande med den i handen. Jag såg att Kajsa skrev, och Moffa, och jag blev orolig för mina egna val, om de kanske var löjliga, om Kandahar kanske var ute efter helt andra saker, men skit samma. Svaren var ärliga. Så jag skrev upp som nummer två: TYSTNAD. Moffa vek ihop sin lapp, han var klar. Erkki började skriva så småningom. Själv skrev jag SÖMN. Och därefter GLÖMSKA. Nu fattades bara en sak. Erkki fortsatte att skriva på sin lapp. Jag blev nyfiken. Erkki var på sätt och vis utanför allt. Tvångsintagen på Varden, nästan aldrig närvarande vid mötena. Han körde sitt eget lopp, deltog inte i programmet som vi andra. Programmet var dessutom individuellt anpassat efter vad man kunde förvänta och så vidare. Och ingen reagerade särskilt på det, eftersom ingen kunde föreställa sig Erkki i full fart med korridorstädning. Eller pysslande med tallrikar och bestick i matrummet. Inte Stormcentret heller, hon klampade omkring och fnös föraktfullt åt alla som bad henne göra något, men det hände att hon svabbade golvet. Själv hade jag blivit en ivrig korridorsvabbare efter upptäckten av den nya lyssningsstationen inne i städskrubben. Jag hade lagt upp en plan för när jag skulle sitta där, naturligtvis vid vårdarskiftena och när de hade det stora personalmötet varje vecka, då alla läkarna var samlade. Så skrev jag HAVET och vek ihop lappen. Stormcentret gned nu våldsamt på stolen och jag såg Kanvas, vapenvägraren, resa sig och gå bort till henne.

– Följ med mig, sa han lågt men bestämt, och Moffa flinade nu öppet. Kanvas la en hand på hennes axel och verkan liknade en kraftig elektrisk stöt.

– Bort med fingrarna! skrek hon rasande. Du ska inte stå och peta på mig med dina äckliga labbar, jag är ingen jävla unge som du kan köra ut när du inte vill ha mig längre!

Kanvas klämde till hårdare om hennes axel utan att låta sig bekomma.

– Jag sa pallra dig iväg. Du ska inte bestämma vad jag ska göra! Ingen ska säga åt mig ett enda dugg, jag är fan i mig äldre än dig, du är bara en skit till vapenvägrare, en jävla fegis som inte törs bo på logement!

– Alldeles riktigt, sa Kanvas lugnt. Jag står inte ut med tanken att bo på logement. Kom nu.

Så leddes Stormcentret ut. Vi hörde henne fräsa och svära neråt korridoren. Jag såg nyfiket efter dem. Vad höll hon på med?

– Okej, harklade sig Kandahar, oberörd av uppträdet. Då lämnar ni lappen till den som sitter bredvid. Så öppnar vi och läser varandras lappar.

Vi, tänkte jag, du har väl för fan inte skrivit något. Alla stannade upp med lappen i handen. Erkki sneglade på mig, han hade en konstig blick, liksom lysande, som om han såg tvärs igenom mig, och kanske gjorde han det. Om det var så kunde jag gott förstå varför han hade hamnat här, det kunde inte vara mycket vackert att se på djupet av människorna. Men han gav mig lappen och jag höll den i handen, oöppnad. Den var hårt hopvikt, som en sten. På ett sätt kändes det inte rätt att läsa den, åtminstone inte högt. Men det var det vi skulle, och Moffas lapp låg nu i Kajsas hand. På Kandahars kommando läste hon med klar röst: Mat. Ännu mera mat. Morfin. Morfin. Morfin.

Kandahar höjde på ögonbrynet. Det skedde så snabbt att vi nästan inte såg det. Han hade en ambition vid dessa möten – att vi inte skulle få honom att tappa fattningen, att han aldrig skulle visa sig överraskad eller osäker. Nu skulle han förhålla sig till detta, säga några kloka ord. Moffa log belåtet. Klart att svaret var ärligt. Kandahar fick ta vad han fick.

– Det gläder mig att du nämner maten först, började han.

– Men det är ju övervikt för morfinet, insköt jag. Du ser väl att morfinet är viktigare.

– Nu är det det. Det är det vi ska jobba med. Men det första som föll honom in var mat, och ingen kan betvivla att det är ett friskhetstecken.

Alltid denna mat. Den som äter ordentligt är det hopp om. Jag vred mig på stolen för jag hade blivit så mager att jag inte kunde sitta bekvämt, halva rumpan var borta. Jungfru Maria hade lämnat sin lapp till Feta Freddy. Nu läste han högt: Vår Gud är oss en väldig borg. Härlig är jorden. Närmare Gud till dig. Led milda ljus. Och Guds kärlek. Hon böjde fromt på huvudet allteftersom Freddy läste. Erkki skakade av ett ljudlöst skratt bredvid mig. Jag skulle önska att han kunde sitta still, för när han rörde på sig kände jag lukten av honom och den var verkligen inte angenäm. Så skulle Moffa läsa min lapp. Det knöt sig i mig. Den var egentligen patetisk. Det var inte det, den var inte värre än de andras. Mörker. Tystnad. Sömn. Glömska. Havet.

– Du är så poetisk du, Hajna, utbrast Moffa.

– Står du för den där ramsan, kan du ju lika gärna dö, menade Jørgen. Kasta dig i havet alltså. Dra mig i snabeln!

– Så, så! sa Kandahar varnande. Verkar som om du är mycket trött, Hajna. Du behöver lugn och ro. Det hoppas jag du finner här.

Ja, tänkte jag, här inne, i detta pampiga hus, i dessa vackra omgivningar ska vi stämma sinnet till ro. Några gröna gräsmattor och röda och gröna piller gör susen. Kandahar trodde verkligen på det. Han trodde på sina lappar, på sina studier, detta yrke som han kunde och älskade och behärskade. Stormcentrets lapp hade fallit på Jungfru Maria. Hon öppnade den och blev blodröd i ansiktet.

– Vi väntar, sa Kandahar. Har hon skrivit något?

– Kan inte läsa det här, stammade hon.

– Är det verkligen så illa? sa Kandahar tvivlande.

– Ja, mumlade hon. Så reste hon sig och ville ge honom lappen, men Moffa var snabb och snappade den ur fingrarna på henne, öppnade den och brast ut i ett skratt så hjärtligt att vi alla blev dödsnyfikna. Vad stod det på lappen? Överträffade den allt?

– FLICKFITTA! ropade Moffa.

Kandahar rynkade pannan. – Detta är naturligtvis saker som går in under den mer individuella terapin. Ge mig lappen. Man kan gott vara öppen och ändå upprätthålla en viss anständighet.

Det fanns en svag antydan till rodnad på hans kinder. – Kan vi få höra Freddys lapp.

Freddy skakade på huvudet och var blank i ögonen då hans lapp lästes upp. Det stod MOR. MAT. FLICKOR VIN OCH SÅNG. Och då såg jag på Freddy och tänkte att han kanske aldrig hade haft någon flicka, som han såg ut. Och att han oavbrutet drömde om det.

– Det här låter på mig som en lista som kunde ha skrivits av vilken man som helst, fastslog Kandahar. Inte sant, Freddy? Det är detta som betyder något i en mans värld, här är vi helt överens. Erkki stönade. Jag satt fortfarande med hans lapp.

– Hajna, sa Kandahar. Erkkis lista.

Jag vecklade upp lappen och läste: SLAKTA. FLÅ. STYCKA. ÄTA. Och GÖRA SIG AV MED RESTERNA I EN HELVETES FART. Jungfru Maria gjorde korstecknet och började på en psalm, och Moffa öppnade munnen för att släppa ut ännu ett hjärtligt skratt. Jag såg på Erkki och blixtsnabbt blinkade han åt mig, så hastigt att jag inte var alldeles säker. I grund och botten tyckte jag om Erkki. De lysande ögonen, den kolsvarta humorn. Kanske var han inte alls så långt borta som vi trodde. Som sagt, man kan inte lita på de galna, inte mer än man litar på andra. Erkki var sannolikt helt i balans och hade full kontroll över sin tillvaro på Varden.

– Nå, det var ju en saftig uppräkning av Erkkis lidelser, kommenterade Kandahar. Inte helt seriös kanske, men absolut underhållande. Nästa gång ska vi också använda lappar, sa han blitt. På ett lite annorlunda sätt.

– Är det sådant ni håller på med på läkarkongresserna? frågade Kajsa med ett leende. Hennes utslag var bättre nu, de hade minskat dosen i avvaktan på en ny medicin som skulle komma från Amerika.

– Bland annat, ja, sa Kandahar. Och så kom Kanvas tillbaka med Stormcentret. Den här gången satt hon alldeles stilla. Sedan fick jag veta att hon hade för vana att stoppa upp saker i underlivet, det hon råkade ha i handen, och sitta och ha det skönt med det genom att gnida sig mot stolsitsen. Det kunde vara en nagelborste eller en ljusstump som hon tog från dagrummet, eller kanske till och med en sten som hon hade plockat ute. Denna dag var det en liten trådrulle som dolde sig i Stormcentrets innersta. Jag tyckte synd om henne. Hon hade förlorat sin käraste.

Efter gruppmötet brukade vi sitta i dagrummet och röka medan vi väntade på lunchen. Själv väntade jag på ett hårdkokt ägg som innehöll åttio kalorier. Jag kunde gå resten av dagen på åttio kalorier, jag var ekonomisk, begärde det yttersta av min kropp, begärde av den att den skulle jobba, tänja sig. Men jag var hungrig, och jag frös. Sonja satt vid fönstret i all sin prakt, nyborstad, nysminkad och väldoftande. Varje gång hon rörde sig klirrade det i smycken. Hon var alltid i rörelse på något sätt, antingen munnen eller händerna som hon använde när hon rökte, eller så var hon uppe i det blanka håret med högglanspolerade naglar. Hon talade om barnet. Att hon verkligen kände sig beredd för sin uppgift nu, att de hade kommit mycket långt nu, hon och kuratorn, när det gällde att framställa krav på vårdnaden av den lilla marsipangrisen.

– Bara fyra dagar kvar, strålade hon, jag har köpt såpbubblor åt henne. Jag har inte druckit på flera månader, jag har ingen abstinens längre, jag tror kanske att vi ska nå ända fram under vårens lopp. De har ett möte på barnhemmet den här veckan, och jag har ett fint rum åt oss och dagisplats, och socialen betalar hyran, så inte kan jag förstå hur de ska kunna säg nej den här gången. Nej, så katten jag det gör!

Sa Sonja. Och drog efter andan, och drog in mer rök. Det fanns ett egendomligt ljus i hennes ögon. Jag tänkte på det Formel hade sagt. Att hon var manisk, nästan på gränsen till något lömskt. All denna kärlek till ungen, som om hon var speedad på någonting, men det var hon inte, hon tog nästan inga mediciner men fick alkoholfritt vörtöl som alkisarna, du vet, B-vitaminerna. När jag såg på Sonja var det något som var fruktansvärt fel, men jag kunde inte sätta fingret på det. Hon var alltför kär i ungen. Gullet mitt! himlade hon sig och vickade på huvudet. Och ändå, hon var alltid glad, entusiastisk och full av fröjd, vilket var mer än man kunde säga om resten av oss. Sonja var på sätt och vis den enda verkligt levande människan på Varden. Det var så att vi då och då faktiskt var avundsjuka på henne, men ibland trötta också om det blev för mycket av henne, men det blev det sällan för hon förflyttade sig oavbrutet från rum till rum och hade alltid planer. Ett telefonsamtal, ett viktigt inköp, något plagg som skulle strykas, för det var viktigt att se snygg ut, alltid välvårdad. Hon till och med sprejade kläderna med någonting innan hon strök dem, och det luktade friskt och sött av dem och bluskragen var vit som snö. Moffa berättade att Sonja hade haft en vänlig granne. Att hon växte upp med en man i grannskapet som tog sig an henne, lärde henne att ordna med blommor, blandade saft och vatten, bjöd på glass. Hennes föräldrar tyckte det var trevligt, hon hade inga syskon och de bodde ganska avsides. Dessutom var de alltid inom räckhåll, oftast i trädgården, så att hon kunde ses från fönstret, det fanns inget att oroa sig för. Och Sonja såg lycklig ut varje gång hon kom därifrån, som oftast med choklad i mungiporna och en bukett blommor från trädgården. Visserligen var de inne i grannens hus då och då, men bara korta stunder. Och om något hade varit på tok skulle Sonja ha sagt ifrån, eller signalerat det på annat sätt. Det skulle hon väl?

Hon skulle väl det?

Jag hade köpt ett hårspänne till Tjuven Tjuven. Det var av mässing och hade en liten bjällra som pinglade när jag rörde spännet. Jag tänkte att den skulle vara fin på henne, till det mörka håret. Det var tråkigt att hon kanske aldrig skulle använda det, och dessutom var det dyrt, mycket dyrare än presenterna brukade vara. Hon var på god väg att bli en utgift. Men jag ville inte vara utan det söta kaffet på sängen varje morgon. Medan jag satt så och funderade, kom Stetson gående i den vita hatten. Han var mycket allvarlig. Spände ögonen i mig så att jag spratt till i stolen. Något hade hänt, något jag skulle stå till svars för, jag var säker på det, jag kände hans ansikte, kunde läsa honom som en öppen bok. Jag kunde nästan inte andas. Han böjde sig ner och viskade i mitt öra.

– Du ska till Kandahars kontor.

– Nu? stammade jag.

– På en gång.

Jag dök omedelbart in i mig själv för att komma på vad det var som var på tok. Det var helt klart att något var på tok, men jag hade inte stulit något, inte smugglat in narkotika på avdelningen, inte slagit någon av patienterna, ingen av personalen heller även om jag hade god lust, till exempel Cato med finnarna.

– Kom nu, sa Stetson.

– Följer du med mig? gnällde jag.

Jag tänkte: De kastar ut mig. Det är någon annan som ska in, det är det han ska berätta. Jag är inte tillräckligt sjuk för att få vara här, jag är faktiskt alldeles klar, inte på något sätt psykotisk, jag äter varje dag och är uppe i femtio kilo, och nu måste jag ut. Jag hann tänka några tankar på vägen upp till andra våningen, där

Kandahar väntade. Om jag måste ut, skulle jag dö. Men det var förstås i sin ordning, det var ju det som var Projektet. Visserligen närde jag ett svagt hopp om att få dö med några få människor omkring mig, men då blev det inte så ändå. Och många människor dog ensamma, till exempel hon, den handikappade kvinnan i Rissa, som åkte med i raset, hon dog alldeles ensam. Och då fick väl jag också finna mig i det. Den här nya som skulle in, som skulle ha min plats, hörde antagligen röster, åt glas eller något annat i den stilen. Stetson knackade på dörren och öppnade. Jag gick in till Kandahar.

– Sätt dig, Hajna, sa han och log avmätt. Jag satte mig inte. Jag stod framför skrivbordet och såg på honom, likt en dödsdömd som äntligen får veta datum för exekutionen.

– Jag vill bara fråga dig om en sak, sa han allvarligt.

Ja. Fråga om jag inte har funderat på att skriva ut mig, eftersom jag nu är över det värsta och sannolikt kan fungera någorlunda med god eftervård och uppföljning. Det kan jag inte. Jag kommer att dö.

– För ett par dagar sedan – men vill du inte sätta dig? sa han igen. Jag satte mig med benen i kors och händerna i knät.

– För ett par dagar sedan var du inne på den slutna avdelningen och hälsade på Odin.

Odin, tänkte jag. Odin är död.

– Ja, sa jag tyst.

– Odin har varit länge på isoleringen. Han har blivit synbart bättre under de veckor han har varit där och visat alla tecken till en bättring vi trodde starkt på.

– Odin är egentligen inte sjuk, sa jag bestämt.

Detta uttalande fick Kandahar att le överseende.

– Nåväl. Av någon orsak. Just den här dagen när du besökte honom, närmare bestämt bara minuter efter det att du lämnat avdelningen, så blev Odin – eh, om man säger så – närmast upprörd.

Plötsligt förstod jag. Jag tänkte blixtsnabbt och samlade tankarna i ett par skarpa, klara led. De stod som orubbliga pelare mellan oss.

– Vi ville just vid den här tidpunkten flytta över Odin hit till den öppna avdelningen, sa Kandahar. Det fanns ingen som helst anledning att hålla honom kvar på den slutna längre. Men nu är han plötsligt tillbaka där han var när han blev inlagd här. Bara upptagen av självmord. Vi förstår inte detta.

– Ni kan inte förstå allt, ni heller, tröstade jag.

– Det finns faktiskt vissa mönster när det gäller mentala sjukdomar, sa Kandahar, och det här mönstret stämmer inte på Odin. Därför kom vi på tanken att ditt besök på ett eller annat sätt har, ja, ska vi säga – gjort honom upprörd?

Jag teg och väntade på fortsättningen.

– Kan du säga några ord om vad du tänker på i det här sammanhanget? Kan du hjälpa mig med detta? Vet du något?

– Jag tycker om Odin. Jag skulle aldrig göra något som kunde göra honom upprörd. Aldrig i livet.

Jag sa detta med nedslagen blick.

– Nej, nej. Det var bara så påfallande. Och vi anklagar dig inte för något som helst, vi försöker bara förstå vad som hände. Du kommer in, ni pratar en stund och just när du går, nej, närmare bestämt medan du faktiskt sitter där, får han huvudvärk som sedan förvärras så att han måste lägga sig. Och fram mot kvällen – nåja. Du behöver inte höra alla detaljerna, men saken är alltså den att han fick ett kraftigt bakslag. Du är säker på att du inte har något att bidra med?

Jag satte mig tillrätta i stolen. Jag jublade inombords. Odin fick vara kvar på isoleringen. Jag hade fått som jag ville, nej, Odin hade fått som han ville.

– Käre Kandahar, sa jag fast. Jag måste få påminna dig om att Timber satt vid samma bord hela tiden medan vi pratade. Han hörde vartenda ord. Det måste han ha gjort. Visserligen låtsades han läsa tidningen, men jag såg att han lyssnade. Tala med honom.

– Det har vi redan gjort, och det är riktigt som du säger, han märkte inget särskilt, frånsett kanske en djup förståelse er emellan, och det är därför jag inte kan bortse ifrån att du ändå kan ha sänt honom några signaler som det var omöjligt för personalen att uppfatta. Förstår du vart jag vill komma?

Han såg mig djupt i ögonen.

– Jag frågade hur han mådde, sa jag. Och så rökte vi varsin cigarett. Det var allt.

– Jag hoppas du talar sanning, sa Kandahar. Du får inte börja leka här inne, Hajna. De som är här är mycket sjuka människor. Kom ihåg det.

Jag såg honom rakt i ögonen. De var mörka bakom den röd-svarta glasögonbågen.

– Jag tycker om Odin, sa min röst. Jag önskar honom allt gott.

– Det är bra, sa Kandahar. Du kan gå nu.

Efteråt fick jag höra att Odin hade ramponerat halva avdelning-en, kastat omkring möbler, rivit upp krukväxterna (till Tussis sto-ra förtvivlan) och stått över hela två måltider. Det sistnämnda såg de naturligtvis som oroande. Och jag tänkte på vad det måste ha kostat på för honom. Men han trivdes så bra på isoleringen att han var villig att offra sig. Nu hade han säkrat åtminstone fyra veckor. Jag frågade Stetson om Odin var sjöman. Han såg häpet på mig. – Hur kan du tro det?

– Tja, han ser sån ut. Han har två stora tatueringar på armarna och en på bröstet.

– Kära nån, sa Stetson leende. Odin är anställd vid universite-tet, han är docent i psykiatri.

– Va! utropade jag.

– Han är också en mycket välbärgad man, han har ett hus som ett slott i västra Oslo och har ärvt en förmögenhet. Och för att säga det så: det är inte mycket han inte vet om vad som felas ho-nom och vad vi sysslar med här, och på så vis är han inte precis den lättaste patienten.

Jag småskrattade belåtet. – Det är väl nyttigt för er att möta lite motstånd emellanåt, menade jag.

– Käraste Hajna, stönade han, vi möter inte annat än motstånd. Det är en del av problemet. För er och för oss.

– Jag går en tur till Brønnen, sa jag.

– Du kan väl ta med dig Formel?

– Nej, sa jag. För en gångs skull vill jag gå dit ensam. Jag vill gå ensam och tänka över saker och ting.

– Hur lång tid behöver du? undrade han.

– Varför frågar du det?

– För att veta när vi måste börja söka efter dig, sa han.

– Det måste ni inte. Jag kommer tillbaka.

– Det är bra, Hajna, sa Stetson.

Jag har aldrig varit naturmänniska. Naturen säger så mycket, alla träden viskar, gräset suckar, vattnet mumlar och kluckar, stenarna muttrar. Jag gick ändå då och då ut i naturen för att lyssna till den. Man blir ibland så trött på ord, och på Varden var det så många ord, stora, svulstiga, löftesrika ord som man inte trodde på. God progression. Brukbar tillgänglighet. God verbaliseringsförmåga.

Jag var en bit från Varden, vände mig om och beundrade tornet. Så gick jag in i skogen. Det är skönt att vara ensam inne i en skog. Man känner att skogen märker en, att den följer en med ögonen, att den andas och viskar. Först var det tyst, bara ett svagt sus där jag inte kunde urskilja ord eller meningar, men det växte allteftersom jag gick, vartenda steg, varje beröring av en gren var en ton, ett rop, en varning. Jag kom fram till Brønnen och det blev tyst till slut. Vatten tar mycket plats, allt annat måste vika för vattnet. Nu skulle tjärnen tala. Jag satte mig alldeles nere vid strandkanten. Vattnet var svart och blankt som en trollspegel. Törs du se ner i mitt svarta öga? viskade tjärnen. Nej, du törs inte, du är rädd att falla, så som många har fallit före dig för att de inte kunde värja sig mot min bottenlösa skönhet. Värja sig mot löften om SÖMN, TYSTNAD, GLÖMSKA och MÖRKER. Om du inte vill ner på botten bör du resa dig upp och gå, jag har en farlig dragningskraft på olyckliga människor, du ska akta dig! Akta dig! Sa tjärnen. Men jag satt kvar. Det var tryggt att sitta, jag hade en känsla av att om jag hade stått upprätt, skulle jag viljelöst falla framåt, som i sömnen, rakt ner i tjärnen med ett plask. Ingen skulle ha hört det. Några fåglar skulle ha skrämts upp, men bara några sekunder, ett litet brus genom lövverket, så skulle allt ha varit över. Jag hittade en sten på marken och kastade i den. Ett litet plupp och några obetydliga ringar som bredde ut sig. Jag hade makt över tjärnen, jag kunde oroa den om jag ville, bara med en sten. Så tänkte jag en stund på döden. Stod han inte där nere i mörkret? Om jag ansträngde ögonen, om jag borrade synen neråt och neråt i det svarta vattnet, skulle jag då inte få syn på honom? Kanske, om jag viskade ett ord, att han skulle höra det och svara? Det var mörkt, mörkt nere i vattnet, men snart antog mörkret former, något tätare och svartare, det blev långsamt till en bild som sedan rörde sig, sakta. Och där stod han. Delvis bortvänd, böjd över något. En mager gammal skepnad i svarta kläder. För på botten av tjärnen fanns ett smutsigt rum som kunde påminna om en verkstad. Där bodde Döden. Gick omkring med böjda knän. Han såg oändligt tålmodig ut. Jag hade aldrig haft en bild av Döden som en skräckinjagande skepnad med lie över axeln, och nu såg jag att jag hade rätt. Han var bara ensam, så gränslöst övergiven, och han hade inte ens den trösten i tillvaron att det en gång skulle ta slut, för han var själva Döden. Det var antagligen därför han var så sorgsen. Det enda han hade att sysselsätta sig med var några obetydliga reparationer. (Jag såg för mig ett kärrhjul med en bruten eker, en tunna med en spricka i och liknande.) Han skulle bara ta emot de döda. De kom alltid oförberett till honom, det var inte så att han gick och hämtade dem eller något, så som man ofta säger, att "Döden hämtade hem honom idag" och sådant. Nej, han gick omkring och styrde och ställde i sin verkstad, och med jämna mellanrum var det någon som stod vid dörren och ville in. Och då öppnade han och letade upp en plats till vederbörande. När jag slöt ögonen kände jag hur det luktade i verkstaden, det luktade så gott. Av jord och järn och trävirke och damm. Och det var varmt. Inte hett som i Helvetet utan behagligt varmt. Och när det ibland kom små barn tog han extra väl emot dem. De fick sitta en stund i knät och sedan fick de de bästa platserna. Men först och främst var det tyst där nere, så oändligt fridfullt. Ingen talade. Ingen frågade. Alla de döda satt och såg på Döden, som pysslade med sitt kärrhjul, och de saknade ingenting och behövde ingenting. Allt var frid.

Han hade en öppen eldstad där det alltid brann en låga. Det var den enda ljuskällan de hade. De döda stirrade hela tiden in i lågan. Så var det att vara död. Man satt helt rofyllt i ett varmt rum och stirrade in i en låga. I evig tid. Jag stirrade och stirrade ner i tjärnen. När jag knep ihop ögonen kunde jag ana flamman där nere på botten, det var kanske den de hade sett, de som hade låtit sig falla framåt i det svarta vattnet.

– Hej Döden, sa jag plötsligt.

Jag sa det högt och tydligt. Han svarade inte, stod med ryggen till. Putsade och putsade på ett kärrhjul. Jag ropade igen. Han svarade inte, men nu såg jag tydligt att han hörde min röst, såg det som en liten rörelse i hans kappa. Och jag visste att en dag måste han svara. För jag hade sett honom. Men det brådskade inte. Jag slet mig lös och gick tillbaka till Varden. Tankarna på lågan i djupet var en övning. Jag skulle öva mig på Döden varje dag och tänka på honom. Till slut skulle han vara välkänd och kär, som en gammal vän jag snart skulle möta.

*

Dagrummet var fullt av folk eftersom middagen närmade sig. Ingenting samlade så många människor som maten. Det skulle i så fall vara död och elände, tänkte jag. De kom gärna en timme före serveringen. Feta Freddy förde ett intensivt samtal med sig själv. Sonja bättrade på nagellacket. Formel löste ekvationer, jag såg det på hans läppar. Korian trippade fram och tillbaka i rummet med korta steg, någon hade kanske snört fötterna på honom när han var liten, så såg det ut. Stormcentret plockade på en präktig finne, som var på väg att spricka. Kajsa kliade på sina utslag, hon väntade med spänning på de amerikanska medicinerna. Erkki syntes inte till, han åt nästan aldrig, i alla fall inte när någon såg det. Jag hittade en plats. Det luktade gott, jag visste att det var fläsk och stuvad kål till middag. Jag skulle inte ha fläsk men bestämde mig för en liten potatis och lite stuvning. Då kom Disco in. Han stod i dörren i svarta lågskurna byxor och en stor svart bergsprängare på axeln. Han vickade ett par gånger på höfterna och såg misslynt på oss.

– Fy fan, vilket trött och slafsigt gäng! utbrast han. En sån jävla dötrist anblick. Se på er! Bara fläsk och nikotin så långt ögat når. Ett berg av dödkött.

Stormcentret sände honom ett giftigt ögonkast och Freddy klippte sårat med ögonen, han var trots allt den fetaste.

– Felet med er är att ni inte rör på er. Ni har ingen musik i kroppen.

Nehej, tänkte jag.

– Det ska jag säga er, att dans är mycket bättre medicin än den ni kör i er tre gånger om dagen. Ni sitter och glor på livet, glor på att livet glider förbi, men ni är för trötta för att resa er och ta tag i det! Orkar bara släpa er till matbordet, och så äter ni och släpar er tillbaka till soffan. Och sedan släpar ni upp fläsket i sängen.

Kanvas kom in och hörde den sista repliken.

– Visa dem du, sa han, och jag började bli nyfiken på vad Disco hade att komma med. Jag skulle senare få uppleva att Disco hade en rad dolda talanger, men denna eftermiddag var det hans största passion som visade sig. Medan vi satt där i tystnaden och var helt oförberedda, satte han bandspelaren på högsta volym och de häftigaste discorytmer jag hade hört på länge fyllde rummet. Sonja hoppade en halvmeter i stolen och Formel satt med gapande mun, han glömde till och med att torka hjärnsubstans så skärrad blev han. Feta Freddy vågade sig på ett förskräckt leende och Korian stannade sin spatsertur över golvet. Och så gav sig Disco dansen i våld. Han ställde bandspelaren på golvet, sköt undan bord och stolar, det hördes ett skrik från Maria när han sköt in henne i ett hörn, och så intog han linoleummattan och började vagga med höfterna i takt med musiken. Han försvann fullständigt in i rytmen och jag tänkte: Jäklar vad det svänger!

– Okej, boys and girls, let's do the disco dance together, skrek han medan han svängde och vaggade. Res på er, gott folk, och sitt inte där och slöa, snart får ni mat, den här låten är jättehet och stegen är lätta, kom igen, vi ställer upp oss, vi är många nog för en liten discokadrilj, eller hur Hajna! Kom igen, jag ser att dina fötter rör sig, det är ett gott tecken, let's do it, baby, move it, baby, get the music into your heart, och rock och sving och hepp! Hepp!

Han började dansa några enkla steg, medan vi andra stirrade förläget på honom, men samtidigt svängde musiken så gruvligt att det var nästan omöjligt att sitta still. Motvilligt började jag följa hans enkla steg på golvet, det var händerna i sidan och vricka och böj och händerna över huvudet och one and two and get the feeling, get the feeling, och sväng runt och ut med häcken, han hade smal och fast häck i jeansen och hängav sig totalt åt musiken och åskådarna. Och jag tänkte: För katten, det här klarar jag, och jag gick ut på golvet, och så var vi två, och jag fattade snabbt, jag svängde med och i ögonvrån såg jag det nöjda flinet hos Kanvas just när Feta Freddy reste sig från stolen. Han hade röda fläckar av förlägenhet i ansiktet.

– Yeah, man, skrek Disco hänfört. Freddy boy, you can do it, you can do it, and one and two and turn around, and gimme some hips and head back, och Freddy jobbade med den tjocka kroppen och vita tjocka händer, särskilt läcker var han när han snurrade runt helt och hållet och sköt ut rumpan, och så kom Sonja, och som hon kunde dansa, hon vrickade och vred sig och sköt fram höftpartiet med imponerande kraft, det rasslade och pinglade i hennes smycken, och Stormcentret, som aldrig i livet skulle ha kommit på att resa sig, stirrade betagen på henne, och då anslöt sig Korian och jag vrålade till Kanvas att han inte skulle vara feg och bara sitta och titta på utan vara så god och delta han också. Och så var vi ett stiligt gäng ute på golvet, och Disco såg till att vi blev en tjusig formering och ganska så raskt kunde alla de enkla stegen, och Gud hjälpe mig som det bankade och slog. Jag var varm i hela kroppen, blodet strömmade till armar och ben och Stetson visade sig i dörren och såg häpet på oss, och där kom minsann Mor också och hon var röd av upphetsning, och Kockan skymtade faktiskt bakerst i kön. Och Ruben kom, serpentinerna dansade, och Jørgen Tics med de gula lockarna, och Freddy flåsade nu våldsamt, man såg hur hans fett böljade och skvalpade, och Sonjas glansiga hår dansade runt öronen på henne, och Jørgen blev alldeles svettig i ansiktet och obsceniteter strömmade ur hans mun men överröstades av musiken.

Och så var låten slut. Den slutade med en smäll och vi stod kvar med hängande armar och kokheta kinder.

– Vad i all världen är detta för liv! sa Kockan bestört. Har ni rent tappat vett och sans?

Det var sällan hon sa så mycket.

– Ja, sa Stetson, och det var banne mig på tiden. Disco! Du är härmed anställd. Kan du ha danslektioner varje vecka vid samma tid?

– Sure man, sa Disco belåtet. Det vågiga håret var i vild oordning, men med ett enkelt grepp låg det som förr. Andtrutna vacklade vi tillbaka till stolarna. Damp ner, svettiga och röda. Men vi dansade aldrig mer efter det. Det var som om vi alla, i ett plötsligt anfall av dårskap, hade kastat oss ut i det, utan hämningar, och därefter svurit på att det aldrig skulle hända igen. Men jag glömmer det aldrig. Den dagen tog jag en bit fläsk till middag. Den höll på ta livet av mig, jag levde ju i stort sett på müsli och mjölk och yoghurt och frukt och grönsaker, och det salta fläsket orsakade vilt uppror i mina ömtåliga slemhinnor. Det var det slutgiltiga beviset på att jag inte tålde samma saker som andra människor, att jag hade en extra känslig organism som jag måste ta hänsyn till, så därefter förklarade jag mig vara vegetarian.

*

Dagen efter var jag hos Hedda med vallmokjolen, den böljande. Kanske hade hon inga andra kläder, eller så tyckte hon så mycket om den där kjolen för att någon hon värdesatte mycket högt hade sagt att hon var vacker i den.

– Har du något älsklingsdjur? frågade jag nyfiket.

Jo, det hade hon.

– En hund, gissade jag. Låt mig försöka komma på vad för slags ras du har valt. Utifrån vad jag vet om dig och har sett av dig.

– Och det tror du är möjligt? retades hon.

– Allt är möjligt, sa jag enkelt. Man använder elimineringsmetoden. Först och främst vet jag en del om vad slags hund du inte skulle välja. En rottweiler, till exempel, skulle du aldrig välja för den är för stark för dig. Du har inte en pudel heller, du har åtskilligt mer stil än så. Och heller inte en stor hund, en sankt bernhard eller grand danois eller en irländsk varghund, du är för praktisk för att välja något sådant. Den är mindre, gissade jag. Och renlig. Kanske en släthårig hund.

Medan jag talade betraktade jag Hedda intensivt så att hon skulle tro att jag stod och läste henne som en öppen bok, men det gjorde jag inte. Det som var Hedda, det hon sände ut av signaler fanns för länge sedan lagrat och tolkat till ett mönster, som jag redan hade gått igenom noga.

– Men det är inte heller en urliten hund, sa jag tvärsäkert, en papillon eller en chihuahua räknar du inte som en riktig hund. Men den är inte större än att du orkar lyfta den.

– Nehej? sa Hedda, fortfarande leende, triumferande leende för att vara exakt.

– Och en lätt ras, fortsatte jag. Du vill inte ha för mycket besvär och den behöver inte alltför mycket motion för att hålla sig frisk. Dessutom är det en hanhund, menade jag, du vill inte hålla på med valpar och det. Du har nämligen en kvalitativt stark fritid med utrymme för många och varierade aktiviteter.

– Jaha? log Hedda.

– Vi kan utesluta chow-chow och pinscher på grund av lynnet, dem skulle du inte välja. Men du kunde ha valt en snygg boxer eller något så exotiskt som en weimaraner, sa jag, men det har du heller inte gjort. Och schäfrar har du ett ambivalent förhållande till, och en setter är för besvärlig för dig, du skulle aldrig välja en jakthund.

– Nej visst? log Hedda.

– Därför har du en katt, avslutade jag.

Hedda blev stum som ett ostron.

– Mja, ja, sa hon dröjande. Det stämmer. Jag har en kastrerad hankatt. Du kan kanske berätta för mig vad den heter också?

– Naturligtvis inte, sa jag uppgivet, men du är en beläst och studerad människa, mycket kulturellt intresserad. Så du kunde ha valt namnet på en musiker eller en författare. Eller något liknande.

Jag ryckte likgiltigt på axlarna.

– Den heter Platon, sa hon tonlöst. Hajna, det här visste du redan, inte sant?

– Nej! invände jag, inte så lite förnärmad över denna elaka insinuation. Hur skulle jag kunna veta det?

– Du har väl pratat med någon. Personalen till exempel. Det är flera som vet om min katt, jag har haft den länge.

– Jag visste det inte, sa jag enkelt. Jag gissade. Det är inte så svårt, förstår du. Du är ju i samma bransch.

– Det är jag som ska ställa frågorna här, försökte hon.

Jag gick till nytt angrepp. Fläskbiten från dagen innan hade givit mig oanade krafter.

– Har du trädgård? undrade jag.

– Ja, en liten en.

– Berätta för mig om den.

– Det är du som ska berätta.

– Jag vill veta namnen på alla blommorna, fortsatte jag.

– Nåväl. Hon summerade i tankarna. Jag har pioner. Vita pioner. Och gul vallmo. Och luktärter. En rosa rhododendron. I sluttningen ner mot vägen har jag flox.

– Flox! utbrast jag. Vi hade flox hemma. Godisblommor.

– Ja, log hon, de är rosa, som hallonbåtar.

– Och mer? tjatade jag.

166

– Några få rosor, inte så många. Jag har respekt för rosor, de är så ömtåliga, jag föredrar att få dem av någon och bara ha ansvar för dem en kort tid, i en vas. Så har jag tulpaner. Och hortensia. Lila hortensia.

– Talar du med dem? frågade jag.

– Nej, sa hon, det ligger inte för mig. Jag vet att många gör det, men jag gitter inte tala när jag inte får svar.

– Får du inte svar? sa jag häpet. Då måste du höra upp bättre.

– Jaså du.

– Det är klart att de talar. Det är en träningssak. Du måste lyssna, Hedda, du som har gått på kurs och det för att lära dig lyssna.

– Du har kanske rätt. Kanske borde jag gå ut en dag vad det lider och lyssna på dem. Under köksfönstret har jag förresten aurikler. Pyttesmå blå blommor. En gång varje vår unnar jag mig en liten bukett som jag tar med in och sätter på nattduksbordet. Jag får alltid dåligt samvete efteråt.

– De har alla sina dialekter, upplyste jag. Blommorna alltså.

– Säger du det?

– Tulpanerna pratar lite tillgjort, med spetsiga vokaler. Pionerna talar brett och lite släpigt. Och hortensiorna sedan, de är gamla redan när de knoppas, de har flera ord som annars är borta ur språket, och floxen, den talar fort, utan att tänka. Och auriklerna är så blyga, stackarna, de talar ner mot jorden så att man nästan inte hör dem.

– Rosorna då? sa Hedda nyfiket.

– Ja, rosorna. De är tysta för det mesta. Ju längre stjälk, desto färre ord. De anser sig antagligen vara förmer.

– Berätta något för mig, Hajna. Berätta något från din barndom.

– Vad vill du höra?

– Ett trevligt barndomsminne. Något du minns med glädje.

Jag vände ryggen mot henne och såg ut genom fönstret, rakt på Förbrytaren. Han låg på alla fyra och rensade ogräs, hans bak var bred och blank i byxorna av bävernylon. Några bilder från barndomen gled förbi. De var tydliga men innehållslösa. Jag såg mitt eget ansikte, det var mycket allvarligt, de vuxna var allvarliga, jag mottog befallningar, nickade och utförde dem, jag såg en julgran, kappor och rockar som hängde i korridoren, Connys skurhink, påsar med mjöl, stövlar och skor. Malkulor.

– Har du bestämt dig? frågade Hedda.

Jag svarade inte, såg bara på bilderna som fortsatte att komma. Strumpstickor. Kläder som skulle strykas. Fars skrivmaskin. Jag såg barnet, som var jag själv, stå orörligt och se på de där sakerna. Företog mig ingenting, stod bara tyst och tittade.

– Jag hittar ingenting, sa jag.

– Hittar du inget fint barndomsminne, sa Hedda tvivlande, eller vill du inte?

– Jag hittar inte något.

– Var din barndom så olycklig?

Jag vände mig förvånat om. – Det har jag väl inte sagt? Den var alls inte olycklig. Varför tror du det?

– Om du inte minns något trevligt, började hon.

– Min barndom var precis som den skulle, sa jag. Ingen var stygg. Ingen ropade och skrek. Ingen vänlig granne lurade iväg mig till sin trädgård för att visa mig sina blommor. Eller bin. Inga mörka rum, inga svarta hål. Jag klarade mig bra i skolan. Hade kompisar. Men jag minns barndomen som helt utan händelser, ett museum fyllt av tusen ting jag bara fick betrakta på avstånd. Ett slags väntetid. När du blir större, brukade Conny säga. Senare. Och jag väntade. Jag var ett tålmodigt barn och jag visste min plats. Ofta ser jag min egen barndom som en glasklocka. Jag var på utsidan. Alla andra var inuti. Men jag minns det inte som skrämmande. Det är det ni tror, eller hur? Att vi hade det så förfärligt som barn?

– Det har jag inte sagt. Men det händer.

Det var tyst en stund medan hon tänkte. – Det här du såg när du var barn, började hon.

– Glöm det, Hedda. Jag såg fortfarande på Förbrytaren. Och han märkte det, på det viset som en del människor kan göra. Hans takt förändrades, blev långsammare och ökade sedan igen.

– Jag har en känsla av att det är viktigt, sa Hedda. Jag tror att om du kunde erkänna för dig själv att den där upplevelsen har format ditt liv som vuxen ...

– Det är klart att den har. Jag behöver ingen terapeut för att erkänna så pass. Du är bara nyfiken, Hedda.

Hon teg, och jag visste att hon just då la huvudet på sned och kanske gnuggade händerna i knät.

– När ni har möten och så och talar om oss, sa jag, vad säger ni då?

I detsamma vände jag mig om och såg på henne.

– Vad vi säger? Förlåt, Hajna, jag kan inte sitta här och referera våra möten. Är du inte klok?

– Kan du inte? Är det hemligt? Gäller det inte oss och vår framtid?

– Vad tror du vi säger? frågade hon.

– Du svarar med en fråga.

– Är du rädd för att vi talar nedlåtande om er?

– Ja, sa jag. Ibland tror jag ni gör det. Kanske måste ni det för att stå ut här. Jag vet inte. Jag tror nog att jag skulle kunna förlåta det mesta om så vore.

– Har du hört något? sa hon plötsligt med en bekymrad glimt.

– Nej, kära nån, sa jag. Hur skulle det gå till? Ni bommar igen så ordentligt om er när ni har möten. Och rapporterna är inlåsta. Nej, det är inte så enkelt. Men om jag hade fått vara en fluga på väggen, skulle jag gärna ha varit det.

– Vad tror du du skulle ha fått reda på? frågade hon.

– Ja, säg det. Något om vilka ni egentligen är.

– Det är dig det gäller, sa Hedda då. Det är dig själv du ska ta reda på.

– Det finns ingen människa i världen som jag känner så väl som mig själv. Det jag har fått reda på har fört mig hit.

– Du talar som en åldring.

– Då är jag väl det.

– Om det är så, sa Hedda, förstår jag inte att du fortfarande är här. Om det inte finns något att få reda på.

Där kom den igen. Insinuationen att jag bojkottade programmet, idén, reglerna och egentligen bara upptog en plats. För de såg på sin egen avdelning som så förträfflig att den som fick en säng där måste prisa sig lycklig. Det var ständigt dessa väntelistor som de kom dragande med. Om de hade kunnat, skulle de ha bytt ut hela klientelet ögonblickligen. I alla fall skulle Erkki ha blivit utkastad. Och Stormcentret.

– Hur länge blir Freiner borta? frågade jag lätt.

– Vet inte, sa hon oskyldigt.

– Vet du inte? Ni har väl fått en sjukanmälan. När går den ut?

169

– Sådant diskuterar vi inte med patienterna, sa hon avmätt.

– Kära hjärtanes, sa jag tålmodigt. Han är vår läkare. Han är borta. Vi behöver få veta när han kommer tillbaka. Jag förstår inte vad som skulle vara så hemligt med det.

– Nåväl, hon drog på det, han är sjukskriven en månad tills vidare.

– En månad! Då är han verkligt dålig.

– Det har jag inte sagt. Och sådant diskuterar vi inte, återtog hon, illa berörd. Jag såg det på hennes händer, de fumlade runt i knät, öppnade och slöt sig.

– Har du funderat på att ta emot dina föräldrar snart? sa hon avledande.

– Du menar pappa och Conny.

– Du kallar henne inte mor?

– Hon är inte min mor.

– Nej. Just det. När dog din riktiga mor?

– Innan jag fyllde två. Jag minns henne inte.

– Varför har du inte godtagit Conny som din mor?

– Hon är inte min mor, upprepade jag surt.

Hedda suckade.

– Lika bra att få det överståndet, sa jag ner i golvet.

– Du gruvar dig?

– Ja. Det finns ingenting de kan säga eller göra som kan hjälpa mig. De saknar ord.

– Jag tycker du ska ringa och be dem komma. Ingenting är så svårt som att gå och fantisera om saker och ting och inte veta.

– Jag kan inte förklara det för dem.

– De vill bara träffa dig.

– Nej. De vill bara kontrollera mig. Om jag är på rätt ställe.

Så kom den glidande över parkeringsplatsen, pappas stora svarta amerikanare. Jag satt i fönstret och följde bilen med ögonen, det var för sent att ångra sig, jag hade bett dem komma. Och så stannade den. Ingen steg ur. De satt kvar i bilen, tydligen för att samla sig, för att lägga ansiktena i passande veck. Problemet var att de plötsligt inte visste vad som var passande veck. Jag skymtade Connys vita ansikte bakom bilrutan. De satt och satt. Jag väntade och väntade. Vilade huvudet i händerna på fönsterbrädan. Så kom de äntligen. Conny vacklade på höga klackar, drog ihop kappan över barmen, som var imponerande och för övrigt det bästa beviset på att hon inte var min mor. Pappa var böjd och gick med tunga steg. Conny bar något i händerna, det var ingen väska för den bar pappa. Så försvann de in i huset. Jag funderade ett ögonblick på att möta dem där nere men ångrade mig, personalen skulle säkert följa dem ändå, för de måste ju hur som helst anmäla sig i personalrummet. Ingen främmande kom osedd förbi personalrummet (trodde de), alla måste identifiera sig. Dessutom kunde ju Connys väska vara full med heroin. Så måste de till höger och upp för trappan, och kanske mötte de Erkki på vägen, i så fall skulle de få sina värsta mardrömmar besannade. Kanske gick de och planerade vad de skulle säga, kanske hade de öppningsrepliken klar, jag var egentligen nyfiken, det var inte gott att veta vad Conny hade på tungan. Fast jag hade mina misstankar. Och så hörde jag dem. Eller, rättare sagt, jag hörde Stetsons röst utanför, och steg i korridoren. Jag tänkte: Nu håller Conny andan, nu håller hon på att svimma, nu står hon nästan inte ut längre, denna Canossavandring på sliten linoleummatta och den skarpa lukten av institution. Det knackade på dörren. Jag stod kvar vid fönstret och en lång ödesmättad sekund var allt tyst. Så gled dörren upp och den vita hatten kom först till synes. Jag tänkte mig Connys min när hon stötte på det på första våningen, hon måste tro att det här var rena cirkusen, och det var det ju. Jag såg på pappas ansikte. Det var gravallvarligt och det mesta av färgen var borta och han var mer böjd än någonsin, kanske omkring tio år äldre. Och Conny. I grön kappa och med händerna hårt knutna under brösten, hon höll en påse bullar i dem. Hon hade mat med sig. Naturligtvis. Inte blommor eller något, jag såg aldrig någon på Varden få blommor, vi hade väl inte förtjänat det. Stetson gav mig en uppmuntrande och, vågar jag påstå, inte så lite förmanande blick och drog sig tillbaka. Båda stod stela på golvet och bullpåsen prasslade. De tog några steg närmare. Jag stod kvar vid fönstret. Pappa drog fram en stol, satte sig, ville få av sig biljackan medan Conny fortfarande stod med påsen framför sig som en skottsäker väst. Tystnad, tystnad, pappa som flåsade efter den långa trappan, Connys hjärta som dunkade under kappan för att hon hade sett Varden, sett den från vägen, denna ruvande, stränga tornbyggnad, och gått över tröskeln, kanske sett de konstiga typerna i dagrummet, sett mitt rum, detta nakna rum, och de randiga sängkläderna. Jag insåg omsider att de hade tappat målföret. Jag var förberedd på det, jag kände dem. Alltså måste jag reda upp situationen. Jag hade ingen lust, det var inte min uppgift, jag hade bett dem komma, men bara pliktskyldigast, jag visste hur obehagligt de skulle uppleva det och kunde ha besparat dem det, men det skulle de inte ha accepterat. De måste ju för Guds skull avlägga rapport till resten av familjen, och vad skulle folk säga om de inte reste den långa vägen för att se med egna ögon? Vad skulle folk säga?

– Gick det bra att hitta? sa jag till sist. Och då lossnade det. Det var som att dra en propp ur munnen på Conny, och den fråga som stod överst, det viktiga som hon måste få klarhet i först och främst (i stället för till exempel hur mår du), forsade fram.

– Ja, nu är vi ju väldigt nyfikna. Vad säger doktorn?

Hon satt på den hårda trästolen med bullarna i knät och såg på mig med ansträngda ögon och frågade å allas vägnar, grannar och släktingar, nära och på långt håll, alla hon måste redovisa för sedan, när de kom hem igen, som skulle fråga vad det egentligen handlade om, hur länge det skulle vara, om jag hade fått någon diagnos, mediciner och en uppskattad tid beträffande vistelsens längd. Något måste hon ha att svara alla dem som skulle fråga och gräva. Vad säger doktorn? Jag böjde på huvudet, jag var tvungen för ett bittert leende trängde sig fram. Hon var så ynklig. Så förfärande tafatt. Så totalt hjälplös. Pappa var stum.

– Doktorn är sjukskriven, sa jag enkelt.

– Jaså? Sjukskriven? Har ni bara en enda här?

– Nej, det är fem till. De växlar om.

– Men vad säger de då? återtog hon. Hon var stel som en gipsmask.

– Du har bullar med dig, sa jag avledande.

– Och kaffe, sa pappa, som återfick målföret och började famla i Connys väska på golvet.

– Har inga koppar, sa jag.

– Det har vi.

Han började duka bordet. Conny pysslade med snöret om påsen, det fick inte gå av, hon använde det flera gånger.

Det var tyst en stund medan all denna aktivitet pågick. Jag ville

172

inte ha någon bulle. Att äta en av Connys bullar skulle ha varit ett erkännande, och det kom inte på fråga. Inte för att jag inte gärna ville ha en, för ingen bakade bullar som Conny, de var stora och mjuka, gula under och gyllenbruna ovanpå med massor av suckat och russin. Connys hemlighet: lite längre jäsning och lite starkare värme och lite kortare tid i ugnen än vad det stod i receptet. Men det räckte med kaffe, det var en utsvävning i sig, ingen bryggde sådant kaffe som Conny. Så lutade hon sig framåt.

– Men hur länge måste du vara här?

Hur skulle jag kunna veta det, jag hade ju just kommit? Nåja, jag hade faktiskt redan varit här i nästan två månader och jag fattade inte vart tiden hade tagit vägen, och dessutom visade all erfarenhet att sådant här var långvarigt, se till exempel på Erkki, och dessutom gick folk ut och in, en del hela livet. Men det sa jag inte, då skulle hon ha fallit av stolen. Hon tog upp en bulle ur påsen och sköt över den till mig. Vi hade bullar, tänkte jag, men vi rörde dem ej. Plötsligt måste jag skratta.

– Vad skrattar du åt? sa Conny osäkert. Och jag tänkte: Stackars Conny. Du vet att det här inte är din skuld och du lastar inte dig själv för att din styvdotter sitter på anstalt, men ditt största bekymmer just nu är att alla runt omkring dig kommer att tro just det. Det är Connys skuld. Conny har svikit. Fäderna får inte skulden, det får de förskräckliga mödrarna. Varje kväll går de och lägger sig på sina spikmattor och bredvid dem snarkar mannen, djupt och mullrande.

– Har de satt dig på diet? frågade hon.

– Nej, det har jag gjort själv, svarade jag.

– Men ... du har väl talat med dem? Du är förfärligt mager. Du borde kanske inte röka, om du äter så lite.

– Conny då, sa pappa tafatt.

Hon tuggade på en bulle och såg sig omkring. Hennes ansikte var en blandning av kränkthet och rädsla.

– Vem sover där då?

Hon pekade på sängen vid dörren.

– Eva, sa jag.

– Jaså. Eva. Du har kanske fått en del vänner här?

Vänner. Likasinnade. De andra galningarna. Hon förstod det nu, att jag inte var som andra. Hon skulle nog stå ut med det, hon skulle tappert bära sina bördor, som hon alltid gjorde.

Döden har en liten verkstad på botten av tjärnen, tänkte jag och såg på Conny. Tänk om jag sa det högt? Rädslan skulle lysa ur ögonen på henne. Jag måste besinna mig. Jag var så elak. Jag mådde så dåligt att jag måste göra någon illa. Inte pappa. Han såg ner i bordet hela tiden och när han såg upp var det på brandvarnaren i taket.

– Du kan väl komma hem på helgerna? sa han.

Jag hostade häftigt. Jag var ingen barnunge heller, jag hade bott ensam sedan jag fyllde sjutton.

– Vet du varför fågeln flyger? sa jag och såg allvarligt in i Connys stela ansikte.

Hon skrattade ett frågande, osäkert skratt och vred sig på stolen.

– Är det en gåta? frågade hon.

– För att den är så sårbar på marken, sa jag lugnt.

Hon nickade och nickade. Man får inte säga emot eller oroa sjuklingen. Det var bäst att hålla med.

– Behöver du pengar? undrade pappa. Jag skakade på huvudet.

– När kan vi få tala med doktorn? sa Conny.

– Det kan ni inte, sa jag. Han har tystnadsplikt.

– Ja men vi är dina föräldrar.

– Ja men jag är myndig.

– Men du kan väl bara säga till honom att det går bra att tala med oss? Det är väl du som bestämmer?

– Jag vill inte att ni talar med honom, sa jag.

– Men varför inte! utbrast hon. Hon kunde inte hålla sig längre, hon provocerade sjuklingen.

– Det är ingenting han kan säga som skulle göra er klokare, sa jag kallt.

– Men du vet väl inte vad läkaren ska säga?

– Jo. Och det är inte mycket. Du kommer inte att få svar på dina frågor. Vad det är för fel på mig, hur länge jag måste stanna här, om jag kan få återfall, om det är något som ni har gjort fel, om det är ärftligt och om det smittar, sa jag avmätt. Jag var ordentligt irriterad. Hon borde inte ha kommit.

– Nej, nej. Hon knep ihop de smala läpparna så att de blev helt färglösa. Det slog mig med ens att de kanske hade legat sömnlösa innan de skulle iväg, medan jag själv sov utmärkt, jag fick ju ändå mediciner.

– Du vet väl vad det rör sig om?

Detta sista var en gnällig och förnärmad replik som egentligen betydde: det här påhittet, de här barnsligheterna du av någon anledning har satt igång med är väl på trots, inte sant? Ingenting som har slagit dig utifrån. Smittsam hjärnhinneinflammation hade varit bättre, då koncentrerar vi oss på febern och erfarenheten säger oss något om när du är på benen igen. Vad håller du på med egentligen?

– Är du trött? sa pappa.

Återigen måste jag böja på huvudet för att gömma mig. Nu orkade de inte mer. Nu ville de iväg, fort! Jag var elak. Jag kunde hålla dem på sträckbänken en stund till om jag ville. Men det ville jag inte. Jag satt med en cigarett i handen och kände käkarna arbeta med en massa saliv på grund av bullarna på bordet, russinen som hemlighetsfulla ögon inne i det gula inkråmet med riktigt smör och ägg och socker och jäst och söt grön suckat, och jag var så hungrig.

– Ja, sa jag. Jag måste nog gå och lägga mig lite.

Conny kvicknade omedelbart till. Detta kunde hon förstå. Jag var trött och måste vila. Hon spratt upp. Sömn var den bästa medicinen, det var hon övertygad om.

– Ja, men då tror jag vi åker igen. De har väl sagt åt dig att ta det lugnt kanske?

En liten martyrskugga for över hennes ansikte. Var det någon som bad henne ta det lugnt? Visste man hur trött hon var? Gav hon upp för motgångar, som hennes omedgörliga styvdotter gjorde? Det måste ha varit en lättnad för henne att jag inte var hennes dotter. Den här hade inte närts vid hennes barm. Hon höjde på huvudet. En blick på pappa och han reste sig sakta.

– Jag har betalt in hyran åt dig. Tre månader i förskott. Du behöver inte tänka på det, sa han.

Jag fylldes plötsligt av tacksamhet. Han var visserligen svag men han dömde mig inte, blev inte alls sårad, tog det inte som en personlig anklagelse.

– Har du nog med tobak? tillfogade han. Mitt paket var platt. Han lämnade kvar sitt eget. Och så gick de. Jag satt kvar på stolen.

Jag hade inte varit snäll, inte alls snäll. Jag gick till fönstret. De kom inte ut. Bilen stod kvar. Jag visste att de stod i personalrummet nu och tjatade. Kan vi verkligen inte få tala med doktorn? Är lagen sådan? Kan ni vägra oss det? Och pappa, som säkert nöp i hennes kappa, nöp och nöp. Conny då, kom nu. Så kom de äntligen. Hon slätade till kläderna och satte sig. Bilen stod stilla. Nu växlade de båda några ord. Jag tänkte mig följande från Conny: Ja, ja, vi får väl åka då. Och pappa: Det ordnar sig nog. Inget mer. Bilen startade. De tittade inte upp mot mig, där jag stod i fönstret. Bilen gled sakta bort. De hade trettio mil att åka. Det var många mil för några få repliker. Conny var sannolikt i full gång med reparationsfasen, hon var en handlingskraftig kvinna och det var bara galenskap som kunde bringa henne ur balans, som jag nu hade fått henne att tappa fattningen. Men de hade överlevt. Och jag stod på benen. Jag lallade inte och det rann inte saliv ur mungiporna på mig. Jo, visst var jag mager, men det var ju helt normalt att sjuka människor tappade några kilo. Hon befann sig nog nu i tankarna på nästa symöte och skulle ha svaren klara. När hon kommer ut? Nej, kära du, det kan de inte uttala sig om ännu. Sådant tar tid, skulle hon säga, och stirra oavvänt ner på sin sömnad mellan smörgåsarna (med Connys hemlagade italienska sallad med äpple och rökt skinka, och mandelkakan med svarta vinbär och marsipan). Det var ju rent idiotiskt att ställa sådana frågor, så lite de visste. Vad doktorn sa? Ja, doktorn – här hakade det upp sig för henne, men hon fann sig strax igen – hade hittat väldigt bra mediciner åt henne. Det är inte ärftligt, sa hon sedan – och återfall och sådant, nej, det är väldigt sällsynt nuförtiden. De har blivit så skickliga. En av Europas främsta kliniker för ... sådana som Hajna. Och efter femton mil skulle pappa vilja stanna för att sträcka på benen och kanske röka en cigarett (han fick inte röka i bilen), men Conny skulle protestera och han ville inte ha något gräl. Och de trettio milen skulle glida iväg under bilen och lägga sig bakom dem, och ingenting skulle mera sägas om denna dag. Hädanefter skulle de bara vänta på ett telefonsamtal, ingenting annat.

Jag är frisk nu. Jag är ute igen.

Jag reste mig från stolen men var plötsligt så tung. Conny dröjde kvar i rummet, jag blev inte av med henne. Jag gick ut i korridoren, nerför trappan och ut ur sjukhuset. Upp till Brønnen. Satte mig vid strandkanten och såg ner i verkstaden. Långsamt kom Döden till synes. Han stod hukad och jobbade med sitt kärrhjul.

– Är du trött, Döden? frågade jag.

Inget svar. Men han vred sakta på huvudet. Ville få reda på varifrån rösten kom. Lite av hans ansikte blev synligt under kåpan, en infallen kind, en spetsig haka. Han hade en svart kappa som föll tungt ner mot marken.

– Ja. Trött, sa Döden.

– Det kommer mycket folk?

– Alla sorter. Oupphörligt. En jämn ström.

– Är de ledsna? undrade jag. Jag såg hans händer arbeta. De var starka, smidiga, fingrarna var vita och släta som skalade sälgkvistar, knogarna stack ut som polerade marmorkulor. De kunde reparera allt, de var sega som rötter och mjuka som sämskskinn.

– Nej, inte ledsna. De finner sig tillrätta.

Jag såg elden som brann. Det ojämna jordgolvet, jag kände genom den kyliga majluften värmen från det lilla rummet där han stod, kände att mina kinder blossade.

– Du, fortsatte jag, är det sant som folk säger att några av dem smyger ut och kommer upp till oss levande för att spöka? Gör de det?

Döden vaggade med huvudet inne i kåpan, jag anade ett lite överseende leende.

– Hör inte på dem. Det är gott att vara här. Ingen vill tillbaka.

– Inte barnen heller?

– Särskilt inte barnen.

Jag satt länge och tänkte på detta. Tänk att ingen ville tillbaka.

– Vad ska du ha kärrhjulet till? frågade jag så.

– Ingenting.

– Men varför reparerar du det då?

– Det var trasigt.

Jag nickade ner i det svarta vattnet, mot lågan där nere som brann så stilla. Där var han, några meter, bara några svindlande sekunder borta. Iskallt först, kvävande, och sedan varmt och tätt och mörkt. Jag la mig stilla vid randen av tjärnen. Ställde inga fler frågor, låg bara stilla och tänkte. Så började jag frysa. Jag måste upp på benen, borstade av mig skräpet. Blåste i de kalla händerna.

– Må så gott, Döden. Jag måste gå nu. Du vet, livet kallar. Ingen lugn och ro.

Han hade redan glömt mig men vände på huvudet när han hörde rösten.

– Det måste du.

– Men det bryr väl inte du dig om.

– Jag bryr mig när du kommer.

Sakta gick jag tillbaka genom skogen. Jag kunde ha ätit en bulle och hellre struntat i kvällsmaten. Conny skulle ha blivit lycklig. I stället hade jag avvisat henne. Bullen var själva Conny. Nu var det för sent.

*

9 maj 1978.

Kristdemokraternas bortförda ledare, Aldo Moro, återfanns äntligen. I bagageutrymmet i en Renault 4, mitt i Roms centrum. Elva kulor hade genomborrat hans hjärta. Han skrev ett brev till sin hustru Eleonora.

"De har sagt att jag ska avrättas ganska snart. Jag omfamnar dig. Ge barnen en kram från mig."

Samhället hade knäsatt en viktig princip: en medborgares liv får inte gå före landets lagar.

Vårt vapen är kompromisslöshet.

Han låg på rygg i bagageutrymmet med huvudet vänt åt vänster, en vit hand över magen, benen brutalt tillbakaböjda. Skäggig, smutsig. Ynkryggarna ringde anonymt, förstås, och berättade var han var. På Via Michelangelo di Caetani.

Jag föreställde mig ett skott genom hjärtat. Den våldsamma chocken när kulan gick genom skinn och ben, rätt in i hjärtmuskeln, och så en till och så en till och så en till... Jag satt framför teven och lyfte en imaginär revolver medan jag avfyrade den mot skärmen, mot en av regeringsmedlemmarna som hade varit ute och knäsatt principer, jag sköt elva gånger. Det var mycket. Hans kropp måste ha blivit kringkastad, omruskad och omskakad. Jag kunde inte fatta de elva kulorna, två eller till nöds tre. Men inte elva. Jag reste mig och gick. Jag hade hela tiden hyst en naiv tro på att De röda brigaderna skulle ge upp av utmattning. Men jag

178

var ju naiv. Så tänkte jag på Döden och verkstaden, och att Aldo Moro var där nu. Jag såg hans ansikte i skenet från lågan, det var inte längre pinat och plågat.

Till slut var jag inne på Varden. Helt inne. Jag skulle vara där länge. Conny och pappa var en vändpunkt. Jag trivdes, på ett konstigt vis, i denna händelselösa tillvaro av möten och grupper och måltider, som jag bara delvis intog, och timmarna på arbetsterapin med Åsa, där jag flätade korgar, och ridtimmarna på Greven och samvaron med några få utvalda. Formel, Korian, Moffa, då och då Erkki. Han var bara sexton år, men jag tänkte alltid på Erkki som en gammal man. Tänkte på en husky när jag såg hans glänsande ögon. Hans hy var ärrig och mycket blek. Sonja brukade säga att vad Erkki behövde var en ordentlig djuprengöring av hyn och en lätt slipning och lite solarium, och till slut ett besök hos frisören. Han hade smala handleder och mycket långa fingrar och var så mager att man nästan inte kunde tro att han hade några muskler överhuvudtaget. Feta Freddy var också gammal. Han såg ut som femtio men var bara trettiofyra. Det var oroväckande.

Och så en dag, en eftermiddag, stod Odin i dörren till dagrummet. Hans kropp fyllde upp hela öppningen. Han nosade i luften, för middagen närmade sig.

– Odin! skrek jag. De har kastat ut dig från isoleringen!

– Behövde lite ombyte, sa han. Det luktar fisk. Är det räkor i såsen?

– Aldrig i livet.

Jag sprang fram till honom och ruskade lite i den smutsiga skjortan, lycklig och förtjust över att se honom igen. Han var som vanligt, skäggig och ful.

– Ville du själv? Ut till oss?

– Jaja. Ombyte förnöjer.

– Och Tussi, sa jag. Hur är det med honom?

– Han kommer, han också. Han vill vara i närheten av mig. Det är egentligen märkligt, så ogudaktig som jag är. Men han har aldrig haft någon far, stackarn.

– Han kommer inte att överleva här ute.

– Nej. Ingen överlever. Det trodde jag du visste.

– Kom så tar vi ett bloss!

Vi satte oss och rökte.

179

– Hur visste du att de skulle flytta mig? frågade han nyfiket. Då, när du kom på besök?

Jag berättade för honom om avlyssningsstationen i städskrubben.

Det tyckte han var roligt. – Vad säger de där inne?

– De har en massa omröstningar, sa jag. Det konstiga är att de alltid är eniga. Jag kan höra hur de nickar och nickar.

– Du då? sa han. Äter du?

– Så lite som möjligt. Men jag håller mig på benen. Aldo Moro är död, sa jag sedan.

– Jag vet. Elva gånger.

– Vilken grupp ska du gå i?

– Ingen aning. Är Freiner fortfarande sjukskriven?

– Ja. Jag undrar vad han håller på med.

– Det finns inte så många alternativ när det gäller Freiner, sa Odin.

Jag frågade inte mer. Jag ville inte avslöja min okunnighet för en universitetsutbildad man med tatueringar och tre miljoner på banken. Korian kom trippande. Han såg respektfullt på Odin, bugade och skrapade, närmade sig sidledes, som en krabba.

– Jag ber att få upplysa om att mitt namn är Korian, sa han försynt. Jag ber om ursäkt, men jag känner inte igen ditt ansikte, kan det vara så att du är ny här?

– Absolut inte, sa Odin. Jag kommer från isoleringen.

– Då ber jag få tillägga att jag ur djupet av mitt hjärta hoppas att du är ute på öppna avdelningen av fri vilja.

– Fri vilja? skrattade Odin. Det finns ingen fri vilja. Jag är en pappersbåt och jag tar in vatten. Niagara dånar i fjärran och antagligen hoppar jag över relingen i god tid före det stora fallet. Men, alltså, jag bad att få komma hit, om det är det du menar. Sa Odin och rullade en cigarett. Han såg upp i Korians ansikte och log brett. – Du talar ett vårdat språk, Korian, sa han. Det är en fröjd att höra dig. Inte många som talar så längre.

Korian rodnade.

– Var har du gått i skolan? förhörde sig Odin.

– I Tokyo. På ambassaderna. Runt om i Europa, men mest i Tokyo. Faktiskt ända från barnsben. Min far, Diplomaten, lärde mig att trilla in i alla sällskap, som en kula. En blänkande kula. Diplo-

180

matins ädla konst. Jag rullar tyst in och ligger där så att du kan spegla dig i mig. Vad du än säger till mig, kan jag inte falla omkull för jag ligger ju ner. Jag trillar ut igen också, när du har speglat dig färdigt.

Han trippade några gånger på stället vila och log intagande.

– Många människor har annars en tråkig tendens att dra på smilbandet varje gång jag öppnar munnen. Det värmer mitt hjärta att det trots allt finns bildning. Till och med här, avslutade han.

– Odin arbetar på universitetet, upplyste jag. Han är väldigt bildad.

Odin satte fyr på en Rød mix. Det dråsade glöd och djävulskap i knät på honom.

– Vill du kolla middagen, Korian? frågade jag. Odin är väldigt nyfiken på såsen. Vet du något?

Korian kråmade sig över det viktiga uppdraget. Han bugade tre gånger och försvann. Var borta i tio minuter och kom trippande tillbaka. Kinderna glödde.

– Kockan upplyser att fisken är sej. Sej är faktiskt en utmärkt fisk, egentligen lite misskänd om ni frågar mig, men den har fastare kött och mer smak än många andra fisksorter. Det är något med människor och mörkt fiskkött, det cirkulerar en del myter, ni vet, döda sjömän och allt det där, men det behöver jag ju inte upplysa er om, ni är bildade människor båda två. Men sej, alltså. I en ljus grönsakssås, säger Kockan. Den är gjord på skirat smör, salt och peppar och dill och lök och broccoli vid sidan av. Hon lägger den i prydliga buketter på fatet med små smörklickar ovanpå. Ja, inte riktigt smör. Margarin. Och naturligtvis den vanliga kokta potatisen beströdd med dill.

Han drog efter andan och väntade spänt på Odins reaktion. Odin nickade.

– Inte illa. Men det kunde ha varit räkor.

– Det kunde det ha varit, sa Korian och var innerligt överens. Det är något med räkor, det sitter långt inne, jag har aldrig förstått det där. Vi talar ju inte precis om hummer heller.

– Nej, skrattade Odin, det skulle bara fattas. Hummer på Varden! Har du tänkt på det, Hajna, att om du vill smaka hummer igen innan du dör, så måste du skriva ut dig?

– Igen? sa jag. Jag har aldrig smakat hummer.

– Får jag framföra ett förslag i all blygsamhet, sa Korian. Vi skulle kunna få permission och äta hummer på stan.

– Och återvända hit?

Odin smakade på detta. Åka till stan. Gå på restaurang. Vita dukar, blanka bestick, stärkta kypare, och den min de får då man beställer hummer. På Café Engebret. Med vitt vin till, eller kanske champagne. – Äta hummer och dricka vitt vin. OCH ÅKA TILLBAKA HIT? Uppriktigt sagt, det går inte an. Jag dör hellre utan den hummern.

– Du kunde få lust på livet igen? skrattade jag.

– Just det. Och nu har jag verkligen slitit för mitt beslut, så nu släpper jag det aldrig. Det var därför jag tänkte på räkorna, sa han beklämd. De kunde ha varit en ersättning.

– Vi kan samla ihop till räkor och äta dem i teköket, menade Korian. Med vitt bröd och vitlökssmör och färsk persilja.

– Och citronsoda? sa jag tvivlande.

– Hm, det är möjligt, om ni alltså glömmer det jag nu säger och inte kastar det tillbaka på mig på något gruppmöte eller så, det är fullt möjligt när outbildad personal har vakten, som till exempel Cato eller Mulatten, att smuggla in det otroliga. De är så fega, de stannar i dörren och kikar in, och det enda de tänker på är att på det här passet ska jag inte ha något bråk. Det är det värsta de vet.

– Smuggla in vitt vin?

– Vi köper det på stan och häller över i citronsodaflaskor.

Jag blev tyst. Jag tänkte på räkor. Stora, rosa, salta räkor med den lilla eleganta knorren på stjärten och några kvarglömda känselspröt som knastrade mellan tänderna. Och färsk citron. Majonnäs. Gul och fet majonnäs. Jag stängde munnen för att dräglet inte skulle rinna över kanten. Formel kom in. Han hade lyssnat en stund.

– Problemet är att om ni åker fast så blir ni utkastade. Mister platsen. För, för brott mot reglementet. Skulle inte vilja offra den för räkor och vitt vin, sa han.

Odin spratt till. De stod och såg på varandra innan ett brett leende visade sig i bådas ansikten.

– Två gånger tre gånger fyra gånger fem gånger sex gånger sju! sa Odin med förtjusning i blicken. Det började omedelbart koka i den röda luggen på Formel.

– Fe-femtusenfyrtio, väste han.

– Så! Du har fortfarande lite vett i behåll?

De dunkade varandra i ryggen, Formel höll på att tappa balansen.

Och Sonja kom in. Hon var uppiffad som alltid. Det strålade ur hennes ögon.

– Fyra dagar kvar, sa hon. Jag har köpt en klippdocka med fyra dressar till. Sport och fritid, sommarkjol, gala och bröllop.

Vi nickade och blåste rök bort mot fönsterrutorna och krukväxterna. Disco kom också in. Han hade varit i korvståndet för han tyckte inte om fisk. Fisk gick ju heller inget vidare ihop med tajta jeans och frisyr à la Tony Manero. Jag tänkte på wienerkorv med spänt skinn och kritvitt potatismos och rå lök och räksallad. Brödet några sekunder på grillen, sprött utanpå, mjukt inuti. Han fick syn på Sonja. Han gick fram till henne, jag minns det så tydligt, jag ser det om och om igen som i slow motion. Han böjde sig ner, mjukt, med den spända lilla baken kokett ut. Jag minns att han böjde sig ner och viskade något i hennes öra så att hon vände sig om, och hans mun var alldeles intill hennes ansikte, bara några centimeter från. Hennes leende stelnade. Jag förstod det inte, men jag såg på henne, leendet stelnade och ögonen blev stora, hon såg så konstig ut i ansiktet. Och så. En plötslig snabb manöver, hon reste sig och tornade upp sig framför Disco, som fortfarande log för att han inte insåg vad som hände. Jag insåg heller inte vad som hände, men Sonja släppte allt och grep tag i hans skjorta, hon tog den så att den åkte upp ur byxlinningen, och den linningen var tajt, det kan jag lova, och så skrek hon högt, nej hon vrålade så att vi spratt till i stolarna. Korian ryggade förskräckt och Formel klamrade sig fast vid armstöden på stolen.

– Fan ta dig, Disco, fy fan, du understår dig inte komma rätt upp i nyllet på mig sådär, tror du inte att jag vet att du gör det med flit, va? Din jävla skit, du gör det med flit. Helvete också! Och så tog hon stryptag på honom, och hon var stor, Sonja, och stark också, och farlig. Jag hade aldrig sett Sonja sådan, det sprutade spott ur munnen på henne när hon tog tag med båda händerna och klämde till om Discos tunna vita hals, och ögonen stod ut ur huvudet på honom medan hon skrek och brölade, och vi andra satt som förlamade och fattade ingenting, men Stetson och Kanvas kom springande och började dra i Sonja. Men hon hängde fast vid honom som en kardborre och släppte inte, och det vackra ansiktet var fullständigt förvridet, och jag kände mitt hjärta banka hårt för jag tänkte att det kunde ha varit mig hon velat strypa, och jag visste inte vad det var Disco hade sagt. Men trots sitt raseri måste hon ge sig för Stetson och Kanvas, och allteftersom hennes fingrar släppte taget började hon sjunka ihop på golvet medan hon skrek hjärtskärande. Omsider gick skriken över i gråt, först våldsam, sedan mer och mer smärtfylld, och någon sprang för att hämta Kandahar och i dagrummet började en illavarslande tystnad breda ut sig. Jag glömde slå askan av cigaretten. Jag satt som stelfrusen och såg på det som var kvar av Sonja. Sminket rann i svarta strimmor nerför ansiktet, det plöjde djupa spår i det tjocka lagret av puder och krämer och hon hade bitit sig i läppen och blödde. Disco hade sjunkit ner i en stol. Han såg ut som om fan hade uppenbarat sig för honom. Stetson kastade en blick på honom och sa: Det här får vi tala om senare. Jag såg dem släpa bort Sonja och såg på Odin efter en förklaring, för jag såg på hans ansikte att han förstod allt. Han förstod som vanligt allt. Stetson vände sig ett ögonblick om i dörren och såg på oss.

– Ta det lugnt gott folk, sa han. Så var de borta.

I tystnaden som följde ägnade sig Formel åt att räkna höga tal, höga som hus, och nu jobbade han med svaren. Korian visade sig i dörren igen, han närmade sig soffan med pyttesmå steg, och Moffa anslöt sig, han hade hört oväsendet och ville höra om han kunde göra något, och Stormcentret, som för övrigt var på väg in i manin och ökade till orkanstyrka, hade nytvättat hår och det hade jag aldrig sett. Det var ljust som på bilden ovanför hennes säng. Och Ruben gungade in och kastade med det långa mörka håret, och jag sa till Odin: Vad fan var det som hände?

Han tog god tid på sig. – Där rök vårdnadsrätten, sa han.

– Känner du Sonja sedan tidigare?

– Ja.

– Men vad var det?

– Nja, jag har inte svar på allt. Men jag kan tänka mig att Disco har varit på vägkrogen och tagit sig en halvliter. Eller två. Det händer att han gör det. Och så kommer han hit och andas på Sonja. Rakt i ansiktet på henne. Och så! Fjutt!

Han knäppte med fingrarna. – Ignition!

Jag stirrade oförstående. – Ignition?

– Tändning. Sonja är alkis.

Han reste sig och gick ut i köket för att se om det var något på gång där. Länge satt jag och tänkte på Sonja och det jag hade sett. En pust öl hade tänt en hel eldsvåda inom henne. Jag mindes Spektaklet och hur hon skrek. Och min egen kropp som skrek efter mat. Jag gick sakta ut ur huset. Misskänd eller inte, jag ville inte ha sej. Det var molnigt och kallt, ingen vår alls då jag gick bort mot Brønnen. Jag satte mig vid strandkanten och såg ner i Dödens verkstad. Han putsade inte längre på kärrhjulet, nu höll han på att olja det.

– Det finns inte hopp för någon, sa jag bestämt.

Döden oljade vidare. Han hade gott om tid. Inte var han särskilt pratsjuk heller.

– Väntar du på mig? sa jag högt. Olja, olja. Långa fina stråk med tjock pensel, de långa vita händerna lyste i lågans sken.

– Nej, sa han. Väntar inte.

Jag blev stött.

– Vill du inte ha mig?

Han doppade penseln. Jag kände lukten, mild och tjäraktig.

– Du kommer när du kommer.

Jag lyfte blicken mot himlen, den var grå och tröstlös. Jag kunde inte föreställa mig Tussi nere i den mörka verkstaden. Antagligen skulle han vända i dörren. Han skulle väl till himlen där det var ljust och rent.

– Finns det andra ställen? sa jag på försök.

Inget svar. Han tyckte väl att han hade sagt för mycket. Jag såg in i den täta mörka raden av svarta granar som omringade tjärnen. De stod tysta, som om de vaktade en hemlighet. Det fanns inga svar någonstans, bara ett stilla sus. De hade väl givit Sonja något nu. Mogadon kanske. Fort ut ur denna förtvivlan! De orkade väl inte se den. I morgon skulle hon vara tung i huvudet och full av ånger och förklaringar. Skylla på Disco. Ungen var utom räckhåll för lång tid. Det enda hon hade att sträva efter hade glidit henne ur händerna. Jag var glad att jag inte hade något att förlora. Det knäckte till i en kvist. Jag vände mig om. Formel stod och sparkade i marken.

185

– Jag har tillstånd att gå ut inom området, sa jag morskt. Du behöver inte följa efter mig.

– Vet det, sa han och sparkade på.

– Hur går det med Sonja?

– Kuratorn kommer. De ska prata om det.

– Då blir väl allt bra igen, sa jag ironiskt.

Han hostade och skrattade till. – Sonja är sitt eget fängelse, sa han lågt. Och ungen, ungen är nyckeln ut.

Han var så spenslig och mager där han stod, delvis gömd mellan två träd. I tunn skjorta och byxor som väntade högvatten och sockor med uttänjda resårer. Snabbt fick han upp trasan.

– Hon har druckit hela tiden, eller hur? Medan hon har varit på Varden? Annars skulle hon inte ha tänt till så, inte efter flera månader?

– Vet inte, sa han tyst.

– Men hon har ju fullt av ormägg under huden?

– De har väl lösts upp. De upplöses av sig själva och förlorar effekten. Efter ett tag.

Jag nickade att han kunde sätta sig om han ville. Jag var inte sur längre, det var trevligt med sällskap.

– Säg mig, sa jag, hur du har blivit så bra på att räkna.

Han log blygt. – Jag har en egen formel.

– Men var har du fått den ifrån?

Han tänkte länge. Knep ihop de gröna ögonen. – Jag hittade den en gång. När jag var liten, liten pojke.

– Var hittade du den?

– Inne i ett ljud.

– I ett ljud? Förklara.

– Jag hörde ett ljud. Något som väste i mitt öra. En mörkrandig skugga. Då såg jag formeln. Den var så klar, så klar och tydlig.

– Skrev du upp den?

– Nej, nej. Jag kan inte skriva den.

– Förklara den för mig! Hur ser den ut?

– Vet inte om det går, sa han och ansträngde sig. Den ser ut som en rad karameller i olika färger. De bildar ett vackert mönster.

Han tystnade plötsligt. Jag nickade som om jag förstod.

– Jag sitter här och talar med Döden, bekände jag.

Han stirrade på mig.

– Du tror mig inte, sa jag surt.

– Visste inte att han sa något, mumlade han och ryckte upp gräs och mossa med fingrarna.

– Det är en fråga om att lyssna. Allt har en röst.

– Ja. Det är sant. Varden står och darrar.

Jag borstade av byxorna. – Varför säger du det?

– Jag känner det när jag står stilla i korridoren. Det vibrerar, svagt. Nu på sista tiden tycker jag det har blivit starkare. Som en darrning. Det är sjukt.

– Blir det värre?

– Värre? Du menar sjukare? Jag säger bara vad jag hör.

– Det är väl oljepannan i källaren.

– Alla skyller på den. Så fantasilöst.

– Kom. Vi går. Jag fryser och är trött. Jag vill ligga i min säng.

– Det går bra. Cato är ledig idag.

Sonja uteblev resten av dagen och hela nästa. Men så dök hon upp till middagen och såg ut som en furie. Det annars så vackra ansiktet hade ett bistert uttryck, blandat med förlägenhet för det som alla hade sett. Men hon var trotsig och den kraftiga hakan talade sitt tydliga språk. Ingen fick prata med henne, munnen var ett mörkt blixtlås och ville inte yttra ett ord så länge måltiden varade. Stetson hällde upp saft och skickade kryddor och grönsaker med en snabb blick på min sparsamma portion och därefter på mig.

– Begriper inte var du har de där femtio kilona, sa han.

– Här uppe, sa jag och pekade på huvudet. Här uppe är det rent bly.

– Du blir vägd regelbundet, eller hur?

– Tror du jag fuskar? fräste jag.

– Det sa jag inte. Jag är intresserad av dig.

– Litar vi inte på varandra? sa jag och himlade med ögonen.

– Inte helt och hållet.

Hans blick var forskande och mycket bestämd.

– Du kan tala med Mor. Jag får ta av mig allting. Utom trosorna.

– Tar hon blodtrycket på dig?

– Ja.

– Jag begriper inte att du håller dig på benen.

– Ren viljestyrka, svarade jag.

– Tänk på allt du hade kunnat använda den viljan till! Du är fan i mig istadig som en åsna, Hajna. Du kan komma så långt du vill.

– Men jag vill ingenstans.

– Jag begriper inte vad som bor i dig, sa han tankfullt.

– Diskvatten, sa jag kort.

Det var ingen på Varden som jag tyckte så mycket om som Stetson, och det var svårt för mig att inte visa det.

Efteråt gick jag till städskrubben. I början kunde jag bara urskilja enstaka ord, men efter hand tränade jag upp örat att höra mer. Det var bara två röster, en mansröst och en kvinnoröst som jag kunde uppfatta. Hedda och Kandahar.

– Barnet, hörde jag. Framför allt.

– Mm. Mummel mummel.

– Inaktuellt. Kommer inte på tal. Minst ett år. Fosterhem. Nu på söndag. Mummel mummel. Bara med ledsagare. Instabil.

Jag tänkte: Stackars Sonja. Men dagen därpå kvicknade hon till och började glädja sig igen. Hon var dum som en gås, Sonja.

– Hon kommer hit. Med någon från barnhemmet. Nu på söndag. Ni ska få se vad söt hon är, jag har slagit in klippdockan, och nu dröjer det nog inte så länge tills vi får flytta in i en liten lägenhet, hoppas jag, och ingen ska få komma innanför den dörren raka vägen från puben och stå och andas på mig!

Men vi tänkte. Vi lyssnade till den upprymda rösten, med ett litet inslag av desperation, och började vänta, vi också, på att det lilla underverket skulle klampa in i rummet. Med följe. Och det dagades, och Sonja väntade medan hon vred fingrarna och ideligen hade upp fickspegeln för att kolla sminket och läppstiftet och ge ansiktet en omgång till med puder. Hon satt och hoppade i stolen. Såg ut genom fönstret, ner på armbandsuret, ut genom fönstret, tände en cigarett, och väntade. Och vi väntade. Ruben låg i stolen med benen över armstödet. Han hade nytvättat hår och en ny kajal med en anstrykning av lila som klädde honom. Han såg beundrande på Stetson, som hade tillbringat ett par dagar till fjälls (kompledigt) och fått en snygg gyllenbrun nyans på kinderna. Stetson blinkade tillbaka. Och en bil gled upp framför Varden. Sonja rusade till fönstret och började hoppa upp och ner framför krukväxterna, så tvärvände hon och försvann ut ur rummet, och

188

ett glädjetjut hördes in till oss. Korian stod vid fönstret och rapporterade.

– Återseendets glädje är alldeles hänförande, det kan man kalla äkta kärlek, alltså den mellan mor och barn, naturligtvis fullständigt omöjlig att förstå för en man, närmast överjordisk. Och där är barnet. I grön sammet och vita strumpbyxor, det måste vara kallt, hon skulle ha haft kalasbyxor utanpå, stackars liten. Och där är förklädet. Det är minsann en karl, han har röd bussarong. Jag vet ju vad jag tycker om karlar som klär sig i bussarong, men en blå går till nöds an. Vad en röd beträffar är jag mer betänksam. Men, men. Nu kommer de in. Nu kommer de, hör ni!

Och alla stirrade som hypnotiserade mot dörren, där Sonja dök upp med en liten mini-Sonja bredvid sig, med mörka korkskruvslockar och grön sammetskappa. Hon var så liten och rund och söt och ofördärvad att alla bara satt och gapade. Hon tvärstannade och höll hårt i Sonjas hand. Jag var helt betagen. Jag såg hennes röda kinder och kritvita tänder och den lilla röda munnen som en nyponros och knubbiga små händer och runda knän under strumpbyxorna. Hon hade säkert skrattgropar på knäna, det hade säkert Sonja också. Jag tänkte på marsipan och chokladpudding och hallonfromage med vispgrädde när jag såg på barnet. Ville äta upp henne, sakta, med liten sked. De skred in över golvet. Odin vände sig om, han stod och bläddrade i en kokbok som han hade hittat på hyllan och var mitt i flambering av oxfilé. Han såg barnet. Jag såg att han såg barnet. Hon var vacker som Carmen. Så skakade han sorgset på huvudet.

– Jag må då säga, vilket fint väder ni har fått, sa Korian kokett och slog ut med handen mot solskenet utanför. Sonja visade alla sina pärlvita tänder och nickade. Solen var för dem. Den röda bussarongen visade sig. Han var skäggig och lockig, en lång räkel med spetsiga knän under manchesterbyxorna. Just då kom Erkki in. Det var så sällan han visade sig i dagrummet att alla stirrade förvånat på honom. Han stod i dörröppningen, svart och ovårdad som han brukade, stod som ett ont varsel. De tre skulle ut. Barnet stod mellan dem och väntade, tittade snett upp i Erkkis vita ansikte med de lysande ögonen. Hon tvärstannade. Erkki stirrade ner på henne. Jag började med ens frysa på ryggen. Hon ville förbi, men han stängde vägen för henne. Hon gick till höger, Erkki gick till höger, hon gick till vänster och Erkki flyttade sig till vänster. Han log inte, bara stirrade på henne som om ögonen ville säga något, men inte ett ljud kom från hans sammanbitna mun. Sonja rynkade pannan, så blev hon irriterad, tog barnet om axlarna, knuffade på och plogade ungen igenom. Erkki gled motvilligt åt sidan och släppte förbi dem. Han såg långt efter dem och kastade dramatiskt med det långa håret. Formel gick till fönstret. Han stödde sig med händerna på fönsterbrädan. Jag reste mig också och ställde mig bredvid honom, följde det lilla sällskapet med ögonen. De var så söta där de gick. Jag hade en otrevlig tendens att hånskratta åt Sonja, hon var så naiv, så förskräckligt tillgjord och dum som ett spån, men jag hoppades verkligen att hon en dag skulle få bo med sitt barn som andra mödrar. Lägga det på kvällen, styra och ställa. Bre små smörgåsar, sjunga sånger om hon kunde några.

– Känn, sa Formel och såg på mig. Till och med fönsterbrädan darrar.

Är du med i statskyrkan? Inte? Du tror inte, säger du? Givetvis inte. Är du alldeles säker? Du tvivlar aldrig? Du ser egentligen vissen ut. Blek och mager.

Är du nyttig på något vis? Gör du en insats? Det finns mycket att ta sig för. Se dig omkring. Har du gjort något åt det? Har du gjort något för världen?

Nej.

Hedrar du din fader och din moder? Nej, det var sant, din mor är död och du tror ju inte. Vi håller budorden utanför.

Är du snäll mot Formel?

Ja. Ja.

Är du ärlig mot Hedda?

Ibland.

Magra svar! Ynkliga svar.

Jag vet, jag vet.

Du har ju vänner? Har du ringt dem?

De ringer till mig. Det är jag som är sjuk.

Du är inte ett dugg sjuk.

Varför är jag här då?

Det är det jag tycker du borde ta reda på. Är du hungrig?

Jämt.

Är det någon som missunnar dig maten?

Något. Vad det nu kan vara. Vet inte. Förstår det inte.

Vad önskar du dig?

Ingenting.

Svara nu ärligt för en gångs skull.

Jag kommer inte på något.

Du får en sista chans.

Fred. Låt mig vara i fred!

Jag tröttnade på att tala med min egen spegelbild. Särskilt som jag inte lyckades uppdriva mer än två röster, som bara stod och bråkade. Jag la mig på rygg i sängen. Tänkte en stund på Aldo Moro. Hur hans bröst såg ut efter elva kulor. Antagligen sprängt i stycken. Jag hoppades ansiktet var oskadat, det såg oskadat ut på teve. Eleonora och barnen ville kanske se honom. Lägga händerna på hans vita kinder, släta som iskall marmor.

Jag slöt ögonen för att dö. Ja, inte på riktigt, jag skulle på sin höjd falla i sömn, men jag brukade leka att jag dog, att jag sjönk inåt och nedåt i ett stort mörker, och det var skönt. En dag skulle det vara på riktigt, och jag skulle sjunka mycket djupare, sjunka i evighet och sedan befinna mig i verkstaden. I det dammiga, varma rummet med den eviga lågan. Jag tänkte på Sonja och barnet. De var ute och gick en runda, strosade omkring under den iskalla solen med bussarongen i hälarna. Jag undrade om han deltog i samtalet eller drog sig undan och gjorde sig osynlig så att mor och barn fick vara ensamma med varandra och sin oändliga kärlek. Söndagar var hopplösa. Det hände ingenting, jag hade dödtråkigt. På söndagarna låg hela huset öde. Var det kanske ett friskhetstecken att jag hade tråkigt? Borde jag ha varit ute bland de levande och gjort min plikt? Antagligen. Vad kostar det att ha mig på Varden? Ett par tusen per dygn kanske? Och jag som inte åt ens en gång. Ändå kostade jag lika mycket som Odin och Moffa och Feta Freddy. En del hade rest hem på permission. De reste på fredag kväll och kom tillbaka på söndag, enligt reglerna före elva på kvällen. Om man frågade vad de hade gjort under helgen, kom de dragande med mammas söndagsmiddag och efterrätten som de hade fått välja själva. Eftersom jag inte var särskilt trött bestämde jag mig för att duka ett bord i fantasin, bara för mig själv, och ha

191

det lite mysigt. Vit duk. Nej, blå duk. Ett litet bord, det stod intill ett fönster och det var mörkt ute, jag såg ljusen utanför, det var havet, lyktorna bildade sicksackmönster i det svarta vattnet. Inte mycket mat, ingen orgie, bara en enkel måltid. Vitt bröd med knaprig gyllenbrun skorpa. Riktigt smör. Mjukt efter att ha stått framme en stund, och ett kokt ägg, löst inuti och hårdare utåt, och en skål med apelsinmarmelad, och en bit ost, kanske en god brie, och en liten bit skinka, mager naturligtvis, och ett kyckling-lår med knaprigt skinn, rykande varmt, och en liten bit rökt lax, och räksallad och ett par kräftstjärtar, gärna frästa i vitlökssmör. Leverpastej. Knaperstekt bacon. Glaserad anka med apelsiner. Jag somnade och drömde att jag badade i vispgrädde, i chokladsås, i maräng, jag tvättade ansiktet i smält gräddglass, simmade om-kring på rygg i ljummen nyponsoppa med gräddklickar, jag var en enda stor mun, jag var så hungrig att jag höll på att drunkna.

Så vaknade jag med ett ryck.

Det hördes springande steg och röster. Moffa vrålade och Stet-son försökte lugna sinnena. Det slog i dörrar, fler kom till, jag låg fortfarande tyst och lyssnade. Nyfiken? Ja. Men inte mycket. Nå-gon hade haft sönder något, kanske vält något, och någon hade utnyttjat tillfället att ställa till med annat bråk, låtit sig dras med så att säga, och bagatellen, som det givetvis handlade om, fick inte förstoras upp till något mer. Ett gräl kanske, jag tänkte på Storm-centret, nu mer känd som Orkanen, i kollision med Vänligheten, det hade hänt förr men aldrig blivit något värre. Jag sträckte på den magra, pojkaktiga kroppen (Catos ord) i sängen. Magerheten hade givit handlederna en elegant böjning de aldrig hade haft ti-digare, och jag hade dessutom (observerad i spegeln samma mor-gon) fått en dramatisk, blå, pulserande ådra i tinningen som inte hade synts förut. Oron nere på första våningen steg och sjönk, steg och sjönk, som en begynnande panik som de försökte tygla. Och så Kandahar, den djupa basen genom surret av röster. Full kontroll. Kontroll för tusan!

Jag vände mig försiktigt på sidan och lät benen falla ut över sängkanten, låg så i några sekunder innan jag försiktigt sköt ifrån med händerna och hävde upp överkroppen, men fortfarande med huvudet hängande framåt. Huvudet var det sista jag lyfte, jag gjorde det med slutna ögon och till sist var jag uppe. Jag öppnade ögonen och såg rakt på Korian. Han trippade och trippade som om han stod på nylagd asfalt.

– Dåliga nyheter borde man hålla för sig själv, men du får ju veta det förr eller senare, och jag tänkte att det kanske var bäst att du fick veta det fort så att du kan låta det sjunka in långsamt innan du går ner till dagrummet och hör alla spekulationerna som pågår där, för de är inte få! sa han och drog efter andan.

– Spott ut, sa jag.

– Nåja, hm, jag har inte för vana att spotta, det är ett oskick om du frågar mig, men det bar sig inte bättre än att, ja, nu har vi bara bussarongens ord på det, alltså den röda bussarongen, att Sonja och barnet ville in i butiken och köpa en glass. Till barnet alltså. Och bussarongen väntade utanför. Han är ju inte så hemmastadd här ute, faktum är att han aldrig har varit här förr, men han väntade alltså utanför, det skulle väl räknas som en vänlig gest, mannen är med andra ord en omtänksam själ. Och Sonja gick in. Med barnet.

Han såg på mig med stora ögon. De var bräddfulla av bekymmer.

– Ja? sa jag medan jag tyglade min otålighet.

– Och han väntade och väntade. Och det förunderliga hände, och hur skulle den stackarn kunnat ana det, han är ju bara en enkel socialkurator och känner dessutom inte till området, men faktum är, Hajna – det kom ett litet stönande från hans mun – faktum är att de kom aldrig ut igen.

Han tystnade. Jag såg på honom, vände huvudet mot fönstret, såg den iskalla solen darra på himlen. En gonggong av platina. Nu klingade en olycksbådande djup ton som svängde och svängde mot fönstren.

– De gick ut genom den andra dörren, sa jag matt.

– Just det. Det gjorde de! Han visste inte att det är två ingångar till butiken, eller utgångar, hur man nu ser det, de gick rätt och slätt ut den andra vägen. Och försvann. Det är över en timme sedan och nu letar de överallt. De har ringt till familjen, men hon är inte där. Hon går omkring med barnet någonstans, och ingen vet var och ingen vet vad hon har tänkt göra. Jag måste få tillägga att bussarongen är rätt så blek. Han darrar i manchesterbyxorna och de har tillkallat polisen.

Jag såg länge på Korian.

– Är du rädd? frågade jag.

– Rädd och rädd. Jag tänker på barnet. Du vet, Sonja. Hon är ju inte helt, hur ska vi säga, i balans.

– Men hon älskar ju ungen. Över allt på jorden!

– Hm, ja. Det blir nästan för mycket av det goda om du frågar mig. Jag teg och stack fötterna i skorna.

*Ungen. Så liten och rund och skör, utlämnad åt Sonjas starka känslor, ensam ute i naturen, utan att fatta något, blint larvande efter den vuxna. De tunna strumporna, kanske hon frös om benen. Jag ville inte veta mer.*

– Vad för slags spekulationer är det som pågår? sa jag ängsligt.

– Ja, du vet. Folk tänker ju det värsta, och några säger att Erkki försökte säga ifrån genom att spärra vägen för dem när de skulle gå. Erkki har ett sjätte sinne, fattar du? Han är ett ont varsel.

Tillsammans gick vi ner till dagrummet. Det var fullt av folk. Odin satt som en hövding och följde alla med ögonen, jag såg hur han jobbade under krullet. Formel räknade. Ruben kom tydligen raka vägen ur duschen, han var blöt i håret. Jag noterade att när hans hår var blött, var det nästan ingenting kvar av det, och jag såg den runda, vackra skallformen alldeles tydligt. Annvor satt i en stol med hunden bredvid, den lyssnade ut i myllret av röster, och jag fick syn på Mor som stod och talade med Kandahar.

– Kommer de tillbaka? viskade jag till Odin.

– Kors, ja. Hon har inte planerat det. Sonja har pengar på banken och de står kvar där. Det sa Kandahar.

– Det kanske hade varit bättre om pengarna hade varit borta, sa jag mörkt. Då visste vi i alla fall att hon hade tänkt företa sig något helt vanligt. Som att resa någonstans, eller köpa mat. Eller ta in på hotell.

– Ja. Kanske.

– Ska vi gå ut och leta? frågade jag.

Han höjde på ett buskigt ögonbryn. – Nej. Det är kvällsmat snart. Vi får pannkakor ikväll.

– Är de ute med bilar?

– Flera stycken. Kanske de har liftat. Sonja är vacker, och med den ungen därtill får hon säkert lift. Kanske de är på väg ut ur landet. Kanske de är på väg till Rom, sa han. De har efterlyst dem på radion. Blir festligt för chauffören att få det meddelandet rakt in i förarhytten på långtradaren.

Efter hand som hela avdelningen på trettiosex patienter och samtliga i personalen hade uppfattat vad som hade hänt, började gruppen upplösas. Kanske nådde nyheten ända in till isoleringen, till Tussi. Vi kunde inte göra mer. Sonja hade tagit ungen med sig och stuckit. Det var ju lätt att förstå. En sista desperat åtgärd, av ren kärlek, självklart, och nästan så att man höll med henne. Erkki syntes ingenstans. Jag lämnade rummet och gick trappan upp till nästa våning, tog ordentligt stöd i ledstången och svängde om hörnet. Erkkis rum låg längst in i korridoren. Han låg på sängen med slutna ögon. Jag stod en stund och såg på det ovårdade håret och de smutsiga kläderna. Försiktigt tog jag några steg närmare. Var ända framme vid sängkanten. Visste att han hörde mig.

– Var är Sonja? sa jag.

Han öppnade ena ögat. Det var ett märkvärdigt ljus inne i allt det svarta håret.

– Utom räckhåll, svarade han.

Orden i sig skrämde mig inte, men sättet han sa det på, som om han kunde se dem någonstans utanför fönstret i ljuset från den vita metalliska solen. Man kunde aldrig veta något med säkerhet när det gällde Erkki, han skickade ut kryptiska meddelanden med fascinerande precision och satte igång alla ens svarta fantasier.

– Det vet du ingenting om! Du är väl för fan ingen spågubbe heller! sa jag.

Han suckade trött och sa tyst: – Vill du vara vänlig och stänga dörren efter dig?

– Nej, sa jag. Så länge har jag inte tänkt stanna här.

Han satte sig halvt upp i sängen, vände sig om och såg på dörren. En djup rynka visade sig i pannan. Sedan hände något konstigt. Långsamt började dörren glida. Den gled sakta igen, som i slow motion, innan den gick i lås med ett klick. Erkki la sig belåtet ner igen.

Du ska veta att jag var alldeles klar och bara måttligt medicinerad, och jag har aldrig varit offer för någon som helst slags inbillning, och inte var jag psykotisk heller. Men Erkki hade stängt dörren bara genom att se på den.

– Var i helvete har du lärt dig det där? skrek jag. Och tog stöd mot väggen.

– Hos magikern i New York, svarade han trött. Jag gick i lära där i flera år. Och lärde mig lite av varje. Det är bara att vilja, Hajna. Ingenting mystiskt med det.

– Nej-hej, stammade jag.

– Man kan träna upp den. Men det tar tid och det kostar på.

– Det var väl korsdrag, sa jag trotsigt. Men det var det inte. Jag såg misstänksamt på dörren.

– Kan du öppna den också?

– Nej.

– Varför inte?

– För att jag inte vill, sa han enkelt. Dörren är stängd. Det var det jag ville.

– Var är Sonja och ungen? återtog jag.

– De är inte tillsammans längre, Hajna. De är inte alls tillsammans längre.

– Det vet väl inte du något om! skrek jag på nytt.

– Var snäll och dämpa dig, sa han trött. Du frågar mig och jag svarar. Om du inte tycker om svaren, får du sluta fråga.

\*

Jag var hos lejonen. Med fyra små barn, jag hade ansvaret för dem. ANSVARET. Inte mina barn, bara några jag passade, jag visste inte hur länge, bara att de var i min vård. Jag tog dem med på en utflykt, det var vackert väder, vi gick i djurparken. Barnen ville se lejonen. Djuren hade en stor inhägnad längst in i parken, en gräsvall omgiven av klippor, träd och högt vajande gräs. Länge stod vi vid grinden och tittade. De små ansiktena inklämda mellan gallerstängerna, det påminde mig om något. Det såg ut som om de ville in, klappa djuren, den tjocka pälsen, rycka i manen på den stora hannen, inte så gul som de andra, nästan gråvit till färgen. Han såg slö ut. Alla var slöa. De låg intill varandra i gräset, viftade då och då på svansen, kanske märkte de att vi stod där vid grinden men de var inte intresserade. Länge stod vi så. Det hade plötsligt blivit skymning, barnen tittade fortfarande, jag tog mig samman, klockan var mycket. Vi skulle tillbaka till någon sorts utgångspunkt, jag minns inte vilken. En väktare kom förbi. Inga andra syntes till så jag stoppade honom och frågade efter vägen ut ur parken. Han sa att parken var stängd. Porten var stängd, vi fick lov att vara kvar till nästa morgon, de kunde inte ge sig till att öppna den stora elektriska porten bara för oss, och det var dessutom ett tidsinställt system, som han inte ville börja mixtra med. Ungarna såg på lejonen. Själv började jag frysa. Vi måste ut! sa jag. Barnen är trötta. Går inte, sa han. Han hade uniform med blanka knappar. Jag frågade efter någonstans vi kunde sova. Han nickade inåt lejoninhägnaden. Hos lejonen, sa han. Ni kan sova hos lejonen. Jag nickade. En smula bekymrad visserligen, men jag var van att göra som jag blev tillsagd, och han såg ju barnen. Han visste att jag hade ansvaret för dem, och han skulle inte ha föreslagit detta om det hade varit farligt att gå in. Det är varmt och skönt där inne, sa han, under träden i den lilla dungen. Han pekade. Öppnade grinden. Ungarna blev förtjusta, de ville gärna in till lejonen. Men jag tvekade. Han såg irriterat på mig, och jag vågade inte protestera så jag gick in. Puffade in de små barnen, in i gräset. Långt borta låg djuren och vilade. Vi satte kurs mot träddungen. Det hade blivit kyligare och mörkare. Väktaren låste grinden bakom oss med en skarp smäll.

Säg åt ungarna att hålla sig lugna, ropade han. Djuren tål inte bråk. Men ungarna var så små och ivriga, de satte av på korta ben och ville närmare, närmare, ville klappa dem och rida på dem och mata dem, som barn vill. Jag sprang efter, hjärtat bankade, jag måste hålla dem samlade men de fick inte se att jag var rädd, barn ska inte se att vuxna är rädda. Jag knuffade in dem i dungen. Talade till dem med sträng röst, att det var sent, att vi måste sova och att ingen fick bråka, för lejonen var trötta och behövde vila. Den stora grå hannen lyfte på huvudet och följde oss med ögonen. Den var kanske trettio meter bort. Låg kvar så och betraktade oss. Ungarna började gnälla. En av dem slet sig lös och satte iväg och jag såg hur den stora hannen spratt till. Manen böljade. Jag sprang efter, jag var säker på att om jag inte snabbt fick stopp på den lilla pojken, skulle hannen resa sig och vara framme hos honom på tre sekunder, sätta tänderna i den späda halsen och rycka och kasta honom hit och dit, och jag hade ansvaret för honom! Jag hann ikapp honom till slut, lyfte upp honom och bar honom tillbaka medan jag viskade förskräckliga, oförlåtliga ord i örat på honom. Om du inte gör som jag säger, kommer lejonen och äter upp dig! Det blev tyst som i graven. Jag hade just krossat en skör tingest, det virvlade omkring mig av tillit som gick i tusen bitar. Jag satte ner honom under trädet. Talade lågt och lugnande medan jag såg på lejonen, och plötsligt kunde jag inte fatta vad vi gjorde där inne, varför vi hade gått in frivilligt. För att man sa till oss det, bara därför. Jag ville gråta. Det var för kallt för att sova. Jag sa åt barnen att sitta tätt ihop och värma varandra, och om de ville kunde jag sjunga för dem. De satt så i ungefär fem minuter, sedan började de gnälla och bråka igen. De ställde sig upp, de for åt alla håll, jag såg på hannen igen, han började bli irriterad på allvar, och två av honorna reste sig också, de såg på oss och därefter på hannen, som om de ville att han skulle lösa problemet åt dem. Skapa lugn och ro i detta deras rike. Och jag sprang efter barnen, lyfte upp dem, ett under var arm och bar dem tillbaka, men de reste sig igen, och jag var så trött så trött och axlarna värkte. Och djuren morrade. Mörkret var tätare, jag kunde inte se dem längre, men de gula ögonen lyste som små lyktor genom gräset. Jag bad inte till Gud, för jag hade ingen, men jag tänkte febrilt att någonstans fanns det en lösning. Och så kom jag på det! Jag hade ryggsäcken med mig. Den låg i gräset och var full med mat. Jag öppnade den och började dela ut mat till ungarna, som glupskt tog emot och belåtet började tugga och smaska, och det var saftflaskor och fruktbitar och en kartong med småkakor. Och de åt. Det var alldeles tyst, bara smaskandet från de små munnarna. Den stora hannen lät huvudet sjunka igen och slog sig omsider till ro. Och ungarna åt. Och maten minskade inte heller, var gång jag gav dem en kaka blev det två nya i ryggsäcken, och flaskorna blev aldrig tomma och barnen blev aldrig mätta, och jag tänkte, medan jag var så lättad att jag kunde gråta: Så enkelt är det. Så länge de äter håller de sig lugna.

Två dagar senare hittade de Sonjas unge. Den gröna sammetskappan var våt av dagg från det fuktiga gräset. Det var inte så långt från Brønnen, träden stod så tätt ihop där, en nästan ogenomtränglig mur av svarta stammar. Kappan var grön och håret var svart, därför smälte hon in. Ögonen var öppna men de såg ingenting, den gryende majhimlen speglade sig i hennes iris och fick hennes bruna ögon att verka lysande blå. Halsen var missfärgad och hon hade inte andats på länge. I mungiporna hade hon rester av uppkastad glass.

Det var som om Varden gick på grund. Den väldiga byggnaden stannade och en tung skälvning for genom murarna och fortplantade sig i korridorerna.

– Ni kan för fan inte vakta någon! skrek Orkanen. Ni är odugliga! Fullständigt utan känselspröt! Vad fan håller ni på med här?

Personalen såg stumt på henne där hon klev omkring och slet sitt hår. Jag såg Formels tunna rygg försvinna ut genom dörren. Jag hörde Korian mumla osammanhängande, han hade inlett en evig vandring uppför och nerför korridoren, han gick som på skenor, med minimala steg, småleendet var borta. Odin skramlade ute i köket efter mat, måste döva förtvivlan med något. Skåpdörren slog, glas klirrade, till slut rev han ut ett knäckebrödspaket från hyllan och började knapra torrt knäckebröd. Vi hörde honom ända ut i dagrummet, smulorna rök, håret stod på ända. Moffa marscherade omkring och plockade upp efter alla som hänsynslöst kastade saker omkring sig, krukväxter, kläder och askkoppar, gardiner som hade rivits ner från stängerna, omkullvälta stolar. Jag satt helt apatisk på en stol och tänkte på barnet. De runda knäna, de svarta lockarna. Efter en lång stund gick jag till städskrubben. La mig på golvet, lossade det lilla plastlocket. På avstånd hörde jag Kandahars röst.

Vad kan vi lära av detta?

Barnet hade givetvis inte dött förgäves, detta kunde de lära sig något av, så som människan outtröttligt söker en mening med allt, aldrig så vanvettigt att det inte … eller vad? Det fanns väl för fan ingenting att lära av detta! Jag kröp ihop på golvet, lyssnade till det låga mumlandet som jag hela tiden blev bättre på att tyda. Tragisk olycka. Mummel mummel. Aldrig visat våldsamma tendenser. Kunde inte ha förhindrats. Ja, ja. Följt alla regler. Trots allt Sonja som gjorde detta, inte omständigheterna. Precis. Tala med tidningarna. Jag åtar mig det. Mummel mummel. Överförs till rättspsykiatrisk klinik. Har mormodern fått besked?

Mumlet bildade ett eget mönster. Inte vårt fel, inte vårt fel, sa det. Det var varmt i skrubben. Det var skönt att ligga där, mumlet verkade rogivande, som en mässande talkör på långt håll. Och därefter en handlingsplan. Mer medicin till de mest uppskakade patienterna, särskilt Orkanen, och Korian och Formel. Övertid för Stetson och Mor med tanke på oroligheterna ute på avdelningen, som var precis som väntat, en normal reaktion innanför dessa väggar, patienterna kände sig svikna, ångesten slog ut som en eldsvåda men de hade brandberedskapen intakt. Någon nämnde Freiner. Jag spetsade öronen. Fortfarande sjukskriven. Hysch hysch. Överväga att ta upp det med ledningen. Håller med dig. Omöjlig situation. Bristande kontinuitet. Host, harkling. Givetvis. Med försiktighet. Bara en tidsfråga.

Jag ställde mig upp och borstade dammet av kläderna. Gick ut genom dörren, svängde om hörnet, ställde mig framför fönstret till personalrummet. Sedan stod jag där som en staty och såg på dem alla, en efter en. De vände ryggen till men svängde sedan runt för att se efter om jag fortfarande stod kvar. Jag stod kvar. Mor reste sig, låste upp, öppnade tio centimeter.

– Vad är det med Freiner? sa jag. De växlade blickar. En plötslig osäkerhet. Någon skakade förvirrat på huvudet.

– Han är fortfarande sjukskriven, sa Mor tyst. Hon var naturligtvis tagen av det döda barnet.

– Stå inte där och prata strunt, jag är en vuxen människa! skrek jag.

– Vi har ingen skyldighet att upplysa dig om personalens frånvaro, sa hon skarpt. Jag är övertygad om att du inser det.

– Korian går och går och han behöver hjälp att stanna, sa jag envist.

– Vi ska hjälpa honom, sa Mor, och bara för att få det sagt, Hajna. Vi har det inte så lätt!

Hon stängde dörren igen. Det hördes ett skarpt klick när hon vred om låset. Jag stod kvar och hängde med huvudet. Någon la en hand på min axel. Det var Moffa. Han tvinnade mustaschen två gånger och såg allvarligt på mig.

– Kom med mig, sa han. Jag ska leta reda på Freiner åt dig.

Jag förstod inte vad han menade.

– Gå upp och ta på dig en jacka och ta busspengar med dig.

– Vart ska vi?

– Vi ska leta reda på Freiner. Du ger dig ju aldrig. Men det är inte säkert att du blir glad.

Jag fattade fortfarande ingenting, men jag gick uppför trappan och in i rummet. Tog ut en gammal brun manchesterjacka ur skåpet och plånboken ur örngottet, där den alltid låg. Gick ner igen till Moffa. Han gick för fort, jag måste hejda honom.

– Du måste få i dig mer mat, brummade han. Du är en eländig vandrarkompis.

– Formel klagar aldrig, flåsade jag och koncentrerade mig intensivt på att inte svimma.

Sedan sa han inte mer. Vi kom ut till huvudvägen. Det var en kraftprestation i sig för mig, men Moffa var så bestämd, det var något han ville visa mig och jag vågade inte klaga. Jag hade själv bett om det. Vi stannade vid busshållplatsen. Det var så länge sedan jag hade stått ute på en väg, sett bilar passera, folk som skrattade och pratade, barn på cyklar. Jag hade glömt hur det var. Ingen såg på oss, vi stod som helt vanligt folk och väntade på bussen. Moffa hade inga ofrivilliga rörelser eller andra överdrivna uttryck. Han var snyggt klädd i svart som vanligt och stod alldeles stilla, bredbent och med händerna i fickorna och fimpen i mungipan. Bussen kom. Vi satte oss längst bak.

– Ska vi till stan? undrade jag.

Han nickade. Jag såg ut genom de smutsiga rutorna på välvårdade hus med pyntade fasader och vackra trädgårdar med blommor och buskar. Bakom varenda ruta bodde det folk, bakom gardinerna höll de på med sitt, små kupor med flitiga bin. Vart hus sin egen ordning, sin egen drottning. Det var maj, men kallt. Jag frös om händerna. Hela tiden steg det på fler människor. De flesta satte sig och såg ut genom fönstren med uttryckslösa ansikten. De såg inte särskilt lyckliga ut. Jag fick dåligt samvete. De satt där och skulle någonstans, hade avtalat om något, givit ett eller annat löfte, och det höll de. De gav inte upp och sprang genom skyltfönster i ren frustration över det omöjliga livet, så som jag hade gjort. Jag var en usel människa, en sådan som gav upp. Inte gitte jag kämpa heller, jag svalt långsamt ihjäl och ansåg att just dessa andra, dumskallarna, skulle hålla hjulen igång om de var så naiva att de trodde på någon belöning till slut. Men det gjorde de inte heller. Ansiktena var utan hopp, kanske med en anstrykning av någon dröm, men en dröm är något annat. Bussen svängde in på torget. Vi stod kvar och väntade tills den hade kört. Moffa spejade runt om.

201

– Förlåt, sa jag, vad ser du efter?

– Freiner. Vi får kanske vänta en stund. Det får du finna dig i, som du tjatar.

Väntetiden tillbringade vi på ett kafé vid änden av torget. Vi talade om barnet. Moffa berättade att Sonja hade strypt henne med sitt skärp, det låg i gräset bredvid, hon hade inte brytt sig om att avlägsna beviset, hade bara dödat ungen och gått sin väg. Och polisen hade talat med Mor och Kandahar men inte med någon av oss. De trodde väl inte att galningarna var i stånd att observera ett dugg, i varje fall kunde man inte lita på dem.

– Var tror du Sonja är? sa jag.

Han ryckte på axlarna. – I helvetet antagligen.

– Det tror du väl inte, sa jag. Det är det fina med Döden, förresten, den är lika för alla. Nu förs hon över till rättspsykiatrisk klinik. Varför tror du hon gjorde det?

– När inte Sonja kunde få henne, skulle ingen annan ha henne heller. Det är ett gammalt slitet motiv. Den försmådde älskaren på sätt och vis.

– Blir det folk av Sonja igen?

– Hon har aldrig varit som folk. Hon hade en snäll granne, sa han. Det kryllar av sådana snälla grannar. Hade du en sådan?

– Nej, sa jag.

Vi drack det beska kaffet och Moffa åt två bullar, bet runt, runt det gula och smaskade i sig mitten sist. Därefter rökte vi, medan han hela tiden såg ut över det stora torget. Det flödade över av blommor och frukt och grönsaker och små tomtenissar att plantera i trädgården (plast, underhållsfria) och hembakt och lottförsäljare. Mitt på torget stod fontänen, den lilla båten där Sankt Hallvard stod och höll om den arma kvinnan, det var kanske sekunder innan båten sjönk och de drunknade båda två. Då reste sig Moffa och spejade utåt. Tog min hand och började sakta gå över stenläggningen. Jag vinglade efter, jag hade rest mig för fort. Blodtrycket sjönk, men Moffa halade och drog mig i armen. Jag såg inte Freiner. Jag såg kärringar och ungar, hundar och duvor, försäljare som ropade och skrek att de hade de bästa bröden, de färskaste blommorna, de största vinstchanserna. Några förvirrade själar med pyttesmå pupiller drog omkring i blindo, de borde ha varit på Varden, tänkte jag, men de fick väl inte plats. Moffa stannade. Pekade in i en gågata, jag följde hans blick, såg en del folk, ungdomar som drev omkring, en man som plockade upp hundlort från asfalten, handen skyddad av en påse. Ett fyllo kom lallande med ena handen utsträckt som en tiggare. Annars ingenting. Ingen Freiner.

Moffa stod kvar.

– Nu ser du, Hajna.

– Jag ser ingenting.

– Freiner, sa han.

Jag tittade en gång till. Fyllot stannade vid en grupp tonåringar, som skamset vände sig bort. Han vacklade och snubblade, kläderna var i oordning, han var skäggig och ovårdad, och det svarta håret hängde ner i ansiktet på honom, som var blekt som döden. Det var Freiner. Jag fick inte luft. Jag sjönk in mot Moffa och hans breda bröst.

– Nej! viskade jag.

– Jo, viskade Moffa.

Freiner vacklade vidare. Moffa drog in mig bakom ett hörn.

– Han är på jakt efter pengar. Sjukpenningen räcker inte till hans törst, den törsten är stor som en öken.

Jag vände mig bort. Moffa släpade med mig ut på torget igen, satte kurs mot en bänk. Jag föll ner på den.

– De kan inte sköta oss, sa jag matt.

– Nej. Det kan de inte. Du måste sköta dig själv.

– Det kan jag inte. Det är därför jag är på Varden.

– Hör på, sa han lugnt. Freiner är periodare. Om ett tag är han tillbaka, nyrakad. Och gör sitt jobb så länge han orkar. Ett par månader kanske. Sedan dricker han igen. Alla vet det. Men det spelar ingen roll. Om han hade varit nykterist, kunde han ändå inte ha beskyddat dig. Varken mot dig själv eller mot livet eller mot döden.

Jag saknade ord. En av Europas främsta kliniker. Tänkte jag och grävde i fickorna efter tobak.

– Varför beskyddar ni honom?

Han log, lite bittert tyckte jag, ner i stenläggningen, medan han skrapade på en duvlort med skospetsen.

– Han känner smärtan. Han är en av oss.

En av oss. Jag snyftade till. Tittade upp igen. Nu var Freiner på väg mot två äldre damer med sjaletter och handväskor. De drog sig ängsligt undan.

– Jag ger honom lite pengar, sa jag snabbt.

Han stoppade mig. – Inte fan! Han skulle aldrig förlåta dig.

– Ska vi bara låta honom gå på det där viset?

– Det är hans liv. Han vill inte ha det annorlunda.

– Men om de sparkar honom från jobbet. Då går det rakt åt helvete, inte sant?

– Det är väl dit han vill. Ni har väl något gemensamt, log Moffa.

Han drog mig med, började gå över bron. Jag stirrade ner i älven, den var tung och strid. Jag ville dö, men inte här, inte på det sättet. Sätt jag inte ville dö på: Drunkning. Hängning. Skjutning. Jag hade en viss sympati för gift, men då måste det vara snabbverkande så att jag inte hann känna något, till exempel ånger. Som det nu var, kunde jag ångra mig när som helst. Det var bara att ta en brödskiva. Jag tyckte om den balansgången, att dels vara bland de levande och samtidigt på väg in i döden. Helt vid sidan av allting. Jag såg upp på Moffa och undrade hur han kunde finna sig så väl tillrätta med livet. Bortsett från att han var morfinist, men alltså bara periodvis. På Varden trivdes han, åt gott, berättade skrönor, såg på teve, spelade kort och satt uppe tillsammans med nattpersonalen och hörde på nattradion, särskilt när Kanvas hade vakten. Det var han nöjd med. Han sa: Bara kroppen får sitt. Han menade mat och sömn.

– Hajna, sa han, gå inte till personalen med vad du har sett. De vet om det. Men de vet inte att vi vet. När de förstår att vi har upptäckt det ger de honom sparken.

– Jag säger ingenting, sa jag. Är det fler bland personalen som har hemligheter?

Han sparkade iväg ett chokladpapper längs trottoaren. Marsipanbröd från Freia. – Använd ögonen, svarade han.

Bilden av Freiner släppte inte greppet. Som jag hade sett honom på gågatan, med håret i oordning och kläderna hängande som trasor runt kroppen, smutsiga och motbjudande. Jag satte upp den bilden mot den andra, sådan jag kände honom från gruppmötena, med håret blankt och bakåtkammat över huvudet, de darrande fingrarna och ögonen som flackade. Där satt han alltså, vecka efter vecka, med törsten som brann i kroppen tills han helt enkelt inte orkade längre utan försvann ut på gatorna för att släcka den. En gryende sympati växte inom mig. Som Moffa hade sagt. Han var en av oss.

Vi var tillbaka på avdelningen. Nu är det värsta över, tänkte vi, nu har nyheten om det döda barnet sjunkit in i alla, de har fått sin medicin och en del har gått och lagt sig, och det är lugn och ordning på avdelningen. De har fått stopp på Korians vandring och Odin är proppmätt, sannolikt sover han på soffan i dagrummet, och Tjuven Tjuven ser på teve, hon följer alla serier. Men vi kom tillbaka till oroligheter på andra våningen. Moffa kände igen skriken och störtade uppför trappan, försvann runt kröken med väldiga språng. Det var en flicka som skrek. Det lät som om hon höll på att dö, jag hade inte hört sådana skrik sedan Platinaspektaklet härjade som värst inne på isoleringen. Det var Kajsa. Flera anslöt sig, men Korian rymde in i en vrå där han stod och höll för öronen. Kandahar kom springande med skjortan fladdrande och jag tänkte att han är åtminstone nykter, alltid något. Kajsa hade nya mediciner. Nu hade hon reagerat på dem också, hon hade svällt upp våldsamt, hennes ansikte var helt oigenkännligt och svullnaden hade gått inåt i munnen och ner i svalget. Hon kunde nästan inte andas. Tungan var uppe i dubbla storleken. Moffa skällde och svor när han skenade iväg i korridorerna och bröt sig in i rummet. Kajsas ögon rullade där hon låg och kämpade för att få luft. Kandahar rundade hörnet och skrek till Mor att hon skulle hämta något, jag minns inte vad, i medicinskåpet. Jag gick sakta uppför trappan och lyssnade till rösterna, de var panikslagna, som folk blir när det inte finns något att göra. Moffa ställde sig på knä vid sängen, öppnade hennes mun och la två fingrar på den tjocka tungan, pressade ner den hårt så att lite luft kunde passera. Kajsa flåsade och flämtade, det kom ett hårt, raspigt ljud varje gång hon våldsamt drog efter luft och inte fick ner den. Jag stannade utanför hennes rum, sjönk ner på golvet.

– Är ni nöjda nu? vrålade Moffa. Nu har ni nästan tagit livet av henne!

Och Kandahars röst, några famlande meningar. En högst ovanlig reaktion. Aldrig sett något liknande. Mummel mummel. Han torkade svetten med baksidan av handen. Mor kom med en spruta i handen, hon strök förbi utan att se mig. De höll på i en evighet med Kajsa. Jag satt med ansiktet i händerna och hörde de knappa rösterna, några korta kommandon, vatten som rann från kranen, någon som öppnade fönstret, prassel i lakan. Sakta men säkert gick svullnaden ner. Efter en stund kunde jag höra hennes andning ända ut i korridoren, där jag satt, tungt men jämnt. Jag ville inte höra mer. Jag ville stänga världen ute. Sakta gick jag nerför trappan, ut genom dörren, över parkeringen, bort till apoteket, ett helt vanligt apotek för anställda och intagna, och köpte en ask Sov i ro. Jag stoppade de små vaxpropparna djupt in i öronen, sköt in dem så långt jag kunde. Stannade till utanför apoteket, såg på den stora byggnaden av sten med tusen blinda fönster. Skriken tystnade. Kvar var bara ett lågt mummel som inte gick att uppfatta. Jag var äntligen döv för världens elände.

*

Jag tog ut propparna ur öronen och gick till Hedda. Att det var så mycket stök på avdelningen förvånade mig. Det klirrade och slog och ringde överallt. Ljud som jag vanligen inte hörde.

– Det har hänt så mycket, sa Hedda allvarligt. Det här med Kajsa. Och Sonjas barn. Ska vi tala om det?

Hon strök över kjolen med röda vallmor.

Jag tänkte länge på Sonja. Såg henne så tydligt för mig, på väg in i skogen tillsammans med barnet. Tillitsfullt, in mellan svarta granar. Jag tänkte på Freiner som vinglade omkring med blodsprängda ögon, sanslöst berusad, och kände att det också hade tagit på mig, men det nämnde jag inte. Det förvånade mig att jag inte sa något, att jag inte kastade det i ansiktet på henne. Sympatin för Freiner förstärktes hela tiden, han som hackade och stammade sig genom möte efter möte med en stor förtvivlan, som han likväl levde med vecka efter vecka. Ner i ett sanslöst mörker föll Freiner. Om och om igen kom han tillbaka. Jag ångrade alla överlägsna tankar, alla elaka infall, alla djävulska stick jag hade givit honom under den gångna tiden. Jag förstod de andra, att de lät honom vara i fred, naturligtvis bortsett från Erkki, han vistades någonstans bortom hänsyn.

– Hajna, sa Hedda. Är du här?

– Du är så duktig med ord, log jag.

– Ord är viktiga. Man kommer långt med ord. Tänk på det.

– Det vet jag väl. Jag berättar saker, och folk tror mig. Det är konstigt.

– Berättar du inte sanningen?

– Tror du jag sitter inne med den?

Hon log.

– Det finns ingen sanning, sa jag. Var och en måste konstruera sin egen verklighet och leva i den. Är det inte så?

– Jo, sa hon och nickade.

– Vem är du, Hedda? frågade jag. Hon svarade inte. Hon log inte längre heller.

– Du svarar inte. Är frågan för svår? Är det inte konstigt, vi vet det faktiskt inte. Men vem skulle veta det om inte vi? Res på dig och gå till spegeln, sa jag. Gör det nu!

Hon såg häpet på mig.

– Är du rädd? frågade jag.

– Nej, rädd? Hon ryckte på axlarna. Reste sig och gick fram till spegeln. Tittade i den.

– Se ordentligt, sa jag. Se noga på dig själv.

Och Hedda såg. Länge såg hon in i sitt eget ansikte. Till att börja med log hon, sedan blev hon allvarlig, därefter nästan sträng. Plötsligt brast hon i skratt och gömde ansiktet i händerna. Ett handlingsmönster jag hade förutsett.

– Vad skrattar du åt? frågade jag. Var det trevligt?

– Vet inte, fnissade hon. Jag vet verkligen inte. Kanske blev det för mycket för mig.

– Det är tufft, inte sant? Att möta sig själv. Vi står i regel framför spegeln för att rätta till något. Håret, eller kläderna. Ansiktet lagt i kontrollerade veck. När vi är färdiga går vi därifrån. Det är något annat att bara stå så, länge. Till slut blir man avklädd och lång i ansiktet.

– Varför? undrade Hedda.

– Därför att man plötsligt förstår att den som man ser där inne är någon man inte känner. Det var därför du skrattade. Så som vi skrattar när vi plötsligt slås av en stor osäkerhet.

– Du är skärpt, sa Hedda. Du har ofta rätt. Det är farligt.

– Nej. Bara nedslående.

– Det är farligt för att du kanske kommer att tackla det dåligt när du tar fel en gång.

*Sanningen, tänkte jag. Egentligen är jag inte vidare imponerad av dig, Hedda. Du är en ivrig och uppriktig hjälpare, det är något du vill och tror på. Men du gör inget starkt intryck på mig. Vad går du hem till, efteråt, när dagen är slut? En stor sorg? Ditt leende är vemodigt. Som om du hela tiden längtar efter något, eller saknar något som kanske har varit. Sover du gott om natten? Du vill veta vem jag är. Jag är allt och ingenting. Jag har tråkigt men jag vill inte underhållas. Jag är ensam men jag vill inte ha vänner. Jag är hungrig men jag vill inte äta.*

– Vi planerar förresten en fest, sa hon plötsligt.

– Jaså, log jag. För att vi ska glömma allt det sorgliga som har hänt?

– Tja, jo. Kanske det.

– Med ballonger och sådant?

– Tja, ja, det blir kanske en del ballonger. Vad är det med ballonger som du inte gillar?

– Ingenting.

– Men det blir lite extra mat. Och läsk till alla. Kanske musik i källaren. Vi riggar upp en stereoanläggning i skyddsrummet. Kanske kan vi få Disco till att dansa.

– Han drack bara en lättöl, sa jag.

– Vad?

– Den dagen då det brast för Sonja. Hon tände, men han drack bara en lättöl. Så ni ordnar en fest. Blir det pizza, tror du?

– Vet inte än.

– Jag tippar pizza och cola. Och ballonger i taket. Och Kim Larsen på stereoanläggningen. Jag stannar nog på rummet.

– Du behöver social träning, menade hon.

Jag log ner i hennes trasmatta. Svart, vit, röd, vit, svart.

– Jag ska berätta för dig vad en fest är, sa jag tyst. Jag ska berätta för dig om doktor Holm och hans fester, den sägenomsusade doktor Holm, självaste överläkaren. Den första festen på detta sjukhus hölls, jag tror det var den tjugoförsta oktober nittonhundraåtta och hade följande traktering. Tjugofem jultårtor, femtio liter varm choklad, tvåhundra småkakor, sex vetekransar, fyra sifoner med ananasläsk, hundra cigarrer, de var förresten gjorda av patienterna själva, levande pianomusik och rödvin.

– Rödvin? sa Hedda tvivlande.

– Till jul fick alla patienterna en påse godis. Hasselnötter, valnötter, krakmandlar, chokladrussin, fikon, äpplen och apelsiner. Och på mansavdelningarna delade de också ut cigarrer, tuggtobak och skuren tobak.

– Du milde!

– Nittonhundratrettioett, den tjugonionde oktober om jag minns rätt, var det fest med teaterföreställning. Dans till levande musik. Och det serverades bönsoppa, torskfilé, lammstek med grönsaker, brylépudding, rödvin, starkvin, kaffe med konjak och likör, och rökverk. Jag menar, slå det med cola och pizza.

– Nej, det blir ju inte så lätt. Har du läst i blå boken?

– Jag läser varje dag. Jag tänker ofta på doktor Holm. Med jämna mellanrum var han runt på alla avdelningar och talade länge med alla patienter. Jag har varit här i veckor och aldrig sett överläkaren. Jag vet inte ens vad han heter. Formel har varit här i en evighet, Korian också, och ingen av dem har någonsin sett överläkaren. Men doktor Holm, han var alltid här. Han visste vad som var på gång, kände igen alla ansikten, också på dem som arbetade här. Han var sträng men kärleksfull. Ofta tänker jag att ni som jobbar på Varden idag kanske tror att allt är så mycket bättre nu, att ni har kommit så mycket längre. Men jag vet inte det. Godhet och omsorg är kanske någorlunda jämnt fördelat genom århundradena. Och att det alltid, i alla tider, har funnits en del vänliga själar. Att man överlever allt, att de överlevde på Dårhuset också om det bara fanns en enda ängel som svängde förbi med jämna mellanrum och strök dem över kinden. Om det finns en enda vänlig själ kan man leva hela livet på det. Inte sant?

– Berätta mer om detta! sa Hedda entusiastiskt.

– Doktor Holm var övertygad om att varje psykiskt lidande var förankrat i kroppslig svaghet. Alla som blev inlagda här måste ta lavemang. Före allt annat skulle systemet rensas. Just den delen är jag glad att ni har tagit bort.

Då skrattade Hedda. – Överläkaren heter Krantz, upplyste hon.

Sedan gick jag och satte öronpropparna på plats igen. Jag gick med dem i dagar. När folk sa något, gav jag dem en axelryckning, ett lite sorgset leende eller ingenting alls. Då och då urskilde jag enstaka ord, någon enda gång, som när Odin skrek, hela meningen. Men i stort sett hörde jag inget annat än ett lågt brummande, i gengäld *såg* jag mycket mer. Jag såg läpparna på folk, hur de formade orden, det gick att se skillnad på vackra ord som jooordgubbar och grääädde och fula ord som avslag. Folk talade olika, en del använde läpparna mycket, andra silade ut orden mellan tänderna, åter andra spottade ut dem, som Orkanen. Eftersom jag inte hörde, fick jag utrymme för fler tankar. Koncentrationen blev djupare. Världen omkring ännu mer ointressant, mörkret ännu tätare. På natten låg jag i ett tätt, tyst mörker. Jag hörde inte längre ljudet av kaffekoppen mot nattduksbordet eller blixtlåset i necessären när Tjuven Tjuven letade efter sitt byte. Jag hörde inte stegen i korridoren utanför när de travade iväg till frukost, men jag kände vibrationerna i sängen. Jag missade hälften av det som hände på gruppmötena och blev ständigt knuffad i sidan av Erkki eller beskylld för att sova dåligt på natten, men så var det inte. Jag sov bättre än någonsin.

Jag lämnade avdelningen och gick inåt skogen. Jag såg löven röra sig, ljudlöst. Fåglarna teg. Någon enstaka gång hörde jag en hund som skällde, om den inte var för långt borta, eller ett flygplan. Inte en fågel faller till marken utan att det är Guds vilja, tänkte jag. Jag trivdes mycket bra i denna tysta värld, som något jag hade sökt efter och äntligen funnit. Men en dag kom Orkanen fram och vrålade rätt i ansiktet på mig: Fan, så viktig du har blivit! Och lite senare kom Stetson och ville prata, och jag anade det värsta. Det bar iväg upp på rummet.

– Hajna, sa han, mummel mummel.

– Va? sa jag.

– ... är det med dig?

Han talade överdrivet tydligt nu, och jag hörde honom.

– Försvinner du för oss?

Jag stoppade fingrarna i öronen och tog ut propparna. Höll upp dem framför honom.

– Det är bara de här. Jag har haft dem länge. Det var härligt.

Hans ansikte just då, och rodnaden som visade sig på hans kinder, det gjorde ont att se.

– Du lurar oss. Har du roligt nu?

– Nej, nej. Jag ville bara vara i fred.

Han blev stum. För första gången tänkte jag att han såg olycklig ut.

– Jag tycker inte om att bli förd bakom ljuset, sa han. Du litar inte på mig.

– Jo, jo!

– Gör inte såhär då! Du följer inte reglerna.

– Jag försöker bara uthärda, sa jag tamt. Och så berättade jag att jag hade tänkt köpa solglasögon och tejpa igen dem helt och hållet på insidan av glasen, och på det sättet skulle jag kunna sitta ute på en bänk på gräsmattan och inte se och inte höra. Och till slut, jag skulle nämligen ta det gradvis, i etapper, skulle jag sluta tala.

– Och vad skulle det vara bra för?

– Det finns ingenting mer jag vill se. Eller höra. Eller säga. Är Sonjas unge begravd nu?

Han reste sig och stoppade händerna i fickorna, sköt upp hatten i pannan. Det fick honom att inte så lite likna James Dean, och då kan du tänka dig.

– Ja. Begravd.

– Var du där?

– Ja.

– Berätta hur det var, bad jag.

– Ja, det var illa. Mer finns det inte att säga. Jag måste dra nu, personalmötet börjar. Och du. Spela med öppna kort hädanefter. I varje fall med mig. Hjälp mig att göra mitt jobb. Kan du inte lova mig det?

Jag pressade ihop munnen. Jag avgav aldrig några löften, det var nämligen så att de måste hållas, det hade jag smärtsamt fått erfara och därför tog jag mig i akt.

– Jag kan bara lova att jag ska försöka. Det är fördömt svårt att spela med öppna kort. Det är det ingen som gör.

Jag såg upp på honom. – Inte du heller.

Stetson rynkade pannan. – Vad menar du?

– Ja, där ser du. Så rädd du blev. För du döljer något. Alla människor har hemligheter. Det är ingenting att bryta ihop för.

– Kasta de där propparna, sa han bestämt. Och så kom han fram till mig och stannade inte förrän han stod alldeles intill mig, bara centimeter skilde oss. Jag kände hans andedräkt över ansiktet och den svaga lukten av tvål och schampo och såg att han lyfte

en hand, tänkte att nu smeker han mig på kinden för egentligen
är han förälskad i mig, men det är förstås förbjudet här inne så nu
träder han, om än försiktigt, över en gräns, och jag hade redan
gelé i knäna och kände hur hjärtat, som vanligtvis nästan inte or-
kade slå, ökade takten, och jag såg in i hans klara ögon, de såg på
mig med ett stilla allvar och i bästa fall var han kanske på väg att
kyssa mig. Men han gjorde inte det. Han stack handen under
lockarna på mig och jag frös på ryggen, höll på att falla emot ho-
nom, när han plötsligt drog tillbaka handen, blixtsnabbt. Det gjor-
de ont. Tårarna sprutade. Så höll han fram handen. Den var full
av ljust hår.

– Du tappar håret, sa han. Tänk på vad du gör. Tänk på det,
Hajna!

Juni kom och gick, iskall och blåsig. Jag gick till Brønnen med
vantar på händerna, satt vid kanten av tjärnen och frös. I tidning-
en stod det att amerikanska soldater behövde tretusensexhundra
kalorier för att kunna fungera i strid, själv var jag nere i fyrahund-
ra. Men jag hade ju slutat kämpa. Jag gick inte längre ner i vikt,
blev bara slappare och tröttare. Ett jordskalv skakade staden Salo-
niki. Sex komma fem på Richterskalan, jag tänkte: De är alltid på
sex komma fem, det är konstigt. Fyrtioåtta människor omkom.
Jag såg dem tydligt för mig där de störtade ut ur husen som rasa-
de, medan de skrek och bar sig åt, letade efter sina barn, vacklade
och föll med händerna över huvudet. Det var VM i fotboll i Ar-
gentina och huvuddelen av personalen hade goda dagar, äntligen
något att fördriva tiden med. Då och då stack jag in huvudet i te-
verummet. Där satt de i mängder, till och med Ruben och Odin,
och stirrade på den vita bollen som rullade. En dag upptäckte jag
att Vänligheten var borta. Jag frågade efter henne. Kanvas såg
förvånat på mig.

– Hon har slutat, sa han.

– Va!

Jag blev mållös.

– Hon jobbar på ett rehabiliteringscenter för trafikskadade.

Jag tänkte: Slutat. Så fräckt. Bara smyga iväg utan att säga ett
ord. Vi var väl inte spännande nog, det var bara att sticka och hitta
något annat.

– Du har säkert fått veta det, log han. Men du hörde det kanske inte?

Var det en aning ironi i rösten? Antagligen hade de haft roligt åt mina öronproppar på personalrummet. Han hade själv vapenfri tjänst och skulle också han lämna oss när tjänstgöringen var över. Alla försvann. Ingen ville stanna hos oss på allvar. Det slog mig att jag kunde åka själv också. Men jag ville ingenting. Inte ut, inte in, inte kämpa längre. Och då sommaren äntligen kom och det blev stekhett, var det som om hela Varden föll ner i en dvala av värme och tristess. Semesterstängda avdelningar. Ännu färre vårdare i tjänst. Nästan ingen på avdelningen under helgerna. Dagarna gled in i varandra, händelselösa och alldeles lika. Vi nådde augusti. Jag såg tillbaka och räknade till fem månader. Jag hade varit på Varden i etthundrafemtio dagar och kunde inte se att jag hade kommit någon vart. Var det mitt fel? Det menade Stetson. Någonting hade börjat brumma uppe i hjärnan, en skorrande ton, kanske rastlöshet. Någonting höll på att tränga fram. Äntligen ett slut på tristessen, en vilja att komma över i något annat. Ett litet hyresrum. Ett enkelt jobb. Pengar varje månad. Några få vänner. Vad mer kunde man önska sig? Och Hedda åkte till Kreta på semester, och jag var utan samtalen i tre veckor och det slog mig att jag saknade dem. Pappa och Conny ville ha med mig på semester, men jag kände mig inte stark nog, sa jag, och de kunde inte annat än nicka allvarligt, här skulle ingen pressa den sjuka. Ingen ställde krav, kanske med undantag för Stetson.

Målen var annars minimala, personalen försökte till exempel lära Formel att stoppa ner skjortan i byxlinningen. De ansåg att det var viktigt att de försökte få honom att se ordentlig ut. Jag höll egentligen med. Och om Odin bara ville snygga upp sig lite. Sådana saker var viktiga, en del av intrycket, det allra första folk fick. När vi någon gång skulle ut. Orkanen medicinerades för sin mani men höll ändå ett högt tempo. Korian fick äntligen besök av föräldrarna, de kom ända från Japan, kom med pyttesmå steg och anmälde sig i personalrummet. Korian bugade och drog sig bakåt, som han en gång hade blivit lärd, och de bugade tillbaka för honom. Så stod de en stund, som tre små nickedockor, sedan försvann de upp på rummet. Fadern hade en plastask i händerna, med handtag, jag var säker på att den innehöll kanapéer. Kanske med räkor och rostbiff och kaviar och små små bitar av rå fisk. Det kom en ny flicka till avdelningen, hon var pillermissbrukare och hade av det skälet nästan lägsta status på Varden, ingenting var så ynkligt som det. Men Enny var trevlig och alla tyckte om henne, och hon hade en pojkvän som körde Harley, och varje fredag vrålade han in på parkeringen framför Varden med sådan kraft och våldsamhet att Trädgårdsmästarn förskräckt reste sig ur blomsterrabatten, bekymrad över vad petuniorna skulle tänka. Hade jag haft en pojkvän med Harley, så skulle jag överhuvudtaget inte ha varit på Varden, då skulle jag ha knaprat mina Valium och suttit bak på cykeln hela tiden, fort, fort genom landet. Och Kajsa såg frisk och rödblommig ut, utan mediciner, visserligen fnissade hon då och då utan skäl (rättare sagt, skäl som vi andra inte kände till), men hon var absolut närvarande, åt och ställde upp på gruppmötena. Och Moffa åkte. Han åkte med bekymmer i de ljusa ögonen, stod en stund och brummade utanför personalrummet, sneglade bort mot Jungfru Maria, som han var förälskad i, och så vände han oss ryggen. Men vi tröstade oss med att han skulle komma tillbaka. Två månader i svängen så är han här igen, tänkte vi. Jag bestämde mig för att stanna kvar på Varden tills Moffa kom tillbaka. Och just då slog det mig att jag hade satt upp ett mål för mig. Att stanna tills han kom tillbaka. Och sedan åka själv? Jag hade sagt upp mitt rum, men personalen visste inte om det. Vad som än hände, dit skulle jag inte igen. Min vän Peter hade tömt det åt mig och förvarade det lilla jag ägde i sin egen lägenhet. Jag sa inte upp mig på jobbet, jag behövde sjuklönen. Och plötsligt en dag stod Tussi där. I blå städrock och gummihandskar, men dessutom hade han munskydd. Smittorisken ute på den öppna avdelningen tog andan ur honom. Han såg förskrämt inåt rummet medan han hela tiden borstade den långa rocken med hårda tag. Jag sprang emot honom men han ryggade förskräckt och tryckte sig in mot väggen.

Hans hy var nästan felfri, men tunn och skör och rosa. Genast gick han till fönsterbrädan och såg sorgset på de halvdöda växterna.

– Gud tar sig an de sina, mumlade han bakom munskyddet.

Och Jungfru Maria sörjde över Moffa, men hon slutade sjunga psalmer, hon var fast i rösten och hade lagt på sig. Detta "lagt på sig" betraktades alltid som ett friskhetstecken på Varden. Erkki hade stuckit och ingen visste var han var, men ingen bekymrade sig heller, de letade halvhjärtat efter honom.

Och sommaren släpade sig fram, vi satt på bänkarna på gräsmattan och svettades, till och med jag svettades, men jag tålde inte solen, jag var tvungen att hålla mig i skuggan. Någon sparkade då och då till en boll ute på de gröna gräsmattorna. Jag hade åkt med Stetson in till staden och klippt håret helt kort, det lilla som fanns kvar. Jag gick med sjalett för jag hade några blanka fläckar helt utan hår. Jag såg ut som en gammal kvinna och så kände jag mig också, en urgammal rynkig varelse utan framtid.

En dag stod Kajsa i dörren in till grupprummet med ett brett, lyckligt leende i ansiktet. Hon var vacker och utan blåsor, och de bruna ögonen lyste. Hon hade fått sjukersättning i efterskott, tjugofemtusen kronor, hon sa det flera gånger, tjugofemtusen blanka kronor. Jag vill gå på restaurang och fira och jag vill ha några med mig, kvittrade hon. Vi såg hoppfullt på henne, men Kandahar, den förnuftige, fick en djup rynka i pannan.

– Är det det bästa sättet att använda pengarna på? undrade han, och Kajsa nickade tvärsäkert.

– Social träning, sa hon bestämt. Med goda vänner.

– Kan ni inte gå på kafé? menade han.

– Vi ska ha förrätt och huvudrätt och dessert och kaffe, annars blir det inte ordentlig träning.

– Du ska ju ut en gång, sa Kandahar, och då behöver du dem kanske bättre?

– Jag vill gå på Frascati, sa hon bestämt.

Kandahar flämtade till. – Frascati? Är du från vettet? Tror du ni kommer in där?

– Vi ska snygga till oss först. Och jag beställer bord. Jag är dotter till en av Norges mest kända konstnärer och de skulle bara försöka neka oss. Försök inte du heller.

– Nej, men jag kan avråda dig.

– Använd dina krafter på något viktigare, sa Kajsa, och jag tänkte: Det där är något annat än den rödfnasiga flickan med alla blåsorna som alltid gick omkring med nedslagen blick. Vad skulle hända med oss alla om vi plötsligt slapp medicinerna? Sannolikt mirakler. Men jag blev knappast inbjuden, slog det mig, för jag åt

ju inte och då var det bortkastade pengar om jag beställde ett lös-
kokt ägg för fyrtio kronor. Med åttio kalorier. Men hon bad mig
också. Och en sen eftermiddag travade vi i samlad tropp iväg till
bussen för att äta trerättersmiddag i Høyres hus. Det var Disco,
Korian, Odin (efter intensiva övertalningar), Jørgen Tics (som vi
skulle nypa i låret med jämna mellanrum i hopp om att de värsta
uttrycken skulle försvinna i små tjut vid bordet), och Ruben och
Formel och Maria och jag. Och Kajsa förstås, värdinnan själv. Och
alla hade duschat och gjort sig fina, jag hade grävt djupt i klädskå-
pet och hittat den gamla blå sammetsklänningen med långa är-
mar (min vän Peter var allt ganska framsynt när det kom till kri-
tan), och Odin hade en ren ljusblå skjorta. Vi satt som tända ljus
på bussen, präglade av festkläderna, vi satt med skräckblandad
förtjusning medan vårt företag började ta form, för att inte säga ta
knäcken på oss. Vi var inte ofta utanför hank och stör, allt verkade
överväldigande. Men så länge vi satt på bussen och gungade kän-
de vi oss trygga. En liten sluten krets med en hemlig pakt. Bussen
stannade så småningom utanför Nationaltheatret. Vi ramlade ut
som en skock skolungar för första gången i huvudstaden. Den var
ett brusande, ett upprört hav, och även om vi stod alldeles stilla på
trottoaren, blev vi hela tiden stötta och knuffade hit och dit.
Ängsligt såg vi mot Frascati, det var bara några få meter att gå och
Kajsa hade beställt bord, vi var ju väntade. Det var bara att gå och
kräva vår rätt.

– Snart framme, stönade Jørgen. Bara några meter kvar. Å, dra
mig långsamt genom skithålet!

Det var lite sent, men jag nöp honom i låret och han log tack-
samt. Så var vi inne och skulle uppför trappan.

Kajsa vände sig om. – Gå bara tyst efter mig. Jag sköter snacket.

Och vi nickade och följde Kajsa som en gåsflock. Odin gick
längst bak och höll truppen samlad. En kypare i svart och vitt tor-
nade upp sig på det översta trappsteget. Hans ansikte var fullstän-
digt uttryckslöst. Kajsa nickade världsvant, hon var klädd i röd si-
denkavaj och svarta byxor och hade en rosett om halsen, och var
vacker, tyckte jag, och hon såg på kyparen med sina kaffebruna
ögon och det skulle inte förvåna mig om han visste att hon var
dotter till en av Norges mest kända konstnärer, det var inte många
i Norge med det speciella namnet. Så han visade oss vägen. Och

han gick utan att röra på rumpan, den var stel som ett kålhuvud i de svarta byxorna, och när jag kastade en blick på Ruben såg jag ett småleende krusas i hans mungipa. Kyparen var mörk och smal och finlemmad som han själv. Och vi fick det bästa bordet i hela restaurangen, vid fönstret med utsikt över Studenterlunden, själv satt jag så att jag kunde se lejonen framför Stortinget, och jag såg mig förstulet omkring på de andra borden, på de fina människorna. De hanterade menyn lika sorglöst som andra drar ett toalettpapper från rullen. Men de stirrade på oss. Så vi var väl ändå annorlunda. Jag försökte komma på på vilket sätt. Vi var alla snyggt klädda och vi satt rätt på stolarna. Visserligen satt Odin och knackade med foten mot ett av stolsbenen, och Jørgen hade plockat en massa tandpetare ur glaset på bordet, nu satt han och tuggade ihärdigt på dem av ren rädsla att något opassande skulle slinka ur munnen på honom och, för att vara ärlig, vi kände honom ju, det var bara en tidsfråga. Disco tände de två ljusen på den vita duken (det var självfallet kyparens uppgift, men han valde att vara generös och låtsades om ingenting). Och jag satt och tuggade på en nagel i ren nervositet, medan Formel var i full färd med att lägga ihop alla priserna på hela matsedeln för att se vad det skulle kosta att smaka på precis allt de hade. Men frånsett dessa små obetydligheter skilde vi inte ut oss. Nåja, vi var yngre än de. Men högerfolk är ju alltid så gammalmodiga.

– Håll er lugna, förmanade Kajsa. Nu kommer han först för att fråga om vi vill ha något att dricka medan vi funderar på vad vi ska äta. Tänk efter, allesammans.

– En iskall bajer, sa Odin snabbt, men Kajsa sände honom en sträng blick. – Villkoret för att vi överhuvudtaget fick lov att resa var att vi iakttar alkoholförbudet. Och det är mig det går ut över om någonting händer. Här är jag hjärtskärande bestämd.

Odin menade att det var en blodig orättvisa att alla hade alkoholförbud bara för att tio av de fyrtio sängplatserna var förbehållna alkoholmissbrukare, medan det var trettio sängar som hade helt andra problem. Det kan så vara, menade Kajsa, men en regel är en regel. Jag visste inte att det var så mycket krut i Kajsa. Jag valde Pommac. Ruben ville ha Farris. Korian beställde iste och då höjde kyparen på ögonbrynet, och Maria ville ha hallonläsk och då hostade han diskret i handen. Men han hade inget annat val

217

än att ila iväg efter flaskor och glas. Och Kajsa lutade sig tillbaka i stolen och såg lyckligt på oss.

– Jag vill att alla ska beställa precis det de vill ha. Annars är det ingen vits. Vi ska ha det fint och vi ska minnas den här dagen länge. Vi ska minnas den när vi äter kokt kål på Varden och när vi äter torra brödskivor och dricker det beska kaffet.

– Ja! sa vi alla i kör.

Jag såg på menyn. Förstod inte vad som stod där, bortsett kanske från laxpaté, som jag trodde var ett slags blekrosa pastej med lax. Men det var mycket skumt inuti. De skulle sannolikt ge mig lov att peta i maten, de var ju vana vid det. Men jag kunde inte koncentrera mig på mat, jag var överväldigad av restaurangen. Av tapeten på väggarna, av de vita dukarna med deras knivskarpa veck, av mattorna på golvet, de höga glasen på fot, blommorna i en vas på bordet, ljusstaken som kanske var silver men antagligen var det väl bara silverpläter, som Conny brukade säga, jag visste inte vad silverpläter var för något men Connys ton antydde att det var simpelt. Men att sitta såhär i det eleganta sorlet av dämpade röster och svag musik av helt obestämd karaktär, bara något mjukt behagligt, som ett flor i bakgrunden, och klirrandet av bestick, dämpat det också, och några som skålade, den vackra klangen av kristall, och menyn som kunde ha varit en förkortad upplaga av Bibeln, så välgjord var den, med guldband och snirklad skrift. Att sitta mitt uppe i allt detta var en upplevelse i sig. Jag tänkte på Varden. På de gröna korridorerna, och det gula kaklet i duschrummet som alltid luktade mögel, och teverummet i all sin nakenhet, dagrummet där luften var tjock av rök och svett, och matsalen med servis i lergods och de kraftiga stålbesticken. Smutsiga fönster. Tobakssmulor i alla stolar. Tomma läskedrycksflaskor. Och toaletterna med den fräna lukten av urin. Handfatet som var brunt där nere. Det gula, styva toapapperet i en trasig hållare på väggen så att man måste hålla i den när man rev av, annars föll den i golvet.

Det fick bli laxpaté. Och en soppa till förrätt, som jag bara behövde smaka på, och kanske en fromage till dessert. De andra var i full gång. Odin var den mest avancerade. Han hade kavlat upp skjortärmarna och eftersom han var en smula långsynt, höll han menyn på rak arm. De hade inte hummer.

– Räkcocktail, sa han och ögonen tårades, och champignons à la crème, om jag kan få två förrätter (en snabb blick på Kajsa, som nickade), och kyparen förklarade vad den bestod av. Bacon och champinjoner brynta i panna på stark värme, med tillsats av vispgrädde till en tjock stuvning, serverad i liten eldfast form med toast. Efteråt ville han ha skogsfågel med rårörda lingon och brysselkål, och till dessert en hallonmousse dekorerad med choklad. Och det var Jørgens tur och Jørgen sa "Biff" och kyparen frågade vilken sorts biff, men då fick han problem.

– Den bästa biffen, sa han nervöst.

– Oxfilén, med andra ord. Och hur önskas den stekt?

– Väl stekt! sa Jørgen upprört. Stekt helt och hållet tvärs igenom. Stekt så länge att kocken står och gråter i köket!

Kyparen höjde åter på ögonbrynet och frågade vad han önskade till.

– Potatis och béarnaisesås, sa Jørgen, tjock, fet béarnaisesås. Och ro hit med en fitta efteråt!

Kyparen flämtade till och blev först blek som en pudding, sedan röd som ett äpple. Det glänste svettpärlor i pannan på honom. Odin harklade sig och slog med gaffeln på glaset.

– Tourettes syndrom, docerade han vänd mot kyparen. Neurologisk störning karakteriserad av ofrivilliga fysiska rörelser och verbala, ibland obscena utbrott. En sällsynt störning uppkallad efter en fransk läkare, Georges Gilles de la Tourette, som först beskrev den, ja, tro det eller ej, så tidigt som artonhundraåttiofem. Syndromet visar sig vanligtvis i barndomen, oftare hos män än hos kvinnor och, ja, förlåt mig Jørgen, men det är ett faktum, den kommer att förvärras efter hand. Orsaken är okänd. Ingen bot existerar, men symtomen är ofta behandlingsbara med lugnande medikamenter. Med andra ord, avslutade han, ingenting att bry sig om.

Kyparen fnyste lätt, samlade sig och frågade vad han ville ha till dessert. Medan han väntade på svaret ställde han sig bredbent.

– Bananasplit, sa Jørgen.

– Eh, beklagar, men då skulle jag hellre vilja anbefalla glassbaren Studenten på andra sidan parken.

Aha, tänkte jag. De vill ha iväg oss redan. Men då kan de känna sig blåsta. Jag hjälpte Jørgen med gräddglass och tuttifrutti och fick laxpatén beställd samtidigt. Jag räknade med att den var lätt att tugga. Och Korian ville ha sushi, men det hade de inte så han tog stenbitfilé med räkor och broccoli, och gärna en skål smör till. Riktigt smör, inte margarin om det inte är för mycket besvär, sa han försynt. Och Kajsa satt länge med menyn och bläddrade. Hon ville ha hjortstek. Och gräddgratinerad potatis. Och jordgubbar med grädde till dessert. Och Ruben, som var så upptagen av att stirra på kyparen, som säkert var femton år äldre än han själv men som absolut hade både utseende och värdighet, önskade ostron. Och kyparen bugade och sa att han skulle se vad han kunde göra. Och skulle det vara med vitlökssmör? Naturligtvis. Och en jordgubbssorbet till dessert. Förrätt? Nej tack, jag tror det skulle bli alldeles för mycket, sa Ruben med ett skälmskt leende. Det tände absolut mellan dem, men vi låtsades som om vi inte såg det. Och så smuttade vi på Pommac och Farris och iste medan vi väntade på maten. Vi pratade inte ens, det var inte nödvändigt att prata, vi skulle kunna förstöra hela upplevelsen. Det var så mycket att ta in. Staden utanför fönstret. Det ärevördiga Grand Hotel, myllret i Studenterlunden.

– Vad tänker du på? frågade Odin. Och så log han, liksom plötsligt på det klara med vilken sårbar liten grupp vi faktiskt var med våra ryckningar och tics.

– Nej, ingenting. Det är så fint här inne.

Han nickade och drog handen genom skägget, som var putsat dagen till ära, och jag tänkte: Om jag kunde skulle jag gifta mig med Odin. Tillsammans med Odin skulle jag aldrig vara rädd. Jag kom på att jag ville rulla en cigg, men Kajsa tog upp två paket cigaretter, hon ville att det skulle vara elegant och inga smulor på duken efter oss.

– Jag har nog sett er när ni rullar, sa hon strängt. Men här ska det vara rent. Och Korian, som inte rökte, fick också en, men han drog inte in. Han blåste tunna vita strimmor mot fönstret. Och så kom maten. Men det såg inte ut som mat, det såg ut som utsmyckningar, vackert dekorerade med allehanda småsaker i friska färger. De djupröda lingonen, den ljusgröna brysselkålen, eldröd paprika och mörkgrön broccoli. Laxpatén var rosa och mjuk som smör. Jag åt tre tuggor, därefter delade jag den i två halvor och la den ena halvan på den andra, det gamla tricket. Jag kunde förstås inte lura Kajsa, men kanske kyparen. Och jag var så rädd att han kanske skulle tro att jag helt enkelt inte tyckte om den. Men det gjorde jag. Det var en klick med spenatstuvning till och den smakade himmelskt. Odin smaskade och svalde och torkade sig hela tiden om munnen och varje gång log han över bordet, och Jørgen var fullständigt frånvarande, han satt och mumlade för sig själv djupt nere i oxfilén och sa: Satans jävlar. Och: Ända in i innersta helvete, och så vidare, men mycket tyst, och jag tror inte det hördes till de andra borden. Kajsa fick sina jordgubbar, det var sju stycken i en liten skål med florsocker på. Hon räknade dem och började plötsligt skratta.

– Det är bara så sinnessjukt roligt, fnissade hon. Sextio kronor för sju jordgubbar. Det är knappt så man klarar det! Och efter det kunde vi inte hålla oss, någon av oss. För vi tänkte med ens på Varden. Vi visste att Mulatten och Cato hade vakten, och nu satt de i matsalen med sina brödskivor. Och sedan släpade de sig därifrån in i dagrummet för att röka. Och så släpade de sig därifrån in i teverummet för att glo. Och så släpade de sig till sängs, medan de svalde sin medicin. Och Mulatten gick omkring och gläntade på dörrar och trodde att alla sov. Nåja, vi måste hem med sista bussen. Vi måste tillbringa natten på Varden, vi också. Tillbaka till lukten i de gröna korridorerna. Och jag såg på dem allesammans och kunde inte fatta hur vi hade hamnat där, och allra minst varför vi stannade där, månad efter månad.

Vi skulle ha kaffe till sist, och på varje assiett låg en liten chokladbit formad som ett hjärta. Det var jordgubbskräm inuti. Vi drack kaffe och rökte paketcigaretter, och Odin smög sig till att tömma gräddkannan (för det var äkta grädde) i en enda slurk, men inte förrän alla hade försett sig. Och Jungfru Maria började sjunga Härlig är jorden, men mycket tyst och med en lurig glimt i ögat. Hon var inte ett dugg psykotisk längre, men hon mindes allt, och det var konstigt. Det gör jag också. Jag minns den lilla gruppen vid bordet. Duken var inte längre vit utan bar spår av det mesta. Och Kajsa var mätt och lycklig. Hon betalade notan och det var inte så mycket som en liten ryckning i hennes ögon, när kyparen ställde silverfatet med notan på bordet, snyggt hopvikt. Jørgen kunde inte hålla sig, han nappade den åt sig och jag hann inte nypa honom förrän förbannelser flög genom restaurangen.

Jag såg bekymrat på de andra, nu närmade vi oss oroväckande ett gediget skrattanfall, men vad fan, vi skulle snart ut på gatan igen och tillbaka till dårhuset. Jag såg på Kajsa och tänkte: Detta ska jag aldrig glömma dig för. Att du gav oss den här kvällen. Med all denna mat. En gång ska jag kanske berätta det för någon.

Kyparen kom för att inkassera pengarna, det var rikligt med dricks och han bugade elegant.

– Jag hoppas maten smakade, sa han.

– Den smakade helt exceptionellt, stönade Jørgen, vi är inte vana vid annat än … än institutionsmat, om du förstår vad jag menar, och den ligger inte precis i klass med den här, även om det finns mycket gott att säga om … om den mat vi får annars. Och fräs mig i fittsmör! avslutade han. I detsamma sköljde rodnaden över ansiktet på honom och vi höll andan, men kyparen var storsint, antagligen för att vi var på väg att gå.

– Eh, den beställningen kan bli något svår för kocken, sa han och dolde munnen med ovansidan av handen.

Så slamrade vi upp från bordet. En stol välte för nu skrattade vi hejdlöst, och Odin ryckte och ryckte i skägget där resterna av moussen fortfarande syntes. Och vi tumlade utför trappan och ut på gatan. Räknade in. Alla var med. Först diskuterade vi en stund om vi skulle ta bussen från Universitetsplatsen eller gå uppåt mot David-Andersen och stiga på där. Vi valde att gå uppåt. Det var mycket folk vid nedgången till T-banan, och skymningsljuset föll mjukt från ovan då vi närmade oss hållplatsen. Folk strök förbi, jag letade efter pengar i fickan och hörde i detsamma några män höja rösterna i ett begynnande bråk. Det hade varit en vacker afton och jag ville inte att något skulle förstöra den. Jag kikade ängsligt bort mot dem, de höll på att avsluta någon affär. En svartklädd typ snappade åt sig något och satte kurs mot T-banan. Han gick med böjt huvud och såg sig inte om. Hade han gjort det skulle han ha känt igen den lilla gruppen vid busshållplatsen, som stirrade långt och svårmodigt efter honom. Det var Moffa, och han var hög.

Maten hade omvandlats till en sjudande massa som skvalpade omkring i magsäcken. En blandning av laxpaté och fromage och spenat, den lämnade mig inte i fred och jag fick inte sova. Jag ville inte gå ner till Mulatten i personalrummet och be om något att sova på, det skulle vara ett nederlag, ett erkännande att jag inte hade tålt utsvävningarna på Frascati. Jag låg på vänster sida. Och på höger. Jag låg platt på rygg, vände mig över på magen och så på sidan igen med knäna uppdragna. Försökte massera maginnehållet till ro. Det bubblade och bar sig åt där inne, och jag tänkte på ett laboratorium med flaskor och rör och alla slags kemiska reaktioner. Jag skulle ha nöjt mig med ett löskokt ägg. Kajsa skulle ha förstått.

Jag låg vaken till morgonen, hörde Tjuven Tjuven smyga in och ställa kaffet på plats. I necessären låg en plastbrosch med en sten av färgat glas. Jag gick upp och såg de andra äta frukost. Odin försov sig och kom rusande i sista sekunden. Kockan såg ogillande på honom, det betydde att hon skulle bli försenad. Allt var som vanligt. Och det var gruppmöte och Kandahar kom med lappar och ville leka igen. Idag hade han också en ask med knappnålar. Jag var väldigt spänd, kanske skulle vi få sticka varandra, kanske vi för en gångs skull skulle få ha lite kul. Det fanns pennor till alla, jag fick en grön som kladdade. Erkkis stol var fortfarande tom, de hade letat i lägenheten men han var inte där. I regel vandrade han ensam längs vägarna med det långa svarta håret slängande.

– De här lapparna, sa Kandahar, ska säga oss något om vilka vi är.

Ja, tänkte jag och såg på de små vita lapparna, jag tvivlade inte på att de kunde tala, här inne var allting möjligt.

– Vem bestämmer vem vi är? återtog han och såg uppfordrande på oss. Är det vi själva eller är det omgivningen?

Vi ryckte likgiltigt på axlarna. Feta Freddy såg sorgset på honom och försökte lägga det ena benet över det andra. Han blev hela tiden tjockare och håret blev hela tiden längre och gråare. Freddys stödperson borde hjälpa honom att låta lägga upp byxorna som var för långa och få iväg honom till frisören, tänkte jag. Säkert hatade han sin egen spegelbild. Orkanen hade sagt att han en gång var vacker. Var det möjligt?

– Låt oss göra ett experiment, sa Kandahar och började dela ut lappar. Sätt er ner i lugn och ro …

– Vi sitter redan, fräste Orkanen.

– ... och låt tankarna flyta. Se på var och en i tur och ordning och finn det enda ord som ni tycker beskriver den personen bäst. Alla finner ett ord för alla. Helst det första som faller er in, det är i regel det ord som kommer djupast inifrån.

– Inte nödvändigtvis, menade Freddy, själv behöver jag nämligen tid för att nå mitt allra innersta. Du ser väl allt det här fettet som är i vägen? Var har du den här naiva föreställningen från, att det som kommer först är rättast? Du vet väl hur långsam jag är, och med alla dessa mediciner ...

– Ja, ja, men då tar du tid på dig. Ni förstår vad jag menar.

– Nålarna? sa jag. Vad ska vi med dem? Får jag lov att sticka någon? Får jag sticka Formel? frågade jag.

– Ja, nu ska ni höra, sa Kandahar, och vi förstod att han hade varit på kurs igen, förmodligen efter amerikansk modell, när alla har funnit ett ord till alla, ska lapparna fästas på den personen, ja, i kläderna alltså. På bröstet så att alla kan se dem.

Det kom ett långt segt stönande från Odin. Kandahar blixtrade med ögonen. – Och jag kan lova er en märklig upplevelse.

– Jag är ingen jävla anslagstavla, sa Odin. Dessutom kan jag berätta att vi såg Moffa igår och det går rätt åt helvete med honom.

– Vi talar inte om folk som inte är närvarande, sa Kandahar avvisande och delade ut nålar till alla. Orkanen hade så tjocka fingrar, hon fick nästan inte tag i dem. Låt oss koncentrera oss på detta nu. Och kom ihåg, det är inte meningen att ni ska ta hänsyn när ni väljer ord som ni menar är beskrivande.

Nej, för Guds skull, hänsyn var inte viktigt. Men det skulle inte falla mig in att skriva skrämmande eller ful eller frånstötande och fästa lappen på Orkanen, mitt fram på hennes fläckiga T-shirt, för jag kunde inte föreställa mig att det skulle få henne att känna sig väl till mods, eller upplyst på något sätt, därför var projektet dödfött, ingen skulle vara ärlig. Det var bara ett spel. Det var som om Kandahar inte tänkte på att vi hade lärt känna varandra och hade känslor för varandra, han trodde kanske att vi var för sjuka för det. Eller att vi gav fan i det, och några skulle antagligen ha gjort det, Odin till exempel. Så vi satte igång att titta på varandra. Några började fnissa och jag såg Kandahar luta sig bakåt i stolen, stolt och glad över detta enastående som vi var i färd med. Jag såg länge på honom, på hårfästet, den tjocka glasögonbågen som skif-

tade i rött, det långa ansiktet, de breda axlarna, och han tyckte
inte om att jag stirrade så. Jag log kokett och sa: – Du ska väl också
vara med?

– Jag? sa han. Det är jag som leder gruppen.

– Du sa "vi", sa jag. "Vi" ska göra ett experiment. Är du feg kan-
ske?

Feta Freddy kluckade. Det började djupt nere i hans tjocka
mage och bubblade uppåt. Odin drog sig belåtet i skägget och Or-
kanen drog fingrarna genom håret och sa: – Alla är med. Alla eller
ingen. Är du feg kanske?

– Är du feg, Kandahar? sa Jørgen och skrattade. Far åt helvete
och ner i dyngan om du är feg!

– Naturligtvis inte, sa Kandahar och slet åt sig några lappar men
satt kvar med dem i knät, nästan lamslagen vid tanken på vart
detta skulle kunna leda. Och vi började skriva och lät honom sitta
där med alla sina bekymmer. Detta hade han inte tänkt på.

– Nåja, sa jag och log mot honom, vi förstår ju problemet, du
har ett yrkesmässigt ansvar här, därför blir det omöjligt för dig att
involvera dig på det sättet, det förstår vi ju. Det skulle bara fattas,
avslutade jag och log vackert. Och han hostade och sa att natur-
ligtvis hade han aldrig någonsin tänkt delta. Han var självfallet
medveten om sitt ansvar, och alla flinade och Freddy måste hosta,
och jag såg på Korian och skrev: Tyst. Orkanen: Kraftfull. Odin:
Trygg. Formel: Uppriktig. Maria: Salig. Kajsa: Generös. Och så vi-
dare. Tills alla lapparna hade ett ord. Jag ville inte stöta mig med
någon och jag stod inte för alla orden. Vi måste sitta med dem i
knät tills alla var färdiga och därefter resa oss en efter en och fästa
dem på varandra med knappnålarna. Formel darrade på fingrarna
och var rädd för att sticka mig i tuttarna, som han sa, och jag sva-
rade som sant var att jag inte hade några tuttar, att de var stora
som tepåsar så det var bara att köra på. Och Korian bugade fram-
för var och en och fäste sina lappar, han hade en handstil så liten
att den gränsade till miniatyrskrift. Och Freddy kom med sina
korvfingrar, och jag drog ut skjortan så att det skulle bli lättare för
honom, för han darrade på handen, och till slut satt vi där som
levande anslagstavlor. Kandahar var förtjust. Jag kände mig som
en kanin, jag kände öronen och framtänderna växa.

– Sådär. Då var det gjort. Och det är nu vi ska läsa, sa han upprymd. Det är nu vi ska se den fasetterade bilden som omvärlden har av oss.

– Kallar du det här för omvärlden? sa Odin bestört.

– Hm, sa Formel, kan det betyda något att galningar värderar galningar? Det blir väl lite extremt?

– Men kanske just det extrema, sa Kandahar ivrigt, ger en riktigare och sannare bild än vi skulle ha fått ute, till exempel på en arbetsplats. Och nu kan jag upplysa er om att den här ... ja, ska vi säga leken, har blivit vida spridd i många sammanhang och situationer i samhället, och varför skulle inte det här stället vara ett av dem med bäst utdelning?

Jag tänkte: Nu börjar han snart drägla. Jag såg ner på mina lappar men kunde inte läsa dem uppochner, bortsett från en som var skriven med stora bokstäver. Det stod RÄDD. Jag försökte minnas vem som hade fäst den lappen men kunde inte komma på det, jag hade för fanken elva lappar över hela mig. Rädd, jag? Det var fullständigt fel. Vederbörande hade uppenbarligen överhuvudtaget ingen människokännedom, sannolikt var det ren gissning, för att inte säga något bara valt på måfå för att bli klar med det här mötet och komma ner i matsalen till lunch. Kockan skulle laga purjolöksomelett.

– Så väljer vi oss en läsare, sa Kandahar och spejade ut över rummet.

– Personligen föreslår jag Maria, hon har en klar och fin röst. Nu kan du resa dig och gå laget runt. Vi tar en och en. Var så god, Maria.

– Amen, log hon och reste sig. Hon gick bort till Orkanen, inte alldeles utan rädsla, men Orkanen var vid gott lynne, hon satt och skrevade med benen och lapparna hade så liten skrift att Maria måste in mellan hennes långa lår för att se vad det stod, och då slog Orkanen ihop låren så att Maria blev fast som i ett skruvstäd. Och alla skrattade och Kandahar gormade. Maria läste inklämd mellan de nu ganska slanka låren. – Arg, trotsig, kraftfull, stark, våldsam, bitter, kul, ombytlig, klok, farlig och impulsiv. Och så satte hon sig. Orkanen flinade överseende och Kandahar såg triumferande på oss.

– Förstår ni vad jag menar? sa han. Se bara hur olika vi uppfattar varandra.

– Personligen tycker jag det här hängde rätt bra ihop, försökte jag. Att orden absolut är besläktade med varandra, de bildar ett slags helhet, det måste du väl erkänna?

– Ja, ja. Men tänk nu efter. Någon uppfattar henne först och främst som kul. Medan en annan menar att hon är bitter. Är det inte fascinerande, hör ni? Och vad lär det oss? Att rädslan för vad andra ser eller finner i oss är ogrundad, eftersom dessa fynd är lika många och lika olika som antalet människor vi möter under loppet av ett långt liv.

– Vi kan med andra ord ge fullständigt fan i vad folk tycker? sa Jørgen Tics hoppfullt. Ryck mig i ballen, alltså!

– Öh, ja, någonting ditåt, sa Kandahar tveksamt, osäker på hur detta skulle gå, jag menar, andra får inte bestämma vår egen självbild. Vi måste själva hålla fast vid vad vi menar att vi är, och så vara det, trots andras uppfattning om oss. Det handlar om att finna sig själv och förmå skjuta andras krav och förväntningar åt sidan. Vi ensamma är de vi är. Inte sant? Läs nu på Hajnas skjorta, sa han ivrigt, och Maria kom fram till mig och läste högt, och jag kände att jag svettades.

– Arrogant. Inbunden. Olycklig. Rädd. Smart. Snäll. Hänsynsfull. Observant. Skarp. Resignerad och – hon ansträngde sig lite med det sista ordet – vrång.

– Nå? sa Kandahar. Vad säger du, Hajna?

– Tackar så hjärtligt, sa jag surt och tittade i golvet.

– Så du är tacksam för de här karakteristikerna?

– Naturligtvis inte. Jag har inte bett om dem. Jag fattar inte vitsen med det här. Och jag behöver inte veta vad andra tycker om mig.

– Du behöver inte andra överhuvudtaget, kom det torrt från Orkanen. Och jag skrek att det inte var sant, och akta dig bara, din maniska satmara, och så bråkade vi och Freddy tog chansen att tända en cigg tio minuter för tidigt, och Orkanen stack och smällde igen dörren, och jag såg på Kandahar och sa att vi var vuxna människor och krävde en mer intelligent behandling än en barnkammarlek. Vi vill ha Freiner tillbaka! Och om ni inte hade kastat ut Moffa så skulle han ha röjt upp i detta. Dessutom är jag så torr i munnen av de fördömda tabletterna att jag nästan inte kan tala.

Och Odin reste sig och talade om att han en dag hade stigit upp eftersom han inte kunde sova för att han var hungrig och hade gått till personalrummet för att be om en brödskiva och hade fått avslag med beskedet att han kunde få en Mogadon i stället! Och mötet splittrades i tusen bitar, och alla rusade på dörren, och själv gick jag ner till Kockan i köket. Hon var i färd med lunchen. Jag stod i dörren och såg på henne, kände att jag var elak och att det måste ut. Hon hade så tunna vrister, Kockan. De slutade i ett par foträta skor med tjock sula. Jag stod lutad mot dörrkarmen, visste att hon hörde mig men hon vände sig inte om, hon ville överhuvudtaget inte ha med oss att göra.

– När jag ser dina tunna vrister, sa jag så högt att hon spratt till, så tycker jag det är otroligt att de kan bära hela din vikt. Ja, inte för att du är tjock. Men för att vristerna är så obeskrivligt tunna.

Hon svarade inte. Hon stod och skar gurka i tunna skivor, som om vi inte klarade att skära våra gurkor själva, jag fattade inte vad de tänkte på. Hon skar och skar. Jag stod med en ny replik på tungan. Då svarade hon ändå, ner mot gurkskivorna.

– Jag har bra skor, sa hon tyst.

Nå. Det var ett bra svar. Jag väntade på mer.

– Och det vore bra om du inte störde mig med prat, fortsatte hon. Jag går av klockan två och jag vill gärna vara punktlig.

Det vill du nog, tänkte jag, för bara tanken på att stå i det här köket några minuter längre än du behöver tar knäcken på dig. Vilken arbetsmoral!

– Den första kockan på Varden, sa jag, hon hette Eline. Hon var den sorten som jobbade tills hon var färdig. Om några var sjuka hoppade hon in. Och hon jobbade övertid utan att gnälla. Hon klagade aldrig och hon älskade patienterna, och alla satte stort värde på henne på sjukhuset. En ren mästare på att laga mat, avslutade jag.

– Ja, det vet du väl allt om, tänker jag, sa Kockan bistert.

– Ja, det gör jag. De talar fortfarande om hennes kalvstek.

– Då var den väl god.

– Det kan du slå dig i backen på.

Och så, för att jag plötsligt kom på det. – Är du kocka på riktigt?

– Vad menar du? sa hon, fortfarande ner i gurkorna.

– Har du utbildning?

– Naturligtvis.

228

– Men du lagar ju nästan aldrig mat, sa jag.

– Nej. Jag lägger bara upp den på fat.

Jag tänkte lite på detta. – Men blir det inte tråkigt för dig, när du egentligen är kocka, att bara lägga upp mat som andra har lagat?

– Det bekymrar väl knappast dig? sa hon skarpt. Hon hade vänt sig om för ett ögonblick och stirrat på mig med svarta ögon. Det var konstigt att plötsligt se henne i ögonen, se att hon var en person, inte bara en möbel. Ögonen var starka och höll fast min blick. Jag ryggade lite.

– Nej. Jag bara undrade, sa jag spakt.

Hon fortsatte att skära gurka. Det var alldeles tyst, bara den vassa kniven genom gurkan i jämn takt, ratt, ratt, ratt, ratt.

– Varför talar du aldrig med oss? sa jag sedan. Jag sänkte rösten. Hon borde ha vetat vad som väntade när hon en gång sökte det här jobbet på Varden.

– Jag har ingenting att bidra med, sa hon trött. Inte något viktigt att säga er. Det är bara därför.

– Vad menar du? sa jag. Vad tror du vi väntar att få höra egentligen?

– Ja, jag vet inte. Hon ryckte på de stora axlarna, det fick hennes förkläde att dansa. Ni behöver väl hjälp och råd. Det är bara så att det kan jag inte ge er. När man inte har något att säga är det bättre att hålla mun. Så tänker nu jag.

Orden kunde ha kommit från mig själv. Det hade aldrig fallit mig in att vi liknade varandra. Hon är trött, tänkte jag. Utbränd. Har varit här för länge. Jag skämdes litegrann.

– Du är som Trädgårdsmästarn, sa jag tyst. Han vänder ryggen mot oss när vi kommer över gräsmattan. Han har väl heller ingenting att säga. Kanske han pratar med sina blommor.

– Han är bara blyg, sa hon och skakade på huvudet.

– Känner du honom?

– Han är min man.

– Va! slapp det ur mig. Det visste jag inte! Är det några som vet det?

Hon vände sig om och såg på mig, och nu log hon faktiskt inne i rynkorna. Ögonen klarnade. – Kära nån, det har då aldrig varit någon hemlighet.

229

– Å, sa jag besviket.

– Bland personalen alltså. Inga andra har frågat mig om något som helst.

Ingen har visat dig något annat än förakt, tänkte jag. De har betraktat dig så som jag själv har gjort. Som en del av inventarierna.

Hon stod fortfarande och såg på mig. Log syrligt men med en glimt i ögat. – När jag ser din utmärglade kropp, begriper jag inte hur du kan hålla dig upprätt, sa hon.

Jag måste le. – Det gör jag inte heller. Jag ligger nästan hela dagen mellan mötena och plikterna. Jag är så trött. Och jag fryser för jämnan.

– Ni som är här vet inte vad plikter är, sa hon. Förr i tiden måste patienterna arbeta för maten. Arbeta för den sängplats de hade fått, om de var aldrig så sjuka. De arbetade ute på åkrarna, eller i vävstugan eller i verkstaden eller i köket eller i ladugården. De arbetade hårt. Jag tycker det är så illa att ni inte arbetar.

– Vi svabbar korridorerna, försökte jag.

Hon fnös högt. – Då är ni säkert utmattade efteråt.

– Jag är det. Jag måste raka vägen i säng genast jag är färdig. Jag är undernärd.

– Nåja, sa hon, bara du inte skyller på maten.

– Nej då, sa jag. Maten är fantastisk. Det är den verkligen. Och du lägger upp den så vackert.

Men då vände hon sig och rynkade pannan. – Såså. Du behöver inte överdriva. Hjälp mig nu. Bär in den här i matsalen.

– Jag har inte kökstjänst den här veckan, sa jag trotsigt.

– Förlåt, sa hon, jag hör så illa. Den ska stå på bordet vid väggen. Sedan kan du komma och hämta tomaterna och paprikan.

Jag gjorde som hon sa. Jag bar fat efter fat. Det slog mig att den som egentligen hade kökstjänst hade gett fan i det, och tydligen hände det ofta. Och Kockan gjorde det hellre själv än började bråka. Hon var så tyst, Kockan. Stram och sträng, men mycket tyst. Och hon var fru till Trädgårdsmästarn. När jag tänkte på det, passade de mycket bra för varandra.

Så kom Kontrollkommissionen. Och jag gjorde en märklig upptäckt. Först och främst blev vi varslade i förväg, hela fjorton dagar innan. Och sedan: alla som ville växla några ord, läs: klaga och kvirra, måste anmäla det till personalen och, tro det eller ej, redogöra för vad saken gällde. Vad ger du mig för det? När allt och alla var behörigen antecknade i en bok, fick de säga sitt i tur och ordning, en och en, inne i ett konferensrum. Visserligen fick inte personalen komma med in, men regeln var alltså att de skulle vara informerade på förhand om vad samtalet skulle röra sig om. Det rörde sig i regel om den enskildes status på Varden, att nu förtjänar jag jävlar i mig frigång inom området och permission, jag har inte haft en endaste permission, och de sätter mig på en medicin "vid behov" som jag aldrig får. De säger att jag måste redogöra för varför jag behöver extra medicin just den dagen, eller natten, men när jag är dålig och behöver mer medicin orkar jag inte redogöra för något som helst, det är ju därför jag behöver medicinen! Och jag får bara träffa prästen en gång i månaden och det tycker jag är dåligt. Det handlar trots allt om min personliga frälsning. Och det är fullständigt omöjligt att dela rum med Korian, han är uppe och går i sömnen varenda natt, och terapin hos Torbjørn är bortkastad tid, vi saknar förtroende. Sådant.

Ingen sa att Freiner drack. Ingen sa att Cato rökte hasch och kikade på oss i duschen. Sådant räknades som obetydligheter. Ingen sa heller några berömmande ord. Själv tillhörde jag ett cyniskt gäng, vi brukade bänka oss i korridoren omkring en halvtimme innan de hade anmält sin ankomst. Vi satt på rad på stolar från matsalen, satt som i ett tåg. Satt helt raka i ryggen med benen ihop och armarna i kors, och när de travade förbi glodde vi på dem. Vi glodde verkligen. Och de stackarna gick Canossavandringen. Tre gånger om året, för att vara exakt.

Så fann de Erkki i en gammal hölada. Han hade inte ätit på dagar och dessutom hade han fått skabb. Det kliade överallt på honom, och i motsats till Tussi på goda grunder. Dessa organismer var avgjort inte från en främmande dimension. De hade grävt sig långa gångar under huden, och han var röd och sönderkliad över hela kroppen. De släpade honom tillbaka och tog in honom på undersökningsrummet för att smörja in honom med någon klibbig salva (brun, illaluktande) som enligt ryktena skulle vara nästan omöjlig att få bort igen. Det var förfärligt. Och Erkki skrek, och Mor ville klippa av honom håret för att komma ner i hårbottnen, men då morrade han som ett rovdjur och hon måste ge upp. Han fick sitt gamla rum, som fortfarande stod ledigt, och samtidigt kom det nytt folk. Den vi kallade Förlåt, och en flicka med tunn skärande röst som fick heta Vildskrik, och en annan vit, nästan spökaktig flicka som var albino och hade tjocka glasögon. Hon kisade ängsligt på oss, när vi tittade på henne. Det var något fascinerande med att vara så fullständigt färglös. Hon var som papper, torr och genomskinlig. Och en vacker mörk kvinna gick omkring och citerade ur Bibeln, men hon ville ändå inte ha något med Tussi att göra, de hade tydligen varsin Gud och ingenting annat gemensamt. Det där med Tussi och Gud förvånade mig för jag hade ingen Gud, jag hade aldrig varit troende, men när det gällde Tussi var jag säker på att han skulle komma till Paradiset. Och Formel lärde sig omsider att stoppa ner skjortan i byxorna, men han torkade fortfarande hjärnsubstans och slet med sina räknetal. Dessutom gick han i skola för att bli påmind om att det fanns andra ämnen, men de skrämde honom för de var inte så precisa som matematiken, som han sa. Och Odin var i toppform som aldrig förr, han förde långa diskussioner med personalen om moderna metoder inom psykiatrin, som han visste allt om, och de klipskaste av dem kunde följa med. Jag sa åt honom att jag tyckte att han borde ha arbetat på Varden i stället för att vara patient där. Och Maria blev allt klarare och sötare, det blev längre mellan psalmerna, för att vara ärlig saknade jag dem, och Kajsa var tyst och blid och förnöjd utan mediciner. Orkanen höll på att lägga på sig igen, vilket betydde att hon var på väg att äta sig in i en depressiv period och måste ha andra mediciner. Enny med pillren var ute och åkte Harley varje helg, hela Varden skakade när den tunga cykeln dundrade in framför huvudentrén, och folk sprang ögonblickligen till fönstren. Tussi brukade stå vid krukväxterna och se ut på det blänkande vidundret, då log han som en vuxen ler mot ett barn som har fått en ny leksak. Enny gick aldrig omkring och skrek för att hon saknade pillren, men hon var så slätstruken och grå, och varje gång hon satte sig på Harleyn tänkte jag att en vacker dag ramlar Enny av cykeln, ramlar av i ren leda, och en bil som kommer bakom kör över henne.

Själv åt jag tre gånger om dagen, hade knaprat mig upp till en fem-sexhundra kalorier, och jag fick åka till staden och köpa lite kläder, det fanns inga knappar kvar i skjortan. Dessutom var det höst och kallt och jag behövde en varm tröja. Stetson följde med. Han var så tyst och allvarlig, inte alls sig lik, och jag frågade om det var något som var fel. Men han skakade på huvudet och sa att det skulle jag inte bry mig om. Det var just det som var felet, att vi skulle ha förtroende för varandra, för egentligen var det en envägskommunikation. Stetson hade ett privatliv som han hade rätt att hålla för sig själv, medan jag hela tiden skulle informera honom om mitt. Förstod de hur svårt det var? Och Freiner kom tillbaka. Plötsligt en dag satt han i grupprummet som om ingenting hade hänt. Han var nyklippt. Samma Draculafrisyr fast kortare. Och han var blek och tunn men ändå ganska fattad där han satt i stolen. Jag blev glad. Lättad. För att han inte längre drullade omkring asfull i staden och bommade pengar. Att han åt och sov och arbetade igen. Det var underligt att se honom sitta där och veta det vi visste. Att alla visste och ingen sa något. Jag fylldes av en sorts solidaritet som värmde mig helt igenom. Vi låtsades om ingenting, och det var det finaste vi kunde ge honom. Om någon enda någon enda gång vågade sig på att lämna ut honom, skulle jag personligen sparka vederbörande på smalbenet.

Augusti månad var tillryggalagd. Påven Paul den sjätte fick en hjärtattack och dog, men mannen var trots allt åttioett, vad kunde man vänta sig? Kina och Japan undertecknade en fredspakt och Hua Guo-feng gav sig ut på en resa till Rumänien, Jugoslavien och Iran. Det var visst viktigt, men jag orkade inte bry mig om världssamfundet, jag hade nog med min undernäring och dessutom kunde jag inte göra något, varken till eller från. Därför stannade jag på Varden. Det var faktiskt just därför jag var på Varden. Moffa hade heller inte kommit tillbaka, jag tänkte att nu hade han väl redan gått ner tjugo kilo och gick omkring på Oslos gator, ensam och övergiven och mager som en eldgaffel. Han borde ha varit hos oss. Carmen kom och besökte Odin. Hon gav aldrig upp. Hon skulle ju ärva hans miljoner. Så några resor till Varden var de väl värda. Hon var mycket söt. Orkanen var betagen av henne men för klok för att göra en framstöt. Själv var jag mycket försiktig med att visa hur förtjust jag var i Stetson. Trots allt. Jag tänkte med sorg på allt han gick miste om, för ingen kunde älska honom som jag om jag bara fick, det var jag säker på. Så innerligt och uppriktigt. Men det hjälper inte med god vilja när man saknar skönhet, allt annat måste ge upp för skönheten, den verkar så omedelbart, går rätt in i blodet och forsar till hjärtat, allt annat behöver längre tid, och människor har inte tid. Då och då försökte jag känna efter om någonting hände. Om det samlades krafter någonstans som jag kunde utnyttja. Det kändes inte så, det var något annat, en sorts resignation, den tyngde lite och gjorde mig lite nedstämd, men den var nyttig. Jag började forma tankeräckor. Gå till Hedda. Be om hjälp att skapa en tillvaro ute. Sitta ensam i ett hyresrum. Lägga mig i en säng utan vissheten att någon kom förbi med jämna mellanrum och såg till att jag fortfarande andades. Det var något paradoxalt med hela Varden. Vi uppmuntrades till öppenhet, till att be om hjälp, stödja oss mot varandra, knyta vänskapsband, visa tillit, allt för att nå detta överordnade mål: att bli självständiga, att klara oss själva, ensamma i ett hyresrum.

– Berätta något för mig, sa Hedda.

– Jag fryser och är trött.

Lång tystnad

– Du får fyra ord, sa hon. Säg mig vad du tänker när du hör orden. Svara så fort du kan utan att tänka.

– Visst, sa jag.

– Kniv, sa Hedda.

– Makt.

– Bröd?

– Ödmjukhet.

– Måne.

– Mani.

– Kärlek.

– Döden.

– Varför döden?

– Vet inte. Du sa att jag inte skulle tänka.

– Det svaret tycker jag du ska tänka över. Det tycker jag verkligen du ska tänka över.

Måndag:  Stetson med stuvade grönsaker. Han är mjuk och mör,
         jag kan sörpla i mig honom och han glider ner, mot-
         ståndslöst.
             Mor, i små söta tuggor med grädde.

Tisdag:  Stekt Freiner med lök. (Han är förresten full av ben.)
             Timber med saftsås.

Onsdag:  Friterad Kanvas. Läcker och gyllenbrun, knaprig utan-
         på, mjuk inuti.
             Kandaharkompott.

Torsdag: Sprängd Kocka med råkost.
             Syltad Trädgårdsmästare.

Fredag:  Soppa på Mulatten. (Som att sticka ut tungan
         genom fönstret.)
             Pressad Hedda med socker och mjölk.

Lördag:  Kontrollkommissionen på spett.

Söndag:  Catos huvud på ett fat.

*

*I sex år var jag på Varden. När jag slutade var jag utsliten, men jag vill
tro klokare. Ingen ska säga att det var lätt. Dessutom slet vi hela tiden med
lite pengar och lite folk. Vid några extrema tillfällen var det två vårdare
på trettiosex patienter. När jag nu tänker på det, ser jag det som skanda-
löst. Men den gången tänkte vi inte på det viset, eller rättare: vi hade inte
tid att tänka. Vi gick omkring och var rädda för att något skulle hända,
naturligtvis för att vi skulle känna oss ansvariga. Såhär efteråt ser jag att
de katastrofer som inträffade inte kunde lastas oss utan andra, ansvariga,
som aldrig låtsades förstå hur tidskrävande det är att få unga människor
i djupaste olycka på rätt köl. Det tar år. Och det kostar pengar.*
    *I sitt innersta, tänkte jag, kan de helt enkelt inte fatta att tankarna då*

*och då vänder sig emot en så att man blir sin egen värsta fiende. Och vem kan väl det?*

*Och ändå. Om dem som den gången jobbade där vill jag säga att de alla, med ett par undantag, så som det alltid finns undantag, var unga, seriösa människor som gjorde ett utmärkt jobb. Vi som hade utbildning försökte lära dem en del viktiga saker, och jag vill påstå att vi lyckades. Men att möta människor, som de som var på Varden, kräver inte bara kunskap och professionalitet. Utan också en vilja långt därutöver, och ett nästan omänskligt tålamod. Dessutom ska man tackla en del obehagliga saker. Många av dem var mycket intuitiva, de visste hur de kunde skada oss, och gudarna ska veta att vi inte klarade detta enda viktiga: att aldrig vackla eller visa svaghet. Då blev de otrygga. Vi skulle finnas där för dem, utan fruktan, med total kontroll. Helst ha svar på allt. Men livet utanför är fullt av svaghet och bristande vilja. Och det livet skulle de tillbaka till, det skulle de tackla. Jag kunde inte öppna ett skåp och ta fram en rustning åt Hajna. Ta på dig den här så kan ingenting skada dig. Det fungerar inte så. Hon visste det. Och hon visste säkert också en del om vem jag var, eftersom hon var skärpt och kunde klä av människor på ett egendomligt sätt. Såg rakt igenom oss. Den enda som undgick detta var hennes personliga stödperson, som var duktig med henne, som faktiskt klarade av att vara något för henne. Hon litade på honom i allt, trodde kanske att han var omöjlig att få på fall. Därför var hon fullständigt oförberedd på det som sedan hände. Och ingen av oss som jobbade där kunde lasta någon för något som helst, för sådant bara händer, känslor uppstår, och är de starka nog forsar de fram och förbi regler och beslut. Det gjorde likväl ont i dem som drabbades, och dessutom var det en mycket gammal historia. Varför skulle vi gå fria?*

*Jag glömmer aldrig timmarna med henne, och allt hon berättade. Flera av historierna minns jag fortfarande, in i minsta detalj.*

*Hajna var mycket inriktad på att finna skälet till att varje enskild individ var på Varden. Varför är du här? sa hon oupphörligt. Men mig frågade hon aldrig. Men naturligtvis var det så att också vi, som arbetade där, hade våra helt speciella och olika motiv för att välja psykiatrin. Andra fält inom omsorgen är lättare. Andra områden inom hälsovården kan peka på resultat på ett helt annat sätt. Dessutom, känslan av att betyda något för någon, tacksamhet, var inte det starkaste inslaget på Varden. Men jag hade mina skäl. Jag sonade ett straff. Nästan ingen visste det, jag talade aldrig om det, det var ett nederlag. När jag äntligen hade lärt min*

236

läxa var det för sent, i varje fall för mig och min dotter. Hon hette Live. Var döpt efter min mans mor. Jag ville inte att hon skulle heta Live, men han hade en stor och dominerande släkt och var äldsta sonen. Live var enda chansen för honom att markera familjetillhörigheten. Live var en frisk och begåvad flicka. Jag var aldrig speciellt ambitiös å hennes vägnar, och det var inte hennes far heller, dessutom var hon flicka. Han skulle ha krävt mer av en pojke. Jag menar, jag ställde i alla fall inga orimliga krav på henne. På ett stadium, jag kan inte säga när, började hon förändras. Det skedde gradvis. Hon hade alltid varit snäll och öppen och glad, men så började hon dra sig undan, till sitt rum och sina plattor. Var inte tillsammans med kompisar längre. Tappade intresset för allting. Blev sur och ovillig, skällde på mig om jag försökte ta med henne på olika saker. Betygen blev sämre. Om jag frågade henne vad hon hade för planer, vad hon ville bli, sa hon ingenting. Jag skyllde på puberteten. Men hon kom aldrig ur den. Vi bråkade jämt. Jag skrek åt henne, accepterade inte den där oviljan. Hon hjälpte aldrig till. Började negligera sitt utseende. Satt bara på rummet och spelade plattor.

Jag hade heltjänst som socialkurator och satt hela dagarna med människor som tiggde, till sprit, till hyra eller till blöjor. En ändlös kö. När jag kom hem var jag dödstrött. Live körde sitt eget race. Det är nycker, sa jag mig. Hon växer ifrån det. Då hon var sjutton var hon fortfarande lika sur och vrång. Inte deprimerad, inte ledsen för något. Bara vämjeligt likgiltig. Jag var så outsägligt besviken. Men försökte jag närma mig – ibland i djupaste förtvivlan för att hon inte ville någonting, bara hänga inne på rummet eller ute på gatorna – vände hon ryggen till. Som Hajna vände ryggen till. Jag tröstade mig med att hon bråddes på mig och min man, vi var solida människor, så tänkte jag. Snart hittar hon sig själv. Men det skedde aldrig. En dag återfanns hon död vid foten av ett fjäll. Hon hade kastat sig ut och landat i ett stenras trettio meter ner. Och det var konstigt att se henne, för hon var oskadd utanpå och alldeles sig lik, men inuti var allting krossat. Det fanns inget brev efter henne, aldrig någon förklaring.

Länge vacklade jag omkring i ett ändlöst skärande mörker. Jag förtjänade ingenting annat än döden, så kändes det. Allt låg öde. Men jag reste mig igen. Påbörjade vidareutbildning. Ville in i psykiatrin. Ville förstå och vara något för olyckliga människor. Ville sona straffet för sveket mot Live. Därför var jag på Varden. Det är jag som är Hedda. Någon där ute minns mig kanske, som Hajna minns mig.

– Bio, sa vi och såg hoppfullt på Timber. Han var ansvarshavande. Tänk att bära en sådan titel, ansvarshavande. Om det händer något kommer folk först av allt att fråga vem som var ansvarshavande under den aktuella vakten.

– Var? frågade Timber.

– I Oslo, sa vi. På Klingenberg. Social träning.

– Vad för film? undrade han.

– Eyes of Laura Mars, sa Odin.

– Är inte det en skräckfilm? sa Timber.

– Nej, sa vi, det är en kärlekshistoria.

– Nåja. Ni är vuxna människor. Men ta inte åt er något ni inte klarar av.

Haha, nej, är du tokig, karl, skrattade vi. Hämtade ytterkläder och pengar och möttes utanför personalrummet, det var Odin och Kajsa och Formel och jag. Ute var det bitande kallt. Vi försökte övertala Timber att värma upp skåpbilen och skjutsa oss till busshållplatsen, men det kunde han inte, de var bara två i tjänst. Så vi måste gå. Och det var långt, och innan vi satt i värmen på bussen var vi genomfrusna.

– Jag ska snart ut, sa Kajsa plötsligt. Vi vände oss och tittade överraskat på henne.

– Det var som fan, sa Odin. Varför det?

– Vet inte, sa hon och ryckte på axlarna. Jag får väl försöka. Man väntar sig att jag försöker. Pappa har skaffat mig en lägenhet. Han tycker inte om att jag är intagen. Folk frågar efter mig. Viktiga människor i konstvärlden. Jag är en fläck på hans duk. Det är obehagligt för honom. Folk kunde tro att det var hans fel.

Vi nickade förstående.

– Men var ska du bo? sa vi bekymrat.

– Mitt i Oslo. I en gammal gård. Lägenheten är fin. Liten men fin.

– Ska du arbeta också?

– Ska arbeta på kafé. Doktor Freiner har talat med ägaren, han är informerad om min bakgrund, han sa att vi bör spela med öppna kort. Att det kunde bespara mig svårigheter senare om något skulle hända. Jag menar, om det vänder igen.

Hon andades på rutan och tecknade i imman. Ett hjärta.

– Aldrig i livet att jag bladar upp kortleken för någon arbetsgivare och berättar allt, sa jag. Vad har han med det att göra?

– Alla får göra på sitt vis, sa hon. Men det kan ju hända att det betyder att jag är ganska säker på att komma tillbaka till Varden igen. Det är kanske inte så för dig.

– Om jag överhuvudtaget ska ut någon gång, sa jag dramatiskt, så ska jag i alla fall inte in igen.

– Varför tänker du så? undrade Formel.

– Vet inte. Det bara är så.

Jag älskade att åka buss. Jag kunde sitta i den här bussen resten av livet. Folk steg av och på hela tiden, men vi satt kvar. Vi satt och gungade med. Det var skymning utanför, mörkret var beskyddande, världen var nästan osynlig, bara enstaka ljus. Långt borta såg vi Varden glittra som ett hotell i den svarta skogen.

– Jag ska köpa choklad för femtio kronor, sa Odin belåtet. Och du då, Hajna? Han flinade retsamt.

– Jag tål inte choklad. Jag blir sjuk av det, sa jag. Jag ska bara se filmen och sedan ska jag ha kaffe ikväll. Och du får inte sitta och prassla med en massa papper mitt under filmen.

– Jag brukar äta upp allt under reklamen, förklarade han. Fint att vi får se den här filmen. Jag hade aldrig fått med mig Carmen på den.

– Jag trodde hon gjorde allt du bad henne om, sa Kajsa. Hon ser sån ut.

– Å, ni anar inte. Carmen är en mycket bestämd dam. Varför tror ni jag nästan aldrig reser hem på permission? Hon kör med mig. Det är bättre på Varden, där är jag hemma och hon tycker det är ett jävla ställe och kan inte kommendera mig som hemma.

– Det är ett jävla ställe, sa Formel. Men det är mitt jävla ställe.

– Ska du ut någon gång, Formel? sa jag och blåste i händerna, som var iskalla.

– Antar det, svarade han. Men, men. Det brådskar ju inte. Annvor ska ut till jul. Hon har fått sig en lägenhet också. De fick jobba hårt, för ingen ville ha hennes jättestora djur i huset, men så hittade de ett ställe till slut.

– Tänk att sitta ensam i en lägenhet och nästan inte se ens, sa jag ängsligt. Hur ska man överleva det?

– Det finns massor av blinda, sa Odin. Och de lever som bara den. Folk lever utan armar och ben. Folk lever utan allt möjligt konstigt.

Jag tänkte en stund på detta. Själv levde jag nästan utan mat, och det gjorde två tredjedelar av jordens befolkning också.

Odin hade rätt.

Vi steg av vid Nationaltheatret och promenerade de få meterna ner till Klingenbergbiografen. Det var mycket folk, men ingen stirrade på oss där vi klumpade ihop oss framför biljettluckan. Odin köpte choklad och själv köpte jag en ask sockerfria pastiller, jag var alltid så torr i munnen. Kajsa köpte popcorn och Formel köpte kola. Vi fick skapliga platser. Timber trodde att vi skulle se en kärleksfilm, och jag sa till Odin att han var fasen så lätt att lura.

– Ånej, sa Odin, han frågar bara för att ha sitt på det torra. Om någon av oss flippar ur efter att ha sett filmen, ja, till exempel sticker kniven i Cato eller något, kan han säga att han frågade vad för sorts film vi skulle se och att vi sa att det var en kärleksfilm, att han hade visat oss förtroende och att vi hade missbrukat det. Du har ingen aning, sa han torrt, de tar fan i mig inga risker.

– Ingen flippar ur bara av att se en film, menade Kajsa.

Och jag tänkte på alla Bergmanfilmer jag hade sett, och på den äckliga, upplösta känslan jag alltid hade efteråt, men jag sa ingenting. Det var skönt att sitta stilla i mörkret med Odin till höger och Kajsa till vänster. Skönt att vara tillsammans utan att behöva prata. Bara uppleva något tillsammans. Efteråt kunde vi tala om vad vi hade sett. Det var så enkelt. Alla ansikten i salongen som bleka punkter i det täta biomörkret, alla vända mot samma lysande duk. Lukten av choklad och popcorn och parfym. Av skinnjackor och aftershave. På Varden luktade det ingenting, bortsett från mat när det var middag och grönsåpa när någon hade skurat. Och så luktade det obehagligt om Erkki förstås, särskilt när han höll på med skabbkuren. Han blev kvitt eländet så småningom, och efteråt lät han sig till och med övertalas att duscha. Och det svarta tjocka håret föll ner över axlarna på honom och gjorde varenda flicka avundsjuk. Om jag inte tar fel tror jag att till och med Ruben sände hans långa hår en längtansfull blick. Men det varade inte länge innan det var lika illa igen. Det slog mig att vi aldrig frågade Erkki om han ville vara med på något. Det var väl för att vi var så säkra på att han skulle svara nej. Men vi hade veterligen aldrig frågat. Kanske var han egentligen ensam och olycklig, även om det verkade som om han skydde folk som pesten. Jag viskade det till Odin.

– Ja. Det kan hända. Men människor får inte mer än de ber om. Och han ber ju aldrig om något.

– Men betyder det att vi aldrig ska ge honom något? sa jag.

– Ingen aning om vad det betyder, sa Odin och mumsade Japp och Monolitt. Det luktade chokladtryffel och marmelad och det luktade syrligt av Formels citronkola. Jag sög högljutt på pastillen.

– Sch, nu börjar filmen, sa Odin.

En pastill eller kanske en karamell föll i golvet längst upp i salongen och rullade neråt. Det var ett litet, trillande ljud som växte, fortare och fortare, så att folk mumlade och skrattade ut i mörkret, och just när den slog i kanten längst ner började filmen.

*Mördaren kom in från ett sidorum. Han öppnade dörren ljudlöst. Ingenting hade skarpa konturer, men den högra armen var höjd och han höll något långt och spetsigt i handen, det såg ut som en syl. Kvinnan visste ingenting, hörde ingenting och stod bara stilla vid köksbänken och hällde te i ett tefilter. Vattnet rann från kranen i en jämn tyst stråle, hon var vacker och ljushårig, kanske fyrtio eller däromkring, och klädd i en mörk, glänsande kjol som föll i vackra veck mot golvet. Det var dämpad belysning i köket. Nästan halvmörkt, för det var natt och kvinnan hade legat länge i sängen och vridit och vänt sig utan att få sova. Nu ville hon ha en stor kopp te med mycket socker, och vattnet rann och rann och mördaren smög sig ljudlöst vidare in i rummet, närmare och närmare kvinnan vid köksbänken. Hon fyllde vatten i en mugg och hällde vattnet i behållaren, så stängde hon kranen och tryckte in kontakten i väggen, och mördaren var nu alldeles bakom henne, och hon tryckte in knappen på tebryggaren, och mördaren la sin vänstra hand på hennes axel och hon for ihop, for ihop som ett skrämt rådjur och kastade sig runt, men mördaren sa ingenting, och kvinnans öga vidgades och blev stort, stod ut av rädsla, och hon skrek hest och gurglande när mördaren körde sylen, den långa sylen av rostfritt stål i hennes vänstra öga, och där blev den sittande när hon ograciöst föll ihop framför köksbänken.*

Den *måste* du bara se!

Efteråt gick vi tysta ut på den upplysta gatan. Vi skulle ta tåget ett stycke och dela på taxi den sista biten, för ingen orkade med tanken att gå den långa vägen upp till Varden i den bitande kölden med den här filmen surrande inne i huvudet. Vi vadade omkring i perforerade ögonglober och skärande atonal musik, och när vi damp ner på tågsätena var vi fortfarande skräckslagna av det vi hade sett. Och jag tänkte på känslan att få en syl genom ögat. Eller en kniv eller sax, för mördaren varierade sig i det oändliga. Den fuktiga lilla ögongloben som vi alla var så rädda om, lite skräp, ett sandkorn, det är så obehagligt. Men en SYL GENOM ÖGAT. Jag såg ut genom tågfönstret. Såg mitt ansikte speglas oklart.

– Skitäcklig film, sa Formel.

Han fick hela tiden allt större problem med räkningen. Han fick också förbud att resa till Blindern som han brukade. I stället fick han till uppgift att gå korta turer inne på sjukhusområdet och lämna hjärnsubstanstrasan på rummet. Formel protesterade och sa att då skulle han inte se vart han gick ens, eftersom det rann ner i ögonen på honom hela tiden. Kandahar sa att han inte kunde se någon hjärnsubstans överhuvudtaget, och då såg Formel sårat på honom. Han måste i alla fall gå men torkade sig i stället med skjortärmen i pannan, så det gick på ett ut. Men under de korta stunder han var borta hann Mor få trasan tvättad i tvålvatten och lagd på tork över elementet. Den var ganska så smutsig. Formel gick och luktade på den efteråt, den hade blivit så främmande för honom. Jag tänkte för mig själv att någon borde ha tätat läckaget åt honom, gjort någon sorts anordning som kunde hejda det ständiga svinnet av hjärnceller på ett sätt som Formel kunde uppleva som trovärdigt. Men personalen sa att man aldrig skulle gå in i patienternas vanföreställningar som om de var verkliga. De skulle avvisas, ignoreras och aldrig nämnas. Som något icke-existerande. Jag förstod inte detta. Jag tyckte om att lyssna till Erkki när han förde långa samtal med några underliga figurer som bodde inne i huvudet på honom, och jag var nyfiken på dem och ville veta vad de sa, för jag tänkte att jag på det sättet kunde komma på något om vem Erkki var. Men det gjorde aldrig personalen. Poängen var ju att få Erkki ut ur psykosen, sa de, inte följa med in i den. Jag höll inte med. Psykosen var ju också Erkki. Det var hans tankar som kom ut ur munnen på de två figurerna. Ville de inte höra dem? Odin höll med mig. Han sa att de var fega. Att de trodde att de hade monopol på verkligheten.

Jag gick upp till Brønnen, satte mig vid strandkanten, ryckte i gräset. Såg ner på Döden i tjärnen.

– Varför är vi så rädda? frågade jag.

Döden putsade och putsade på kärrhjulet. – Det är fruktan som håller liv i människorna, sa han milt. Den sörjer för att ni hela tiden är på er vakt. På så sätt lever ni längre.

– Så om jag inte längre är rädd blir jag sårbar?

– Det blir du.

– Då måste jag antingen leva med fruktan eller inte leva alls?

– Det måste du.

Jag rökte och såg ut över vattnet, lät tankarna flyga. I den blå boken hade jag läst om den tid då det var gårdsbruk på sjukhuset, med kor och grisar. Det var under kriget, i december 1940, och mul- och klövsjukan var på väg. Ögonblickligen sattes det ut baljor med formalinlösning utanför alla ingångar till uthusen och alla måste tvätta sina skor i dem. En veterinär tillkallades och han undersökte en ko. Mjölkproduktionen hade gått ner och djuren hade ingen matlust. Någon kom på att tyskarna hade infört en del kor, smittan härstammade antagligen från dem. Vid en närmare undersökning visade det sig att alla djuren på gården var smittade. Området blev genast avspärrat och vakter sattes ut. Så började de gräva en grav som var trettiofyra meter lång och en halv meter bred och två meter djup. Etthundrafemtio man var med och grävde. Därefter fördes djuren ut ur ladugården. Sextiofem kor, tre oxar och en kalv.

I tankarna var jag i den nattsvarta ladugården. Kände värmen från djuren, lukten och ljuden, fnysningar, trampanden, sakta och stilla. Plötsligt slogs porten upp. Djuren lystrade. De kände ju igen ljudet av porten som öppnades men märkte ändå att något var på tok, för det var natt ute och männen kom med svängande lyktor, kom stampande in utan ett ord, en förfärlig, illavarslande tystnad. Och kylan som slog in över golvet, stjärnorna utanför, inte vår ännu, varför kommer de nu? Tänkte korna med stora svarta ögon. Och skrapade oroligt med klövarna. Ut skulle de, i mörkret och kylan, de stretade emot, måste ha fattat något, att detta var farligt, de råmade klagande, men männen var starka, hade inget tålamod, inga snälla ord, ingen strök dem över ryggen. Ut i den svarta natten gick korna, stolpande på smala ben, haltande över isvallar och tung snö.

Länsman hade den tunga uppgiften att skjuta dem en efter en. Efteråt välte man ner dem i graven. Jag tänkte på de där djuren, på hur rädda de måste ha varit, och hur rädda människorna måste ha varit över att vara med om en sådan massaker. Kor är så stora och sorgsna djur. Jag kunde höra dem råma i dödsångest. Och jag tänkte på honom som sextionio gånger måste höja vapnet, sätta det mot djurets huvud, det mjuka varma kohuvudet, och trycka av. Sedan ryckte de väl lite i kramper, innan ögonvitorna vändes ut och de äntligen blev stilla.

– Är djur lika rädda för att dö som människor? frågade jag Döden.

– Djur är inte rädda för att dö. Djur är bara rädda för att mista livet, sa Döden.

– Är inte det samma sak?

– Nej.

– En gång ska jag ut från Varden, sa jag. Då ska jag leva utan fruktan. Så står jag väl framför din dörr innan du anar det.

– Du får leva som du vill, svarade han. Jag väntar här. Jag ställer inga frågor.

– Det gör jag. Är det dumt att fråga?

– Det är människans natur.

– Men det är nästan inget svar, sa jag beklämd.

– Nej. Inget svar. Inte här hos mig heller. Man är. Eller man är inte. Så enkelt är det.

– Odin tror att han ska vidare. Till något bättre. Han säger att han snart ska ge sig iväg. Men i stället ska han ner till dig. Borde jag berätta det för honom?

– Odin är Odin. Du är du.

– Men alla som tar miste. Det är så smärtsamt!

– Låt folk leva sina liv i fred.

– Ja, ja. Jag håller inte på och prackar på andra mina egna teorier. Om de inte vill lyssna. Men Tussi till exempel, han tror på

Gud och det. Och jag tänker på att han ska ner till dig och inte till Paradiset, som han drömmer om, och då blir han ju så besviken.

– Ingen här nere är besviken, sa Döden.

– Det kan hända att jag kommer ganska snart. Jag tänker ofta på dig.

– Jag går ingenstans.

Jag kom på att jag måste kolla en sista sak. Jag sa: Har det kommit en liten flicka? En knubbig flicka med stora lockar? Och röda fläckar på halsen? Fick hon sitta en stund i ditt knä?

Då vände Döden sig bort så att jag bara kunde se den svarta kåpan och ingenting av hans ansikte.

– Många små flickor, sa han lågt. Och ännu fler ska komma.

Sedan teg han. Jag reste mig och gick ut ur skogen. Såg ut över sjukhusområdet, bort mot gården, som nu bara hade hästar för patienternas bruk, och försökte tänka mig var djurgraven låg. För de låg ju där fortfarande. Korna, oxarna och den ensamma lilla kalven. Hade djurens skrik följt länsmannen in i sömnen? Man kunde ju inte förklara för dem. Det var det värsta, tänkte jag, att vara tvungen att skjuta någon och inte kunna förklara. Jag tänkte: Inte livet till varje pris. Inte livet så länge som möjligt. Vad var gott? Vad tyckte jag om att göra? Ingenting. Bara sitta stilla och tänka. Ingen kunde leva på det. Jag gick tillbaka till Varden, trappan upp, genom korridoren, in på rummet och la mig i sängen. Täcket upp till hakan. En kula i tinningen. En kniv genom ögat, tänkte jag och somnade.

\*

Hajna! Sover du?

Ja, jag drömmer. Om torra stråhyddor och brist på vatten. En mager get går och letar efter gräs, raggen hänger i tovor, den har matta ögon som är djupt insjunkna, det finns inget kött på den, då skulle den ha varit slaktad för länge sedan. En man kommer ut ur en hydda. Han ser neråt vägen, men där finns ingenting att se. Han ser uppåt vägen, men där finns ingenting att se. Bara geten. Den bryr han sig inte om. Han har en stav i handen, han slår med den i marken, dammet virvlar upp och döljer honom medan han slår och slår i jämn takt. Flera kommer ut ur hyddorna. De ser på honom. Han börjar gå. Fler kommer till, de går till nästa by. Fler människor sipprar ut ur hyddorna, sipprar som myror, rinner som olja över den torra gula sanden, väller fram som en vårflod, som en nattsvart mardröm med vita lysande ögon. De är beslutsamma, som efter en lång tids planering, det måste ske, de ska över till oss, till den rika världen. Och vi sitter framför teven, detta enögda monster, och ser dem komma, de kommer över havet, över fjället, genom skogarna, en tyst armé, miljoner människor, de starka bär de svaga, de har äntligen bestämt sig, har äntligen fått nog. Och vi sitter framför teven och ser, lika förlamade som alltid, för teve är inte verklighet, vi kan stänga av den, byta kanal, och vi gör det, men de kommer där också, och dagarna går och snart kan vi höra dem, de kommer hasande närmare och närmare, i panik slår vi av teven, det kanske är musik på radion. Men de kommer där också, vi hör de nakna fötterna genom högtalaren, de tar upp en talkör, utan ord, bara ett hotfullt nynnande av röster som stiger och stiger, och ett barn har rest sig och tittar in genom fönstret: Jag ser dem, jag ser dem! De är längst ner på gatan. De kommer hit, till vårt hus! Som vi har byggt och tjänat ihop till och slitit för, och nu är vi äntligen skuldfria, hör du! Skuldfria! Dörren går upp. De kommer tysta in, en man och en pojke, och en kvinna kommer efter. De ser på oss med uttryckslösa ansikten, går tysta ut i köket, öppnar dörren till kylskåpet. Hittar mat. Äter. Och vi flyr från vardagsrummet, springer in i sovrummet, fega och rädda, och låser dörren. Drar täcket över huvudet, sluter ögonen, sitter i mörkret och darrar av skräck. Hoppas att mardrömmen ska gå över. Det är bara en tidsfråga. De är många fler än vi. Och de är mycket argare än vi.

Men det var bara en engelsk teveproduktion, ett slags mardröm om framtiden och ingenting man behövde ta så allvarligt. Om man inte ville, eller kände sig förpliktad, men vi människor är nu en gång olika.

Jag hostade blod. Jag kavade omkring i ett oljehav mellan döda fåglar och med en syl i ögat, och elva skott genom hjärtat och en revolver mot tinningen. Floden av fattiga som strömmade över gränserna trampade ner mig. Det gäller att trampa vatten. Tänk på några enkla ting. En fyrtaktsmotor till exempel, eller Connys pannbiffar. Ingen lagar så goda pannbiffar som Conny. Minns du Lynette?

Lynette Philips var tjugofyra år, född i Australien i en rik familj. Lynette hade allt, både skönhet och rikedom, ett barn med de bästa framtidsutsikter. Föräldrarna hade höga tankar om vad det skulle bli av henne. De såg till att hon fick universitetsutbildning, de gav henne också samvete. För att inte tala om kärlek. Så pekade de ut en väg för henne, den rätta vägen. Men samvetet växte i rasande fart, som en elakartad svulst. Det blev för stort för henne. Hon kunde inte leva med allt hon visste, med vad hon hade sett. Hyddorna, det torra dammet, de utmärglade människorna. Så hon reste till Genève, satte sig i gräset framför FN-huset, hällde bensin över sig, över huvudet och armarna och benen, och tände på. I protest mot världens girighet. Smärtan var så stor. Någon måste skrika. Blåsorna sprack upp på huden och kroppen var övertänd på några få sekunder. Hon satt ändå upprätt, med benen i lotusställning och rak i ryggen medan hon brann och brann. Så måste det sluta för Lynette.

Det var torsdag. Jag minns det för Tjuven Tjuven hade bänkat sig i teverummet. Klockan var tio minuter i nio, hon skulle se "Rötter". Närmare bestämt skulle hon se sin stora hjälte, som hon var desperat förälskad i, inte Kunta Kinte, själva huvudrollen, utan en av de andra skådespelarna, O.J. Simpson.

– Är han inte skön? sa Tjuven Tjuven. Det är liksom något förfinat över honom. Han är en ädel människa, det ser jag på hans ansikte, på hans hållning, hans utstrålning. Intelligens. Värdighet. Lugn. Jag tror jag smäller av!

Jag gick ut i matsalen och stötte på Tussi. Jag hade tagit Tussi under mina armars beskydd (vingar har jag aldrig haft), det innebar att jag jämt och ständigt gick bort till honom och sa några ord, strök lite på honom, men mycket flyktigt så att han nästan inte hann reagera. Han hade slutat med munskyddet. Ögonen var blanka när han såg in i mitt ansikte.

– Det är så tråkigt, Hajna, att du inte har funnit Gud.

Det luktade tvål och salva om honom, kinderna var nästan genomskinliga av allt borstande. Det tunna bakåtstrukna håret gjorde att han såg ut som en äldre man, och jag var säker på att hans själ var urgammal.

– Jag har aldrig letat, sa jag enkelt. Varför ska man leta efter något man inte vill ha?

– Men du måste tro på mig när jag säger att det är vägen till frälsning och glädje. Om människan fick söka länge nog, sa han, skulle hon alltid finna Gud. Aldrig något annat än Gud.

– Men du ser ju aldrig glad ut?

– Jag blir det snart. När jag kommer till Honom.

– Och under tiden trampar du omkring här nere och har det förskräckligt? (Jag ville egentligen säga jävligt men jag behärskade mig för Tussis skull.)

– Nej, förskräckligt? Det har jag då inte.

– Tja, sa jag. Det här är som ett fängelse. Jag är oskyldig, säger fångarna. Och här på anstalten säger vi: Jag är inte alls olycklig.

– Jo, se på Förlåt, sa Tussi. Han är olycklig. Han vågar nästan inte stiga upp på morgonen. Jag gick bort till honom en dag, jag hade valt ett ord ur Bibeln åt honom, du vet, Johannes tre sexton, men när jag började tala, värjde han sig med händerna för ansiktet och sa: Å nej, å nej. Icke! Icke! Jag misstänker att någon har sagt något ofördelaktigt om Herren till honom. Något ondskefullt och falskt. Hur ska vi få den mannen ut i krig?

– Krig? sa jag. Vad menar du?

– Ut från Varden. Ut i djungeln där ute.

– Om det bara hade varit krig. Då kunde jag ha valt sida. Och identifierat en fiende. Som det nu är, slår jag blint till höger och vänster.

– Om du väljer Gud, sa Tussi stilla, kommer du lättare att känna igen Djävulen när du ser honom. Då kommer du att se fienden, Hajna.

Ack, ack. Jag strök honom snabbt över kinden. Hans kind var så mjuk och stor, kanske modern fick smeka honom när hon kom på besök. Hon kom varenda dag, den torra gråa häxan.

Min vän Peter ringde. Och pappa ringde. Han sa inte mycket. Ville höra att jag levde, tog medicinerna, gick på gruppterapin. Dagarna gick. Jag hade slutat se mig i spegeln, slutat räkna kalorier, det var detsamma varje dag, ett löskokt ägg, en halv brödskiva, detsamma till lunch och potatis och grönsaker till middag. Aldrig kvällsmat. Jag vägde ett ton, jag var en flodhäst, en elefant, en blåval på land. Det susade i öronen, jag såg dubbelt men håret hade slutat falla av.

Och det var gruppmöte. Freiner var i form, ivrig och kvick, den raspiga rösten påminde om det ljud som kanske skulle uppstå om någon använde taggtråd mellan tänderna. In kom Maria och Jørgen och Formel. In kom Erkki och Kajsa och Kanvas. In kom Feta Freddy. Han stannade mitt på golvet, blinkade med de tunga ögonlocken, stod med något brunt i händerna. En komocka. Den såg precis ut som en komocka, men blank, som om den hade varit glaserad. Jag såg nyfiket på detta bruna, förstod inte vad det var. Och på hans min, liksom överväldigad av gränslös sorg. Det var naturligtvis ingen komocka utan något klumpigt föremål i brun keramik. Han höll det som det sköraste porslin, såg på det med fuktig blick, de våta läpparna darrade. Han såg alltid så snäll ut då, när han stod med hängande huvud och tittade på oss, som en stor fet ko.

– Min mor är död, sa han stilla.

Vi såg förvånat på honom, väntade på fortsättningen.

– Är inte det ganska länge sedan? sa Freiner, idioten, drinkaren. (Men jag hade en vrå åt honom i hjärtat nu, det var nästan synd att han inte visste det.)

Freddy svarade inte. Stirrade bara på det där bruna. – Min mor är död, återtog Freddy. Hon gjorde den här askkoppen till mig innan hon blev borta. Hennes hjärna vittrade sönder och till slut var den tom. Hon kände inte igen mig längre. De säger att det är ärftligt. Är det ärftligt, Freiner?

Han ställde komockan på bordet. Fingrarna darrade när han tände en cigarett. Han drog in våldsamt och slog av askan i mitten av komockan. Freiner raspade taggtråd.

– Hrm, det är inte tillåtet att röka förrän efter klockan …

– Håll käften! Håll käften! vrålade Freddy. Jag röker när jag vill! Jag är en vuxen människa!

Vi var inte vana vid att Freddy skrek. Han var uppenbarligen inne i en kris.

– En del dokumentation kan visserligen tyda på riklig förekomst i enstaka familjer, men det är långt från det och till att uttrycket ”ärftlig” är berättigat. Låt oss fortsätta mötet, sa Freiner. Idag ska vi ha intervju.

Freddy sänkte huvudet. Han befann sig någon helt annanstans, allt vi hörde var hans kindtänder som malde mot varandra.

– Med andra ord, fortsatte Freiner. En ur gruppen ska intervjua en annan ur gruppen och får fråga vad han vill. Vi håller på i femton minuter. Det är självklart frivilligt att svara och det är upp till intervjuaren vad han vill fråga om, men jag uppmanar båda två att göra en god insats.

Valet av de två medverkande skedde genom lottdragning. Freiner skrev namnen på lappar, Kajsa fick dra. Först intervjuaren, sedan objektet.

– Orkanen ska fråga, sa hon entusiastiskt, och vi såg framför oss möjligheten av en underhållande stund. Och Kanvas ska svara.

Total tystnad.

– Ä! Kanvas? sa Orkanen. Han är ju ... han jobbar ju här, för fan! Freiner hade en min som om han hade värpt ett guldägg.

– Han är väl med i gruppen, eller hur?

– Du då, Freiner? Stod ditt namn överhuvudtaget med på någon av lapparna? I så fall skulle jag gärna ha frågat dig ...

– Då börjar vi. Ni kan reglerna. Jag tar tid. Femton minuter, var så god!

Kanvas satt lugnt på stolen, fullständigt trygg, helt utan ängslan. I kakiskjorta från civilförsvaret och blekta jeans. Han var på gott humör för närvarande, det var mycket sjukdom bland personalen och han fick mycket övertid som han fick lön för, även om det stred mot instruktionen från Justitiedepartementet. Orkanen drog fingrarna genom håret så att det spretade ut åt alla håll och stack fram hakan.

– Ja. Då börjar jag. Jag börjar med några enkla saker, sedan ökar jag tempot eftersom, vi måste ju börja på ytan och därefter dyka djupare ner, inte sant, Kanvas?

Han nickade och log.

– Alltså. Fråga ett. Trivs du här på Varden?

Kanvas nickade bestämt. – Ja, log han.

– Och varför det, om jag får fråga? sa Orkanen spydigt.

Maria fnissade.

– Jag lär mig saker. Varje dag lär jag mig något.

– Kors då. Vad har du lärt dig idag då, om jag får fråga.

– Jag har lärt något om vad institutionslivet gör med människor.

Han sände Freddy ett milt leende.

– Fan, du har varit här i månader, knorrade Erkki, och så har du inte lärt dig det förrän nu? Det är det jag säger. Från Dillingøy får vi bara dumskallar.

Sedan blev det bråk och rabalder. Freiner försökte lugna sinnena.

– Jag tror, sa Kanvas, att alla ni som är här behöver vara här. Men jag tror inte att någon ska vara på ett ställe som Varden för länge. Jag tror mer på fler och kortare perioder.

Moltyst. Freiner lystrade yrvaket.

– Du är inte här frivilligt, eller? Du vägrar värnplikt. Egentligen skulle du säkert hellre ha velat vara någon annanstans. Erkänn det! sa Orkanen uppfordrande.

– Nej. Jag valde civiltjänst och jag for till Dillingøy där jag fick välja. Jag önskade mig hit.

– Låt mig då för ordningens skull, bara så vi är helt på det klara med det, få fråga dig om du tycker om att flirta lite med din egen galenskap, och att det var därför du ville nosa på vår?

Här log Kanvas med kritvita tänder.

– Ja. Kanske det.

– Så. Vad tycker du om oss och vår galenskap?

– Den är kul ibland. Då och då avundas jag er. Att ni låter er flyta iväg, utan plikter och ansvar. Att ni kan svara som ni vill, skrika och vråla, och vad ni än gör, ser vi det alltid i ljuset av någon diagnos, och därigenom blir ni oangripbara för oss. I stället för att ställa verkliga krav på er stryker vi efter väggarna och betraktar era raseriutbrott på avstånd. Och medicinerar med hänsyn till aggressionsnivån eller graden av missanpassning. Och naturligtvis utan möjlighet för oss att kolla om ni lurar oss eller tycker vi är narrar. Vilket jag givetvis utgår från att ni gör då och då. I varje fall en del av er.

Det gick ett sus genom rummet och Freiner flämtade till. Jag fick för mig att Kanvas kastade en blick på mig och sedan på Erkki, som gäspade långt och länge. Det knakade i käkarna på honom, kanske hade han för lite ledvätska.

– Det där, flåsade Orkanen, tycker jag var en ganska fräck insinuation. Tror du vi tycker det är så skojigt att vara här kanske? Tror du vi stortrivs?

251

– Jag utesluter det inte, sa Kanvas. Och jag kan inte inse att det skulle vara så mycket värre här inne än ute på gatorna.

– Nej, fy katten, det här vill jag inte höra på, skrek Maria. Nu manar jag till allvar och tar tre verser ur Gud är Gud! Om alle man låg stendöda!

Freiner rynkade pannan men kunde inte avbryta projektet som han själv hade satt igång.

– Så du avundas oss helt enkelt? Du skulle gärna ha varit här själv? Som patient?

– Ett tag. Ja, gärna. Kommit till Varden som det det är. En tillflykt. För att vila ut. Men inte så länge att jag glömde livet utanför eller, ännu värre, inte erkände det eller inte vågade vända tillbaka.

– Men vi är ju sjuka, vi som är här, jag trodde du i alla fall hade förstått åtminstone det, skrek Orkanen. Erkki till exempel, han är ju totalt schizofren, och Tussi håller på att flå sig själv med en nagelborste, och vad beträffar Formel så går han omkring utan topplock, så att vinden, den kalla oktobervinden, blåser rätt ner i hjärnan på honom, det lilla som finns kvar fryser antagligen till is om han går ut på vintern, och detta menar du alltså skulle vara en tillvaro "inte mycket värre än den utanför". Va? Kanvas?

Han tog god tid på sig och såg lugnt på Orkanen.

– Det finns människor utanför som släpar på fruktansvärda saker. Som inte har ärftliga anlag eller andra dispositioner som skapar en psykos. De får aldrig den chansen, sinnet väljer inte sinnessjukdom som en lösning på problemet, och de hittar aldrig ett gömställe.

– Hör nu här, sa Orkanen irriterat. Om folk kommer sig upp på morgonen. Om de gör sig i ordning och äter frukost. Och går till ett jobb. Som de utför någorlunda. Och sedan går hem igen, och så lagar de mat åt sig, och kanske har de en vän, någon kanske till och med två, som de kan ringa till och tala med, eller ännu bättre, de kan gå ut tillsammans, på bio eller ta en öl. Jag menar, om folk klarar allt det där och, inte minst, klarar det dag efter dag, år efter år, då kan de väl för fan inte ha det så jävligt?

Det blev tyst en stund. Kanvas satt lugnt på stolen i ungefär samma ställning. Han hade bruna ögon. De såg lugnt på Orkanen.

– Jo, sa han. För väldigt många människor utför alla de här

252

uppgifterna *trots* en stor smärta. Den smärta som ni känner så väl och som har blivit så stor för er. Den finns överallt. Här inne. Och där ute.

– Jaha, efter detta är det väl bara att skriva ut sig, sa jag, jag ringer min vän Peter och ber honom ta en öl med mig. Det är sorgligt att jag inte har gjort det för länge sedan. Erkki skrattade så att de spetsiga hörntänderna syntes.

Orkanen la armarna i kors.

– Vad ska du bli, eller göra, när du är färdig här?

– Det har jag inte bestämt.

– Du kommer bara förbi och nosar lite på oss, medan du egentligen väljer något annat?

– Skulle du vilja att jag valde er? sa han stilla.

– Det är jag som ställer frågorna här, fräste Orkanen. Och så la hon plötsligt till: – Ja. Jag ville väl det. Det är ju bara korsdrag här hela tiden. Ingen som stannar. Ingen som orkar.

Hon såg plötsligt modfälld ut.

– Jag vill tro att ni alla är med om att bestämma vad för sorts ställe det här ska vara, sa Kanvas.

– Nej! Nu räcker det för helvete. Fan, jag är inte här för att bli upplärd av en jävla fegis som inte ens orkar dra ut i krig! skrek Orkanen. Jag slår vad om att du är sängvätare, det är därför du inte är med och krigar, du törs inte bo i barack för då skulle de andra upptäcka det.

– Jag var sängvätare tills jag var åtta, upplyste Kanvas lugnt. Men nu håller jag mig torr. Och om det är tal om att kämpa så ligger slagfältet öppet för de flesta av oss. Det är bara att välja.

Alla teg. Det började dofta nerifrån köket, där Kockan stod och stekte potatis åt oss. Jag menar, till de andra, det finns inte utrymme för stekt potatis på en dagsranson på fem-sexhundra kalorier.

– Livet är inte lätt för någon, sa Kanvas stilla. Och när man inte längre vill ha det överhuvudtaget är det förstås allvarligt.

Odin harklade sig illavarslande.

– För omgivningen. Det är ni som inte klarar det när vi kastar oss i Brønnen. Det är ni som blir liggande sömnlösa. Men för mig, när jag en dag drar mig tillbaka, så är det lösningen för mig, som jag har valt och längtat efter. Så enkelt är det. Vet ni, jag blir imponerad av andra människor. Att de fortfarande är i livet. Och jag blir strax lugnad var gång en olycklig själ väljer att gå bort. Det är något äkta och odiskutabelt med att ta sitt eget liv. Och det är min stora skam i livet att jag fortfarande är här, att jag trots vantrivsel och förakt för livet och människorna ändå stannar kvar. Jag är antagligen feg. Jag måste göra någonting åt det.

– Eh, Odin ...

– Dessutom. Folk vill inte veta av vantrivsel överhuvudtaget. De som sitter på pengarna tänker antagligen som så: Vantrivsel i vår rika del av världen är ingenting annat än omoral!

Freiner hostade. – Nu tror jag inte vi ska göra detta till en debatt om ...

– Nej, nej, naturligtvis inte. Till och med här inne är det tabubelagt. Självmord hör hemma under den mer individuella terapin, är det inte så du brukar säga?

Orkanen hade en ny fråga. – Menar du att vi är fega, Kanvas?

– Det finns fega och hjältar både här inne och där ute. Men vi som jobbar här vill gärna tro att ni alla till en viss grad är motiverade att arbeta med er själva, antingen era problem är knarkrelaterade eller inte.

– Ni knarkar också, sa Maria plötsligt. Ni röker hasch. Jag har känt hur det luktar om Cato.

Freiner tittade hastigt på klockan. Tänderna klapprade som småsten i munnen på honom. – Ja, nu får ni röka!

*

Jag såg på Mor när hon kom gående på morgonen att kylan hade kommit. Hon kurade ihop sig under den kalla himlen och blåste i händerna. Glasögonen immade. För bara en kort stund sedan hade hon legat under ett varmt täcke och inte önskat något hellre än att få ligga kvar. Länge. Men hon steg upp, klädde sig och kom till oss. Hon trodde kanske att hon var tvungen, som folk tror att de är tvungna att leva och göra sin plikt. Så hade inte jag det. Var dag valde jag. Vaknade mödosamt, trängde undan smärtan. Såg länge på Döden med en flicka i knät. Ville sitta där med slutna ögon och vila för evigt. Det knät var till för mig. Så kom jag ihåg Stetson och steg sakta upp.

På ett sätt höll han mig vid liv. Han var en fackla inne i ett stort

mörker, det enda ljuset. Formel blev sämre och sämre. Man hitta-
de honom då och då inne i en vrå med ryggen mot rummet, böjd
i förtvivlan över sina tal som inte ville gå ut. Han glömde att äta,
de spetsiga knäna, de spetsiga armbågarna stod ut som ett fång
kvistar från den torra kroppen. Hakan sköt fram, ögonen, de grö-
na ögonen som jag tyckte om att se in i, som jag ofta försökte
fånga, undvek oss som om han skämdes. Han ville inte gå till
Brønnen. Han ville inte gå i skolan heller. Jag stod med hängande
armar och såg på honom men kunde ingenting göra. Han gömde
ansiktet i trasan. Helst skulle jag vilja ruska om honom, skrika åt
honom, men jag orkade inte. Korian trippade omkring som van-
ligt med sitt söta orientaliska leende. Han hade heller inte kommit
någon vart men var inte heller sämre, han erbjöd sina tjänster
som förr till alla nykomlingar med sin dämpade, behagliga röst.
Och plötsligt försvann Ruben. Han skrev inte ens ut sig, han bara
gick en kväll och kom aldrig tillbaka. Ingen efterlyste honom, han
var inne frivilligt. Men Stetson bekymrade sig och åkte vid ett par
tillfällen in till staden för att leta. Och fann honom i Slottsparken.

– Han vill inte tillbaka, sa Stetson. Problemet är att när han inte
följer reglerna blir det svårt för honom att få en plats nästa gång.
Om han skulle behöva.

Han lät mycket bekymrad.

Så kom Moffa tillbaka. Stod och hängde i dörren in till rökrum-
met, utmärglad i de svarta kläderna. Han var så mager om kinder-
na att jag nästan inte kände igen honom, men jag störtade fram
och kramade honom och borde inte ha varit glad att se honom,
men det var jag. Tjuven Tjuven levde och andades för sina små
presenter och för O.J. Simpson. Hon gruvade sig som en hund för
den stunden när alla tolv avsnitten hade sänts och han för alltid
skulle försvinna för henne. Hon drömde om honom på nätterna,
de svarta bulliga överarmarna, de kritvita tänderna och de mörka
ögonen. Å Hajna! Den mannen kommer att låta tala om sig. San-
na mina ord! Jag ryckte på axlarna och sneglade på Stetson, som
hade blivit så konstigt frånvarande på sista tiden. Det gick inte att
få kontakt med honom längre, och jag var orolig för att han kan-
ske var sjuk eller, ännu värre, hade kärleksproblem. Men jag kun-
de inte fråga. Bara han hade rätt att fråga. En dag låg jag på säng-
en med ryggen mot dörren. Jag väntade hela tiden på att någon

skulle komma, de gjorde ofta rundor för att köra upp oss ur sängarna och gräla lite för syns skull. Men jag frös och var trött. Stetson kom. Han satte sig på sängkanten. Madrassen sjönk ihop under hans vikt, jag fick för mig att något allvarligt hade hänt för han brukade inte sätta sig på sängkanten, och han sa fortfarande ingenting. Jag tänkte: Formel är död. Han har kastat sig i Brønnen. Jag vågade inte vända mig om.

– Hajna, sa han. Se på mig.

Jag såg på honom. Han var blek i ansiktet. Rädslan ökade.

– Jag har något att berätta, bekände han. Jag vill inte att du ska få höra det från andra så även om jag inte har någon skyldighet att förklara så gör jag det ändå.

Jag lyssnade medan hjärtat slog fortare.

– Du ska sluta, sa jag tamt.

– Ja, sa han. Jag ska sluta, Hajna. Och jag vill att du ska veta varför.

– Du behöver inte förklara! skrek jag. Du orkar inte mer! Vi är vana vid det och jag vill inte ha någon förklaring. Du kan bara gå, det kommer väl en ny, du är inte oersättlig, bara så du vet det! Dessutom kan jag sluta själv, precis när jag vill, jag är nämligen inlagd i det här hålet av egen fri vilja!

– Hajna. Hör på mig...

– Du är, Gud hjälpe mig, den första som ska försvara att du önskar dig ett nytt jobb. Har du ingen självkänsla? Står du inte för dina egna val? Allt det där ni ständigt tjatar om...

– Hajna, nu lyssnar du!

Plötsligt var han rasande. – Jag trivs här, sa Stetson. Det är inte för att jag inte orkar längre. Jag har inte ens något nytt jobb. Det är helt enkelt så, Hajna – han svalde tungt – det är helt enkelt så att jag har blivit uppmanad att sluta.

Jag låg kvar och glodde. Uppmanad att sluta? De saknade ju folk, jag förstod ingenting.

– Men – varför? stammade jag. Du är ju den bäste!

Ett ögonblick såg han förvånat på mig.

– Det beror inte på jobbet jag har gjort här på Varden. Det duger nog. De säger att det skär dem i hjärtat att ge mig sparken, men de är tvungna. De har sina riktlinjer.

– Sparken? Men vad är det för något? Har du rökt hasch på personaltoaletten? Har du knyckt pengar från reskassan?

Han böjde på huvudet och suckade så tungt att mitt hjärta ville brista.

– Jag gjorde ett stort fel. Och gudarna ska veta att jag borde ha varit stark och stått emot, men det var helt enkelt inte möjligt. Jag inledde ett förhållande med en av patienterna.

Mitt hjärta hoppade till. Blodet tvärstannade och all känsel i kroppen försvann.

– Det är strängt förbjudet, viskade han. Det bryter tilliten mellan vårdare och patient och är egentligen mycket allvarligt. Och även om det är ömsesidigt ...

Jag vände ryggen mot honom. Drog täcket över huvudet, ville inte höra mer. Jag ville dö, ville ha ut honom ur rummet, den förrädaren. Som var min personliga kontakt och som aldrig ville inlåta sig med mig därför att det var strängt förbjudet. Han hade ändå gjort det med en annan. Jag tänkte så det knakade. Det måste vara Annvor. Hon var så vacker, hon skulle snart ut. Det var klart, Annvor med hunden, som hade planer, som skulle bli psykolog. Och hon kunde ju inte ens se hur vacker han var. Tala om bortkastad skönhet.

– Jag är så ledsen, Hajna, sa han spakt.

– Vem är det? viskade jag.

– Ruben, sa han tyst.

Det tog en stund innan namnet sjönk in och nya tankar tornade upp sig. Den vackre Ruben – och Stetson? Nej! Detta var mer än jag kunde uthärda, det var inte att stå ut med! Jag kände mig som en narr. Han hade visserligen aldrig gett mig några som helst löften, aldrig flirtat, aldrig överträtt några gränser, aldrig bekänt sig till vare sig det ena eller det andra. Ruben med colaserpentinerna.

– Var det därför han stack?

– Ja, erkände han. Han försökte rädda mig. Vi har talat med varandra. Han säger att det är hans skuld. Men det stämmer inte. Ingen har skuld. Sådant bara händer.

Det var helt fel. Mig hände det aldrig. Jag välte över på rygg och stirrade demonstrativt i taket. En episod dök plötsligt upp i mitt minne. Från teverummet där alla var samlade och Orkanen hade blåst upp sig till en tornado, som hotade att sluka allt och alla och

Stetson ilade till för att lugna henne. Detta var innan Moffa kom tillbaka så den lösningen fanns inte. Han gick rakt på, Stetson, och du ska veta att Orkanen inte var något skämt när hon rasade som värst, så hon flög på honom och började slåss. Stetson höll stånd, han hade trots allt mer muskler än hon, han fick tag om hennes handleder och höll fast dem så att hon fick använda benen och sparkas i stället, men hon hade bara raggsockor på och det var ingen sak för Stetson att tåla de sparkarna, med hans starka ben. Och Timber rusade till och lyckades riva undan Orkanen, och så blev hon hjälpt in på rummet och ner i sängen av Freiner och Kandahar. Men när de släpade iväg henne skrek hon något efter Stetson som jag tyckte var lustigt att skrika till en man. *Jävla kärring!*

Och då hände något. Stetson, som var så stabil till sin natur, så lugn och behärskad, som aldrig lät sig bringas ur fattningen, blev röd som en pion. Jag stod och såg hur rodnaden flammade upp i hans ansikte och jag kunde inte förstå det. Men Orkanen hade förstått det. På sig själv känner man andra. Jävla kärring.

– Är det du som har försett honom med knark? sa jag bittert.

– Nej. Nej! Vi har en svikare på avdelningen, men vi saknar bevis.

– Cato, sa jag. Han håller på med mycket konstigt.

– Jag vill att du ska lova mig något, sa han och såg allvarligt på mig. Gör ingenting överilat. Låt det gå några dagar, det kommer nytt folk efter mig, duktigt folk.

– Nej, sa jag. Det här är droppen. Bägaren rinner över.

– Snälla du. Tänk på vad jag får att bära på om det händer dig något. Jag vet inte om jag orkar med om du gör dig själv illa. Det som har hänt är illa nog. Och så la han en hand på min axel, en vacker hand som alltså inte var särskilt intresserad av en mager flickaxel utan föredrog Rubens breda axlar och mörka rakade kinder. Så reste han sig och gick.

Stetson hade varit allt för mig, gjort allt för mig. Var alltid vänlig, uppmärksam, tålmodig, full av humor, och fräck då och då, men jag tålde mer av honom än av några andra. Stetson fick gå ett steg längre, fick säga sanningen. Han respekterade mig, jag kände det när vi talade med varandra på våra utflykter. De dagar han var ledig var tröstlösa dagar, då jag bara väntade på natten så att jag kunde sova in en ny dag, när han var tillbaka igen. Varje dag gav han mig något. Ett vänligt ord (du är så snäll med Tussi, du Hajna, jag är så glad för det). Eller en liten klapp på kinden, flyktig, så som jag själv klappade Tussi på kinden. Eller han kom stillsamt från köket på kvällen med en mugg i handen, varm mjölk med honung till exempel, eller varm choklad som han visste att jag skulle ta emot eftersom det inte var mat och inte la sig som knytnävar i magen. Eller han kom utifrån på sommaren och hade plockat en prästkrage från rabatten under fönstret, och så bugade han hövisk och stack in den bakom örat på mig. Jag fick alltid lov att röka i minibussen när det bara var vi två. Han bråkade inte, grälade inte, behövde inte försvara sin ställning, sin integritet, kände sig aldrig hotad. Bara Orkanen hade hotat honom och trampat honom på den ömma tån. Han älskade pojkar. Nej, han älskade en speciell pojke. Ruben. Inte mig med det ljusa håret och de blå ögonen och de spinkiga axlarna. Ruben.

Jag slogs av något obehagligt. Stetson hade hållit mig vid liv. I månader hade han utgjort hela grunden för mitt liv. Det var han som hade glatt mig varje dag, det var han som hade gjort valet enkelt varje morgon. Jag ville se honom igen, därför vek jag undan täcket. Nu var han borta. Allt var mörkt.

Från fönstret kunde jag se ut över åker och äng och skog. Landskapet var vackert, särskilt på hösten. Det hävde sig mjukt som lugna dyningar innan det steg mot en ås. Långt bort, mot det gröna gräset och de svarta granarna, lyste något grått, något kantigt och spetsigt, det såg ut som ett hus i miniatyr. Men ändå inte ett hus. Jag kunde inte se några fönster. En sorts låda formad som en liten pyramid. Jag såg länge på detta lysande grå, det låg så stilla mitt i allt det gröna. Sedan väntade jag på kvällen. Den kom sipprande vid sextiden och skapade ett blått och mystiskt ljus utanför fönstret. Jag anmälde mig i personalrummet, knackade lätt på glaset. Cato reste sig från stolen och öppnade. Jag blev varje gång överväldigad av hur ful han var och fick omedelbart en allergisk reaktion med kvävningskänslor och yrsel.

– Ska du ut så sent?

– Klockan är sex, rättade jag honom. Och jag är en vuxen människa.

– Ja, men det är en halvtimme till kvällsmaten.

– Jag ska inte ha någon kvällsmat, sa jag surt.

Han såg granskande på mig med sina fåraktiga ögon men kunde inte neka mig att gå ut. Om han hade kunnat skulle han ha gjort det, skitstöveln.

– Jag vill ha en överenskommelse, sa han. Och du vet varför.

– Varför? sa jag dumt.

– Larva dig inte. Du har pratat med Stetson. Och nu ska du ut och avreagera dig. Låt nu de där fikustassarna pilla på varandra i fred...

– Din skithög! skrek jag. Din arroganta, okunniga fan!

– Såså. Lugn i stormen. Jag bryr mig inte om om du super dig full, det lägger jag mig inte i.

– Fylla? Vad för överenskommelse?

– Ett ungefärligt klockslag när du kommer tillbaka. Annars letar vi. Förresten orkar jag inte leta ikväll, det är så jävla kallt. Jag skickar en dobermann. Om det nu tjänar något till. Det är väl bara tungan kvar på dig som är ätbar.

Han flinade rått.

Jag brann i hela kroppen, från tårna och uppåt. I tankarna körde jag en syl genom ögat på honom och en sax upp genom näsborrarna.

– Bara en timme, sa jag stelt.

– Vad har du för jacka på dig? Du ser så konstig ut.

– Det är ju en dunjacka.

– Du har inte en skarpladdad pistol i fickan? Du ser tjockare ut än du brukar.

– Om jag hade haft en skarpladdad pistol, skulle du ha haft en kula i pannan för länge sedan.

I själva verket var det en tunn täckjacka och runt livet hade jag knutit filten i sängen, den med påskriften VAR – DEN – SJUK – HUS. Han såg misstänksamt på mig.

– Nåja. En timme. Annars skickar vi hundkopplet. Han vaggade in igen.

Så gick jag. Gick bort som en gammal katt, över parkeringen och vägen ut mot sjukhusområdet, förbi alla de smörgula fönstren. Om de skulle leta, skulle någon kanske minnas sig ha sett mig gå mot huvudvägen. Först ute på vägen vände jag och gick tillbaka, nu dold in mot husväggarna. Jag smet runt hörnet på Varden, gick över gräsmattan ut på åkrarna. Skorna sjönk ner i den leriga jorden, jag blev våt om benen, sedan känsellös. Jag skulle upp till det lilla grå huset. Den lilla pyramidliknande trälådan var mitt sista mål. Aldrig mer gå någonstans, säga något, anse något, tänka något. I tankarna hade jag dödat Cato. Det var en skön känsla. Om vi människor lever tillräckligt länge, tänkte jag, slutar vi alla som mördare. Det var säkert bäst att jag försvann. Jag gick och gick. Det var längre än jag trodde. Det blev mörkare, jag såg tillbaka, Varden lyste som ett skepp på toppen av en dyning. Det grå försvann i mörkret. Det är inte meningen att jag ska hitta det, tänkte jag, det finns inte något liv för mig och nu finns det Gud hjälpe mig inget slut på det heller. Jag gick och gick, filten ville hela tiden glida ut under jackan, men filten skulle jag ha. Något att ligga under, ett tätt mörker av ylle. Jag var ensam där jag gick, nästan vilse, samtidigt driven av något, detta var mitt öde, det tycktes oundvikligt, det fanns ingen väg tillbaka, allt slutade i det grå lådliknande huset, som syntes igen, jag såg det tydligt nu. Så var jag väl då oduglig, helt enkelt inte livsduglig på samma sätt som andra. Det kunde ligga i generna, vad visste jag, i varje fall kunde jag inte, så långt tillbaka jag kunde minnas, hitta någon förklaring någon annanstans. Jag vände mig om en sista gång och såg tillbaka mot Varden. Fortsatte vidare, påbörjade stigningen, hade nästan inte ork. Så småningom var jag framme. Och då förstod jag vad det var. En jordkällare. Bara taket stack upp ovanför marknivån. Jag letade efter en öppning i mörkret, den var på den sida som vette bort från Varden och det passade mig bra. Ryggen mot världen, ryggen mot allt. Dörren var ingenting annat än en lös plankvägg som jag kunde lyfta åt sidan och sätta på plats igen. Jag böjde mig och kröp in, gled ner i ett hål. Det visade sig vara nästan ståhöjd, när jag väl var där inne. Jag kände med foten, kände en brädstapel, skräp, tomma pappkartonger, stenar och kvistar. Någon hade varit här före mig. Jag drog fram filten under jackan och fick väggen på plats framför öppningen. Det blev så mörkt att jag inte kunde se min hand när jag höll upp den framför ansiktet. Jag var på väg att försvinna. Men mörkret var gott, jag vände mig sakta runt, det fanns inte en gnista ljus någonstans. Jag försökte samla några brädor till ett golv jag kunde ligga på. Stod som en blind och slet isär de tomma pappkartongerna, de var kalla och våta men jag ordnade dem till en liten hög. La mig ner. Filten var stor, jag kunde gömma hela kroppen under den och snart började den värma lite. Det var ändå inte nog. Jag frös men visste att det skulle ge med sig och övergå i någonting annat. Armbandsuret låg kvar på nattduksbordet tillsammans med en sista sak till Tjuven Tjuven. En puderdosa. Hon var ofta blank om kinderna. Jag drog upp benen under mig och la ihop händerna över bröstet, böjde ner hakan, försökte ta så lite plats som möjligt, lyckades stoppa in filten överallt så att den blev sträckt, som att ligga inne i en kokong. Det var inte alls obehagligt. Jag låg länge. Tankar och bilder kom i brottstycken. Nu börjar de snart leta. Var letar de någonstans? Grälar de på Cato för att han lät mig gå? Ja! Ja! Gräla på Cato! Grälar de på Stetson för att han talade om sanningen? Nej! Nej! Gräla inte på Stetson! Är de rädda? Nej. De gör sitt jobb. När de har letat ett tag utan resultat, kopplar de in polisen och överlåter problemet till dem. Eller civilförsvaret. Vad visste jag? Nästan ingenting. Det mesta hade man berättat för mig. Sylen genom ögat. En efter en skjuter blåsor upp på kroppen, som svamp, de spricker och efterlämnar rått kött som börjar stekas och sedan lukta. Tills vi sitter där, förkolnade med styva leder. Nej och nej, stackars Lynette. Jag snurrar runt i en stor centrifug, det går fortare och fortare och jag pressas mot väggen, allt som heter safter och kraft slungas ut ur kroppen och silar ner längs väggarna, ut kommer blod, svett och tårar, ut kommer etter och galla, hej vad det går! Jag blir mindre och mindre, det är nästan ingenting kvar, bara brosk och ben, jag blir torr och hård. Om de hittar mig någon gång, hittar de bara en taggig sten under filten.

*

*Hajna? Nej, henne minns jag inte. Hon var kanske inte där så länge. Ett helt år? Då tillhörde hon väl den tystlåtna sorten. Alla ställde inte till med samma uppståndelse omkring sig, som till exempel Odin eller Sonja. Du måste ge mig en ledtråd. Tunn och ljus? Det hjälper mig inte, jag ser inte mycket, bara otydliga skuggor. Mycket tillsammans med Formel, säger du? Nej, beklagar, jag hade dessutom nog med mig själv. Merparten av tiden gick åt till studier. Jag hade tur och fick en liten lägenhet på vinden* där jag kunde läsa i lugn och ro. Det har du förtjänat, Annvor, sa Hedda, för du vill något med ditt liv! Jag tyckte om att vara innanför men ändå så avskärmad från avdelningen, eller från galenskapen om du så vill. Mitt liv fram till dess hade varit ett enda stort felsteg. Jag hade tur som landade med det mesta av fysiken i behåll, det kunde ha gått värre. Jag kände mig aldrig hemma på Varden, och förlåt mig om jag låter snorkig, men de andra var liksom så galna. Förstår du? En typ som hette Erkki kom med konstiga kryptiska meningar som vi aldrig förstod. För att inte tala om Formel. Och hon den fula med den rasande rösten som blev kär i flickor, inte för att jag brydde mig om det, men hon gjorde så stor affär av det. Folk kan väl hålla sådant för sig själva. Och när det gäller Formel så hade han en del verkligt skruvade idéer. Det är omöjligt att tala förnuftigt med en sådan människa, då föredrar jag ensamheten. År 1979 var jag färdigutbildad psykolog. Jag var aldrig intresserad av det sjuka sinnet, bara av det friska, starka, målmedvetna. Min högsta önskan var att arbeta inom elitidrotten och det satte jag upp som ett mål. Få de allra yppersta talangerna att prestera ännu mer och framför allt: prestera när det verkligen gällde. Musiktalanger var också intressanta, men detta med fysiska prestationer låg mig närmast om hjärtat. Och det ska jag säga, prestationsnivån på Varden var jämförbar med ett ålderdomshems. De orkade knappt släpa sig till kiosken eller ut till busshållplatsen förrän de var på vippen att svimma. Ingen brydde sig om sådant som fysisk fostran. De slapp undan för lätt. Satt och skumpade runt på gamla slakthästar. Låg och flöt i simbassängen. Däremot var personalen väldigt inriktad på mat och att alla skulle äta gott. Själv har jag alltid varit slank, jag äter det jag behöver, aldrig mer.

Nu avser jag inte att klaga på Varden som institution i sig själv, jag fick det jag behövde, nämligen lugn och ro att arbeta inom trygga ramar. Men stället var nu till största delen inriktat på verkligt sjuka människor. Ja, sådana som Sonja och de andra. Att jag stannade så länge som jag gjorde berodde huvudsakligen på alla mina privilegier, dessutom hade jag kost och logi och fick en utbildning utan lån. Till och med tandvården var gratis. De som arbetade där var duktigt folk, vänliga, omsorgsfulla och tillmötesgående, med undantag av en ganska motbjudande typ, jag tror han hette Cato. Han fick sparken efter ett tag. Skälet var dunkelt men de flesta använde fantasin. Och den vill jag lova var välutvecklad hos de flesta, om de inte var så nerdrogade att de gick omkring och halvsov. Flera låg i sängen stora delar av dagen. Det blir man ju inte frisk av.

*Jag har en ny hund, en labrador. Fick avliva den gamla, den fick för-
kalkningar i höften och operationen var dyr och dessutom osäker med
tanke på förbättring. På grund av min dåliga syn måste jag ha en hund
som är helt tiptop och jag är mycket nöjd med Lindford. För övrigt lever
jag nu ett städat och välordnat liv med stora utmaningar. Jag är i så motto
tacksam för tiden på Varden, men jag har aldrig tillskrivit uppehållet där
särskilt stor betydelse för min utveckling. Jag gjorde helt enkelt arbetet
själv, medan personalen stod som vänliga statister i bakgrunden. Nej, det
enda jag nu koncentrerar mig på är att klara mig själv, inte stödja mig
mot någon. Uträtta optimalt. Försörja mig själv. Helst skulle jag vilja bo
ensam med Lindford, jag är inte särskilt svag för folk som klamrar sig fast
vid varandra. Om vi människor inte är starka nog ensamma, är vi inte
starka nog att leva livet. Nå, jag minns många av dem som var på Var-
den. Kajsa och Enny. Odin och Ruben. Korian och Disco. Och naturligtvis
Kandahar och stackars doktor Freiner. För att inte tala om Erkki. Men
den där Hajna kan jag inte komma ihåg. Det är bara att beklaga.*

\*

Länge gick jag ut och in i en tung dvala. Jag frös inte längre och
jag var inte hungrig. Ändå gjorde jag bilder av mat, eller de kan-
ske dök upp av sig själva, i mörkret, i jordkällaren, under filten.
Det var i första hand färgerna, det rent visuella med maten jag
tänkte på, och längtan efter doften. Det jag drömde om, nästan
feberhet under filten, var glansen på ett rött äpple, det matta,
skimrande skalet på ett nyvärpt ägg, den glänsande vitan när man
skalar ett ägg, den skamlöst gröna färgen på en paprika. Pyttesmå
sockerkristaller på en kringla. Eller ljudet av mat, en hårt stoppad
wienerkorv som knäpper till när man sätter tänderna i den, ett
knäckebröd, ett stenhårt äpple. Eller synen av ångan som stiger
upp i taket när man lyfter locket av potatiskastrullen. Droppar av
vattenånga på insidan av locket. Sedan dök det upp andra bilder,
de var också aptitliga. I tankarna högg jag in på en ros, en krokus
eller en rak, inte helt utslagen tulpan. Jag satte tänderna i en
knubbig kind och bet ihop, bevare oss! Jag hörde ljudet av mina
egna kindtänder som skallrade mot varandra. Jag såg bilder av
spår i snön som långsamt blåste igen, spår i sanden, utplånade av
nästa våg, hela tiden nästa våg. En strand full av benrester, stenar

och snäckskal, varaktiga ting. Formels magra rygg med de spetsiga axlarna, Tussis fuktiga ögon. Trädgårdsmästarn böjd över blomrabatten, bort med ogräset, hela tiden nytt ogräs, en evig tyst kamp. Jag vittrade långsamt sönder, sjönk ner i den kalla jorden, var varken till besvär eller bekymmer. Om inte Formel slet sig lös från sina tal och såg ut i mörkret efter mig. Hörde jag inte hundar på avstånd? Du måste göra din plikt. Varför ska du slippa undan lättare än andra, backa ur, smita undan? Är du feg kanske? Jag frös om fötterna och tänkte i detsamma på alla sockor som hade stickats genom tiderna på anstalten, på den tiden ingen fick ligga i sängen utan alla måste vara produktiva. Väva eller snickra eller mjölka eller baka eller tvätta eller plöja eller rulla cigarrer. Men sockorna. Var det inte nittonhundrafemtiotre? Vad var det förresten för år nu, jo nittonhundrasjuttioåtta, det skiljer ju bara några få år, men nittonhundrafemtiotre stickades ettusenåttahundra sockor i rummen på anstalten. Jag såg för mig de blanka strumpstickorna, hörde klirrandet, såg munnarna som rörde sig ovanför. Dessutom sydde de kvinnliga patienterna (för de manliga höll på med helt andra saker) sextiotusen knapphål. För hand. Med en liten nål. Kanske i dåligt ljus, vad vet jag? Nästan ingenting. Jag gick på fest i stället, jag åt ripa och drack rödvin, direktör Holm gick omkring med sin cigarr och skämtade och skrattade med patienterna, han hade en faderlig inställning till alla men var mycket myndig. Han krävde absolut lydnad. Och sjukhuset var förvisso ingen arbetsanstalt, ingen skulle kunna påstå det, men sysselsättning var aldrig av ondo, om människan lägger sig ner dör hon. Sa doktor Holm. De drack mer vin, alla drack vin, husmödrarna, vårdarna, vaken och alla patienterna, vinet flödade, patienterna blev alldeles galna och Holm blev tvungen att hämta vattenslangen och spruta på dem. Det var minsann ingenting han gjorde i onödan, bara vid extraordinära tillfällen, men ordning, ordning! Ni är mina barn. Jag är vägen, sanningen och ljuset. Så tråkigt att du inte har funnit Gud, Hajna.

Döden. Hör du mig? Jag vet att jag måste hitta vägen själv, men det är ju så långt! Du kan väl ställa dörren på glänt, du ser ju att jag kommer? Vem är det som skickar hundar efter oss? Jag hör hundskall. Men jag luktar ingenting och jag säger ingenting så de hittar mig inte. Jag är snart helt borta. En säck med potatis, sopor

som någon har slängt i ett hörn på botten av en gammal jordkäl-
lare, på en brädhög bland kvistar och stenar. Jag ligger alldeles
stilla och blir till ny jordmån, förmodligen för groblad eller svin-
målla eller maskros. Kanske blir jag plockad av ett barn. Kanske
lagd mellan två pärmar och pressad och torkad. Lägg mig i en bok
så ska jag visa dig hur långt du har kommit.

*

Någon hade stött på Sonja. Nere vid kiosken, åtföljd av en vårdare,
och vederbörande, jag tror det var Enny, sa att hon såg ut precis
som vanligt. Lika välvårdad, lika snygg och fin, lika vackert leen-
de. Hon var överförd till rättspsyk och fick inte gå på promenader
utan ledsagare. Påståendet att hon såg ut precis som vanligt disku-
terades livligt i dagrummet. Ingen var väl precis som vanligt efter
ett sådant illdåd. Galna Sonja. Det låg ju någonstans och gnagde,
självklart. Förr eller senare skulle smeten förgifta hela organismen
och Sonja skulle långsamt vittra sönder. Som hjärnan på Freddys
mor.

Mor hyssjade. Det var bra att lufta tankar och tvivel, men en
del ämnen var farliga och kunde i värsta fall skapa förtvivlan och
hysteri. Odin var av den åsikten att de säkert hade medicinerat
Sonja och hela händelsen sönder och samman, eftersom det var
så de brukade lösa problem. Mor, som alltid var så lugn, sa tyst att
det hade hjälpt om de hade varit fler i personalen. Den kvällen
var det två vårdare på trettiofyra patienter, eftersom Maria och
Bino (hon som saknade färg) var ute på permission. Jo, jo, men
ändå. Det var ett nederlag, ett regelrätt fiasko ändå. Vad var de
rädda för? De stora starka känslorna som ville flöda fritt?

– Det handlar om att nå fram, menade Mor. Målet för oss är att
dra ut er så att vi kan samtala. Så enkelt är det. Vad har du förres-
ten grisat ner skjortkragen med, Odin? sa hon och böjde sig över
honom, den pyttelilla kvinnan med det snövita håret och den sto-
ra skäggiga karlen.

Odin sneglade ner på snibben. – Jag tror det är en snorkråka, sa
han skamset.

– Herre Gud, har du ingen näsduk? sa hon uppgivet.

– Det är närmare till snibben och jag höll på att rulla en cigg.

Ville inte ha snor på cigarettpapperet så tunt som det är, för då går det sönder. Har du tänkt på det, Mor, hur tunt det är? Kan du förstå hur de kan göra så tunt papper? Vad människan kan! Är du inte imponerad?

– Absolut inte.

Telefonen ringde inne på personalrummet och Piraten sprang iväg för att svara. (Ny vårdare med lång svart lugg som täckte högra ögat.) Han kom tillbaka med röda kinder.

– Polisen, sa han. De kommer med en artonåring. Han måste in på femman. De är här om en timme.

Odin gnäggade så det hoppade i det gråsprängda skägget. – Lite mer att göra, sa han och sörplade kaffe. Låt oss hoppas att han är i koma.

Men han var inte i koma. Det kom sex poliser med den bindgalne mannen, de lirkade och bar och släpade in honom på avdelningen, där Mor hade gjort helt klart att ingen kunde flyttas från isoleringen och ut på öppna avdelningen, och att de fick låna Binos säng och lägga honom där. Den Unge Vilden stannade i korridoren och såg sig förvånat omkring, fortfarande fasthållen av sex uttröttade poliser. Framför honom stod Mor och Piraten. Inga fler. De svartklädda skrev på de nödvändiga papperen och flydde tillbaka till bilen.

– Välkommen till oss, sa Mor torrt medan hon såg efter flyktingarna. Galningen höll på att gå igång igen, men hon klappade honom milt på armen. – Du är säkert hungrig. Och de har säkert inte varit snälla mot dig, det hör nämligen inte till reglementet för den yrkeskåren, men det vet du säkert allt om. Kom nu. Jag ska koka choklad åt dig och steka ett par ägg. Sedan ska du få vila. Jag ser att du är trött. Och vettvillingen, som fortfarande var andfådd, lugnade sig genast och såg sig omkring. Han kikade in i dagrummet. Odin vinkade. Han vinkade tillbaka och ett skevt, utmattat leende syntes. Det du!

Allt detta talade Formel om för mig, medan jag låg i en riktig sjukhussäng på ett riktigt sjukhus med slangar och rör och tillförsel av alla slags äckliga näringsämnen. Håll henne vid liv, vid liv till varje pris! Men vilket ställe det var! Jag hade ett underbart enkelrum och allt var vitt och rent och smakfullt, och folk kom jämt och ständigt in genom dörren för att se till att jag hade det bra. De hade klara, fastslagna uppgifter och kritvita uniformer. De hade kurvor och scheman och blodsocker och värden, sådant som kunde mätas och antecknas. Formel var hänförd över allt han såg.

– Mycket bättre att va-vara sjuk som du är nu, hackade han. Det här kan de fixa. På bara några dagar.

Jo tack. Jag ryckte ur slangarna med jämna mellanrum, och någon vitklädd själ kom in och satte dem på plats. Efter ett tag blev jag less, dessutom blev jag öm i alla hålen efter kanylerna så jag lät dem sitta.

– Snällt att du kom, sa jag och menade det. Formel rodnade.

Varje gång en sjuksköterska visade sig i dörren gömde han träsan. Han gick fortfarande i samma terylenebyxor med skjortan hängande utanpå. Han borde ha haft ett par snygga jeans och en tuff tröja. Ingen tänkte på det, eller de tänkte men hade inte råd?

– Har du några pengar? frågade jag och såg på honom. Jag kände mig så ren och vit och fin där jag låg i sängen, jag kunde kosta på mig lite omsorg om andra.

– Pengar, ja. Jag använder inte pengar. De står på, står på ett konto. Mor ordnar med det.

– Ska vi göra en överenskommelse? sa jag. Jag tar mig ut härifrån så snart som möjligt och släpar mig tillbaka till Varden. Om du låter mig följa med dig till stan och köpa lite kläder åt dig. Byxor och tröja. Kanske en ny skjorta. Och de spetsiga skorna är väldigt omoderna, Formel, och om du fick håret fixat lite, skulle det säkert ligga ner i stället för att stå rakt upp som nu.

– Det är väl inte så viktigt, mumlade han.

– Jo, sa jag.

– Men du går själv i samma skjorta. Hela tiden. En sjuksköterska var inne medan du sov och hämtade dina kläder. För att tvätta dem. Hon sa att de stod för sig själva.

Jag måste erkänna att han hade rätt. – Okej. Vi köper kläder båda två. Vi åker tillsammans.

– Hm, sa han, du måste väl ha ledsagare nu. Det är det som är problemet.

– Nej! skrek jag. Det kommer inte på fråga!

– Det är klart du får det. Lägga sig i en sån, i en, en källare och det. För att dö. Du tappar nog alla rättigheter. Kanske i tre fyra veckor.

Jag stönade högt. Det var för jävligt att de alls hittade mig med sina ivriga schäfrar. Att de bara klampade in och lyfte upp mig och bar mig tillbaka och skickade iväg mig. För att sedan hämta mig tillbaka till Varden och dra in alla rättigheter.

– Vi kan köpa kläder om tre fyra veckor, sa Formel nöjt. Jag har en tjugo-trettiotusen på kontot.

– Herregud!

– Det har väl du också? Du använder ju heller inga pengar, och du hade ju jobb när du kom till Varden, och då får du naturligtvis sjuklön, och den står någonstans och växer och växer och förräntar sig som bara den. Du borde, borde kolla ditt konto!

Jag började skratta. Jag såg på Formel och skrattade högt, och han tvinnade sina tunna fingrar och jag blev alldeles varm överallt för att han hade kommit den långa vägen från Varden till Centralsjukhuset, den enda från Varden som kom, utom Mor.

– Vi ska promenera till Brønnen också.

– Jag har varit där redan, sa han. Har varit där flera gånger. På morgonen ligger det tunn is längst in. Längst in vid kanten.

Han vände bort huvudet medan han strök sig över pannan ett par gånger med trasan. Så blev han sorgsen.

– Ska du inte ut snart, Formel? sa jag bedjande. Du vet, vi kan ju inte stanna på det där gudsförgätna stället. Nu när jag ligger här inser jag det. Antingen får vi dra oss tillbaka för gott eller så får vi ge oss iväg ut på slagfältet.

Han drog i sin gamla skjorta.

– Har inte så mycket att ge mig iväg med nu. Nästan, nästan inget vett kvar här uppe. Bara lite grums på botten.

Han slog sig på pannan.

– Vi kan slå i en gryta ljummen havregrynsgröt, föreslog jag. Du ska se att det har samma verkan.

Då log han igen, åt sin egen vanföreställning, för någonstans inne i hans huvud bodde en kristallklar röst som sa att han var helt ute och cyklade. Problemet var att samtidigt rann det något ner i pannan på honom i en jämn ström. Han kunde kasta trasan och sluta torka, men då skulle han till slut inte se ett dugg.

– Jag längtar så efter ett bloss, sa jag. Kan du fixa det?

– Kan inte röka här inne, sa han förskräckt.

– Klart jag kan. Jag hänger ut genom fönstret.

– Jag sticker ner till kiosken och köper.

Han försvann och jag kom på att jag hade glömt att säga vilken sort. Han kom upp igen med Prince, och den var egentligen för stark, men det fick bära eller brista. Formel hjälpte mig att rulla stativet med påsar och slangar bort till fönstret. Vi höll på en stund för att få upp det, men det gick så småningom och jag tände en Prince medan jag hängde som ett slaktdjur över kanten. Det var nästan vinter och snöglopp i luften. Röken rev som krossat glas i lungorna, och det gjorde gott. Efteråt vacklade jag tillbaka till sängen. Vi lät fönstret stå öppet. En sjuksköterska kom in.

– Ursäkta mig, sa hon bistert, men jag tycker det luktar misstänkt här inne?

– Bara jag som tog mig ett bloss, sa Formel glatt.

Hon såg strängt på honom och därefter på mig.

– Hör inte på honom, sa jag, han ljuger som en häst travar.

– Spelar ingen roll vem av er, sa hon snabbt. Det är inte tillåtet. Men om det är så att du har tagit dig ett bloss, antar jag att du är på bättringsvägen.

– Nej, vad i all världen får dig att tro det? sa jag spydigt. Formel flinade.

– Visst är vi på bättringsvägen, sa han, nu ska vi iväg båda två och bli som nya. Bli som nya med Hennes & Mauritz. Folk kommer inte att känna igen, känna igen oss.

Hon log motvilligt och försvann. Till slut måste Formel gå. När han stod i dörren tyckte jag synd om honom. Det såg ut som om han helst ville stanna.

– Kan du inte pallra dig ur sängen? bad han. Det är ingen som pratar, som pratar med mig annars.

– Du kan betrakta mig som utskriven, log jag. Egentligen skulle jag gärna vilja ha en kram, men jag står inte ut med tanken att få ansiktet nerkletat med hjärnsubstans.

– Nej, hehe. Det förstår jag. Det är väldigt grisigt.

Mulatten hängde mig i hälarna, ständigt med ett brett, beklagande leende i det bruna ansiktet. Jag väntade tålmodigt på att veckorna skulle gå så att allt blev som förr. Det var bra att få Mulatten som kontakt, hon tyckte nämligen inte om mig och det passade bra, eftersom ingen kunde överta den plats som Stetson hade haft. Med jämna mellanrum frågade hon om jag behövde hjälp med något, och varje gång svarade jag nej och till sist slutade hon fråga. Så fick jag så småningom vara i fred för henne. Om hon var sårad visade hon det inte, antagligen var hon lättad. Moffa hade lagt på hullet och liknade sitt gamla jag, och Freddy var i full färd med att banta. Han hade klippt och kammat håret, hans jeans blev lösa och lediga och en kväll satt jag i dagrummet och la upp dem åt honom. Det var ett väldigt jobb att pressa nålen genom det styva jeanstyget. Han väntade tåligt i stolen bredvid iförd joggingdress med Dagbladetreklam. Hans verkliga drag började framträda, det var en märklig upplevelse att se ett ansikte växa fram ur fettet. Han hade bett Kandahar att få slippa medicinen men han sa att de skulle vänta. Freddy tyckte inte om att han inte kunde röra ansiktet som han ville. Jag står framför spegeln och ler, sa han, men jag får bara ett grin tillbaka. Har du sett det, Hajna? Ögonen stirrar tillbaka på mig som om jag hade någon hormonstörning. Det sas att Kajsa trivdes bra på kaféet och i lägenheten och att hon snart skulle komma på besök. Jørgen Tics gick på nya mediciner och hans anfall var reducerade till någon sorts gläfsande eller morrande, vilket kunde sägas vara en förbättring. Folk ryckte visserligen till fortfarande, men det var bättre än hans vanliga obsceniteter. Och lite gläfs från predikstolen var ju bara på sin plats, det skulle hålla församlingen vaken, tänkte vi. När han nu en gång skulle ut och förkunna. Disco hade börjat gå i sadelmakarlära i stället och kom tillbaka till middag och luktade läder och impregnering. Håret stod upp som vanligt. Bino hade fått sig en käck liten stickad mössa över det vita håret och glasögon med färgade glas. Hon var faktiskt ganska söt. Bino tyckte mycket om att åka taxi. Då och då försvann hon från avdelningen, så ringde hon plötsligt, kanske dagen efter, från Bergen eller Trondheim eller Molde, och sa: Chauffören står och skriker åt mig. Han säger att det kostar tretusen kronor och jag har ju inte tretusen kronor, det måste han ju förstå. Men det går helt enkelt inte att tala förnuft med honom, han är alldeles galen! Kunde hon säga till Mor, som stod inne i personalrummet och kramade luren. Så blev det ett förfärligt jobb och många telefonsamtal till olika verk för att hitta någon som kunde förskottera pengarna och hjälpa Bino ombord på ett tåg tillbaka till Oslo. Jaja, ta det lugnt bara. Vi möter dig på Östra station.

Förlåt hade äntligen börjat tala. Visserligen bara enstaviga ord, som ja och nej och tack, men han kom sig långsamt. Han var som en vanvårdad hund, och vi tänkte nog både det ena och det andra när en buffel till karl, som visade sig vara hans far, kom instormande på avdelningen och frågade efter resultat. Stormcentret var förälskad i Bino, vilket hon högljutt förkunnade för hela avdelningen, och Bino var faktiskt smickrad, även om hon föredrog pojkar. Men ändå. Hon tyckte om att bli tillbedd, lät sig uppvaktas på alla sätt och blomstrade upp. Tjuven Tjuven försvann plötsligt. Och ingen hade lagt ut presenter åt henne medan jag låg på Centralsjukhuset, hon måste ha saknat dem. Tussi såg bättre ut än på länge. Han hade börjat ta korta promenader i skogen och hade fått färg i ansiktet, som dittills hade varit skärt. Han hade fortfarande rock och handskar men tog av rocken när han skulle ut och ersatte den med en skinnjacka. Då såg han nästan helt vanlig ut. Men han verkade så liten och ynklig där han gick, även om han gick med Gud, med Gud trädd över axlarna, gick med drömmen om Paradiset skvalpande bakom de blå ögonen. Erkki hade stuckit igen, han hade mumlat något om att lifta till Sverige, de letade inte efter honom längre, han var som en fågel, han skulle inte sitta i bur. Odin var också i skaplig form, han hade äntligen funnit några andra intressen än mat och hade börjat spela schack, som regel med Kanvas, som aldrig slog honom. Någon enstaka gång spelade han med Freiner. Freiner var fortfarande snabb, han höll sig snygg, hoppade och spratt på stolen under gruppmötena och höll koll. Ändå kunde vi ana en väldig törst växa inom honom, och under korta ögonblick slocknade han helt. Då satt vi tysta och väntade ut honom, någon hostade så att han kvicknade till. Då såg han ett ögonblick förvirrat på oss, kanske insåg han att vi förstod. Korian var som vanligt, han tömde askfatet åt oss och gick till kiosken med långa listor, han kammade Odins hår om Odin ville det, han fyllde på våra kaffekoppar och rengjorde Binos glasögon. Långa stunder roade han sig med en hålslagare som han fick låna i personalrummet. Han satt i soffan med en bunt gamla veckotidningar och slog hål gång på gång, ner i en skokartong. Sedan satt han och lekte med fingrarna med de små pappersprickarna i olika färger. En gång fick Moffa tag i kartongen och tömde

272

den i Freiners paraply, som stod i gången utanför personalrummet. När dagen var slut gick Freiner ut och slog upp paraplyet. Genast regnade det minimala pappersbitar över huvudet och axlarna på honom. Moffa stod vid fönstret och skrattade. Freiner måste ha trott att det snöade i färger.

Freddys byxor blev färdiga. Han tog genast på dem och blev mycket belåten. Mor kom just in och jag pekade på byxorna och den belåtne Freddy och sa: Ser du, Mor. Jag har tagit tag i min existens. Jag är en handlingskraftig människa.

– Men det är ju utmärkt, svarade hon. Det där skulle vi ha gjort för länge sedan.

– Ni har inte tillräckligt med folk, tröstade jag storsint.

Ryktet berättade att Annvor, som redan hade åkt, klarade sig utmärkt och arbetade hårt och inte längtade tillbaka en sekund, som så många andra. Moffa förde långa diskussioner med Freiner och försökte banka in i hans toppiga Draculaskalle att han inte hade abstinens, att det inte var det som var problemet, att var och en som hade levt några år kunde tackla det. Inte de första jobbiga fjorton dagarna. Det var resten av livet. Det oändliga, platta, händelselösa livet utan toppar och avgrunder. Freiner sa: Du måste finna nya toppar!

– Ingenting kan toppa morfin. Ingen salighet är större än det, sa Moffa enkelt.

– Då måste jag få nämna Guds välsignelse, sa Tussi med blanka ögon.

– Personligen anser jag att ingenting övergår en måltid med god mat, sa Odin.

– Jag klarar mig långt med en päls och en snygg dam, sa Stormcentret.

– Ge mig Bee Gees på full volym, sa Disco. Och en vass kniv genom ett oxskinn. Den känslan, som att skära i smör.

– Du då, Hajna? sa Freiner. Vad föredrar du?

Sömn. Mörker. Tystnad och glömska. Jag fumlade med en cigarett och tänkte skarpt men fann ingenting annat. Så jag reste mig och gick. Hämtade en jacka, ville gå till Brønnen. Formel flåsade efter.

– Om man inte har någon topp så får man, får man göra en, flåsade han.

– Det finns inte ens material att göra den av, sa jag hårt.

– Skulle inte vi till stan snart? Och köpa kläder?

– Jaja. Tjata inte.

Han blev sårad och teg. Vi satte oss i gräset. Nu vågade han inte säga ett ord, han visste att jag spann avancerade tankeräckor och att jag inte fick störas. Han störde ändå.

– Har du tvångstankar? frågade han.

Jag for runt. – Tvångstankar? Vad tror du om mig?

– Du är en sådan som blir galen om du inte får tänka i fred. Om någon stör och du blir tvungen att börja om från början blir du arg. Jag är övertygad om att dina tankar går runt och att du inte kan hoppa av. Det kallas tvångstankar.

– Väldigt vad tuff du har blivit, sa jag trumpet. Jag är egentligen inte sjuk. Inte är jag psykotisk heller.

– Nej, kors nej. Du bara sitter här och talar med Döden, hehe. Det kallar jag nog psykotiskt. För Döden säger, säger nämligen ingenting.

– Han talar till mig! fräste jag.

– Ja, det tror jag säkert. Han säger väl vad du vill höra. Du är lika tokig som oss andra, du vill bara inte erkänna, erkänna det.

– Stick, sa jag tjurigt.

Men han stack inte. Formel var inte särskilt modig, därför blev jag förvånad. Men jag tyckte om det också, att han satt där som en bromskloss. Vi var vänner, Formel och jag. Av vänner får man tåla att höra sanningen.

– Egentligen, sa han, egentligen är du ganska rädd för att dö. Därför håller du på och förbereder dig, inte sant?

– Du fattar ingenting. Jag är inte ett dugg rädd, jag längtar dit.

– Jaja, det också. Det ena utesluter inte nödvändigtvis det andra. Du längtar dit och du är rädd. Det är så med mig också. Jag vände mig och såg på honom. Allra helst vill jag ha det överstökat. Både livet och Döden, jag vill ha det överstökat. Det är så det är. Ja. Och snart är det över. För tiden går så fort. Mycket fortare än du tror. Och om du slutar grubbla så mycket går den ännu fortare. Jag tror att om man slutar tänka och börjar handla i stället, hela tiden, så är livet slut innan man hinner vända sig. Eftersom jag räknar hela tiden går det jättefort! Jag ska säga dig att knappt har jag gått och lagt mig förrän det är morgon igen!

Jag måste skratta åt Formel. Jag måste skratta åt mig själv.

– Jag saknar Stetson, sa jag lågt. Jag undrar hur han har det. Han och Ruben.

Formel petade i den frusna marken med en pinne.

– Jag hade inte tänkt säga det, sa han, men nu säger jag det ändå. Jag såg dem häromdagen, jag tror det var i, i tisdags, när jag tog spårvagnen från Blindern och neråt. Jag hoppade av vid Stortinget. De gick ner-nerför Karl Johan, gick med armarna om varandra. Men de såg inte särskilt lyckliga ut. Ingen av dem. Stetson hade inte ens hatten på sig. Kanske Ruben hade bett honom ta den, ta den av sig, och Stetson är inte Stetson utan hatten. Han blir så liten. Nej, de såg inte lyckliga ut. Och kanske har han inte fått jobb ens, och dessutom har han Ruben att försörja, och så mycket som han förbrukar blir det säkert knepigt. Och om han tjänar pengar så går det väl bara till, bara till knark åt Ruben kan jag tänka mig. Och vet du vad? Jag mötte dem, du vet, utanför Grand. Och jag är säker på att de såg mig, båda två. Men ingen av dem hälsade. Det var så konstigt. Som om jag var någon de inte ville kännas vid. Det var så ledsamt, Hajna.

Jag satt kvar och såg länge för mig de två unga männen som hade fallit för varandra. Jag tänkte på det Kanvas hade sagt, att utanför jobbade människor med mycket svåra saker, precis som vi. Var ute i världen trots smärtan.

– När det gäller Mulatten så håll henne bara på armlängds avstånd, sa Formel. Hon är inte mycket att ha. Hon vill helst stå inne i tvättstugan med smutstvätten. Och så gillar hon att skriva rapporter, hon har så vacker handstil. Det är synd om Mulatten. Hon vet att hon inte är bra.

– Jag kan inte sluta grubbla, sa jag. Precis som du inte kan sluta räkna. Det är så vi är.

– Ja.

– Och så kommer vi alltid att vara.

– Alltid.

– Och det kunde vara värre.

– Mycket värre.

– Som till exempel Erkki. Han äter flugor, han.

*

MENY VECKA 43

Måndag:   Risotto med kött. Franskbröd med smör.
          Ananaspudding. (Roligt ord, ananas.
          Anananananas.)

Tisdag:   Fiskbullar med morotsstuvning.
          Plommonkräm.

Onsdag:   Stekt fläsk med flott.
          Risgrynsgröt med socker och kanel och
          härliga russin.

Torsdag:  Fisksoppa.
          Fruktsallad.

Fredag:   Sprödstekt kyckling med pommes frites.
          Mannagrynspudding med saftsås.

Lördag:   Skinkpaj med råkost.
          Färsk frukt.

Söndag:   Djurstek med brysselkål. (Varför kan de inte säga vad
          för slags djur? Det finns så många slags djur, tycker ni
          det låter finare med djurstek? Jag menar, dovhjort,
          ren, kronhjort, eller vad?)
          Vaniljglass med körsbär.

\*

Jag gick omkring på Roms gator i tunna skor och kände varje kul-
lersten höja sig under foten. Det var höst men behagligt varmt,
folk gick sommarklädda. Själv hade jag en tröja knuten om livet,
en gammal vana hemifrån med kyliga kvällar. Staden var vacker
med pelare och torn, trappor och fontäner. Jag hade gott om tid,
släntrade sakta från plats till plats. Det var mycket folk på gatorna,
katter och hundar, kärringar och ungar, en del gamla män, en del
turister, cyklar och kärror, butiker och bodar. Krucifix av plast,

keramik i vackra färger, lädervaror, träskulpturer. Bilar som körde omkring med djävulskt övermod, duvor som sket, hundar som tiggde.

En fattig unge hade följt efter mig länge. Jag hade sent omsider lagt märke till henne, hade gått så länge i egna tankar. En mager flicka med tovigt hår och trasiga kläder. Jag ignorerade henne, ökade takten men då började hon springa. Ett par gånger vände jag mig om och stirrade irriterat på henne, hon hade ett mycket beslutsamt uttryck i ögonen, jag förstod inte varför, rådjursblicken var annars den vanliga när de var ute på tiggarstråt. Hon gav sig inte, det var förfärligt. Så jag ökade takten ännu mer, men då kände jag plötsligt en kall vindil svepa genom gatan. En snabb isande vind. Det var konstigt. Jag stannade. Tittade spontant upp mot himlen, som var klar och blå. Såg en man stanna på andra sidan gatan och trä in armarna i en jacka som han hade haft löst hängande över axlarna. En kvinna drog en filt över barnet i en barnvagn. En ny iskall vind strök förbi. Det var en påfallande kyla, så oförklarlig i den varma staden. En plötslig rädsla grep mig. Att allt var över, nu kommer sanningens ögonblick. Jag drog tröjan över huvudet, vände mig om och såg efter den fattiga flickan. Hon brydde sig inte om den plötsliga kylan, stirrade bara beslutsamt på mig. Ännu en gång såg jag upp mot himlen och rynkade pannan då jag märkte att den hade bytt färg. På bara en minut. Den var ljust grå just då, och medan jag stod och såg blev den mörkare. Folk stannade, sände varandra ängsliga blickar. Flickan kom fram till mig, tog tag i tröjan med en smutsig hand. Jag såg just då på en gammal stenkyrka med praktfulla torn. Då hände något. Det hördes ett tungt, rullande tordön och därefter ett djupt, skärande ljud, som kom långt inifrån själva stenen. Ljudet fortplantade sig genom asfalten, vibrerade under mina fötter, rädslan slog in i bröstet som ett långt, segt hugg. En av pelarna hade en spricka, den framträdde långsamt och växte liksom oändligt sakta, därefter brast pelaren med en knall och delar av kyrktaket gav efter, stenblock rullade nerför trappan och ut på gatan, människor skrek av rädsla, hesa vanvettiga skrik, de sprang iväg men jag stod fortfarande kvar. Flickan klamrade sig fast vid mina ben, såg på mig med stora svarta ögon, började dra mig undan. Hon var fortfarande inte rädd, bara beslutsam, och jag förstod det inte. Jag såg mot horisonten, himlen var svart, ett moln tog form, ett rullande moln som närmade sig stadens centrum med en nästan omöjlig hastighet. Det var på väg mot oss och jag föreställde mig ett oväder, ett jordskalv, en naturkatastrof av ofattbara dimensioner, och instängda i denna stad av sten var vi alla chanslösa. Samtidigt kände jag de första skalven, flera byggnader gav efter, bilar körde av vägen och människor skrek i dödsångest. Flickan drog och drog i mina kläder, och då förstod jag äntligen. Hon ville ha mig med. Och så sprang vi. Våldsamma krafter härjade nu i staden, den rasade ihop framför våra ögon, kölden var bitande, ett iskallt regn piskade från det svarta molnet som nu täckte hela himlen, och det blev mörkt som på natten. Hela tiden rasade hus och pelare ihop, stenblock och glas regnade, en gammal man träffades av ett väldigt block, jag såg hans fötter sticka ut och de vita fingrarna som ryckte och ryckte. Flickan var snabb, jag kunde nästan inte hänga med henne, det verkade som om hon hade ett mål, ett gömställe, och jag tänkte att det borde vara jag som räddade henne, men jag kunde inte, jag kände inte den här staden som hon kände den. Hon kom fram till ett hus som fortfarande stod, kaskader av iskallt vatten rann över gatorna, vi var genomvåta och hjälplösa under en skur av vatten, glas och sten, vi sprang flåsande med böjda huvuden. Hon öppnade en nästan osynlig dörr och ville in, men jag vände mig om en sista gång, såg staden störta samman och insåg att det inte var en vanlig naturkatastrof utan själva Domedagen. I samma ögonblick som jag insåg detta slog det mig att jag alltid hade väntat på den. Så var vi innanför. Det var beckmörkt, vi kom till ett schakt, hon stack ner fötterna och försvann som i en väldig rutschbana. Jag satte mig också, men den var för trång för mig, inte anpassad efter en vuxen, jag satt fast, hörde henne ropa långt där nere, rösten var ihålig och underlig. Jag måste pressa mig igenom, jag hörde bullret utanför, visste att det här huset också skulle rasa, men vi hade försökt finna skydd, vi hade åtminstone försökt, som människan alltid försöker, även när allt är hopplöst. Äntligen började jag glida, fortare och fortare, jag visste inte hur detta skulle sluta men jag räknade inte med att överleva dagen. Jag vande mig snabbt vid tanken, jag hade aldrig trott att livet skulle vara för evigt, och den här dagen blev vi ju alla tillintetgjorda. Till slut kom jag ut i ett litet rum med en liten glugg. Den släppte in ett grått ljus. En liten grupp människor hade kommit före oss. De satt hopträngda i ett hörn och frös, ville hålla varandra varma. Flickan väntade. Hon såg på mig med stora ögon, nu skulle jag göra resten, sa ögonen. Vi satte oss tätt ihop på golvet och registrerade att det äntligen var tyst. Det var kanske över? Ingen vågade röra sig, ingen vågade hoppas, instinktivt insåg vi att detta bara var en försiktig början på ett helvete som skulle vara länge. Jag reste mig och såg ut genom gluggen. Ett nytt svart moln höll på att bildas vid horisonten, det rullade in med rasande fart. Vi kröp ihop, jag visste att det här stenhuset skulle bryta samman och falla över oss, vi skulle alla krossas, jag bad till Gud fast jag inte hade någon, låt det gå fort! Så började väggarna skaka, och flickan satt stum bredvid mig, men hon klagade inte. Det slog mig att hon hade vetat detta redan innan den första vindilen drog genom gatan. Det var därför hon följde efter mig, hon ville inte dö ensam. Inte jag heller. Vi böjde huvudena, vi darrade av köld, vi frös och jämrade oss. Någon bad, en vredgad mässande bön. Så rasade taket ihop. Haglade över oss i bitar och block, det dammade och smällde och mullrade och skakade, jag höll hårt om barnet, hon klamrade sig fast vid mig, vi var på väg till helvetet och det var mycket långt. Så var det äntligen över igen. Ett totalt mörker omgav oss tillsammans med en öronbedövande tystnad. Var det verkligen över? Jag kände dammet tränga in genom näsa och mun och hörde den lilla flickan hosta. Omsider lättade dammet och lite ljus trängde in genom gluggen. Den lilla gruppen av människor som hade kommit före oss låg krossad under stora stenblock. Jag såg en barnfot i en vit sandal och fliken av en blommig kjol. Ögonen hade vant sig vid mörkret och jag såg en strimma ljus, så svag att jag nästan inte trodde på den, men vi gick mot det ljuset. Kravlade och kröp, uppåt, uppåt. Letade efter dörren vi hade kommit in genom. Kom ut på gatan. Det som var kvar av den. Vi såg inget annat än ruiner, högar av sten, och döda människor. Helt stilla stod vi och såg på den ödelagda världen. Och plötsligt förstod jag att det bara var vi kvar. Jag minns inte vad jag kände när vi stod där och såg på ruinerna. Rädsla. Eller glädje för att vi var vid liv. Eller fruktan för framtiden. Eller undran över varför jag hade skonats. Helt utan anledning var jag skonad. Men det som plågade mig mest när jag äntligen vaknade ur den fasansfulla drömmen var ljudet av pelarna som knäcktes. Jag förstod att det skulle följa mig länge. Som en påminnelse om hur skör världen är. Att krafterna där ute är våldsamma, långt utöver vår fattningsförmåga, ingen barmhärtig kraft, inte ett led i en plan. För plötsligt kommer olyckan, ett svart moln som bildas vid horisonten, helt utan förvarning.

Jag var vaken. Låg orörlig med slutna ögon. Hörde någon smyga sig in i rummet på mjuka tofflor, en mörk skugga tornade upp sig vid sängen. Något tätt och svart genom ögonlocken. Tjuven Tjuven var tillbaka. Lukten av kaffe spred sig i rummet. Efteråt gick hon till tvättfatet där necessären stod. I sidofacket låg en prydnadskam för håret, den hade legat där länge och väntat på henne. Jag hörde det välkända knarret i dörren när hon smög iväg. Så drack jag kaffet sakta. Eva sov. Hon var nästan helt osynlig, Eva, som om hon levde i ett skuggland, livrädd för att någon skulle få syn på henne. Så jag reste mig och gick till hennes säng. Hon öppnade ögonen.

– Berätta något för mig, viskade jag.

Och hon log för hon gick också i terapi hos Hedda och visste vad jag menade.

– Vad vill du höra? viskade hon.

– Vet inte. Jag kan ge dig ett ord och du kan säga vad du tänker.

– Det kan jag göra.

– Mor, sa jag.

– Menar du Mor på Varden? frågade hon.

– Nej, din egen mor.

Det var tyst länge. Hon hade slutit ögonen. Munnen var sammanbiten.

– Ska du gå ut sådär? sa hon omsider och öppnade ögonen igen.

Jag såg ner på mig själv. Jag satt på sängkanten i tröja och trosor.

– Naturligtvis inte, sa jag.

– Jag talar om mor, sa hon tyst. När jag hör ordet mor tänker jag på de ord hon sa varje gång jag skulle ut. Ska du gå ut sådär? Jag hade gjort mig snygg och stått framför spegeln inne på rummet och tyckt om vad jag såg. Men ute i hallen satt en annan spegel. Mor stod bredvid och bilden inne i den blev plötsligt så ful.

Sedan upplöstes den. Till slut var jag helt borta medan mor stod kvar som en pelare. Jag kan bara vara ensam med mig själv. Tillsammans med andra försvinner jag, sa hon lågt.

– Ja, sa jag tankfullt.

– Nu måste du berätta något, sa hon och log.

Vi lekte en lek, Eva och jag, och det var alldeles ofarligt, och blodigt allvar.

– Jag skulle önska att jag var en kruka, sa jag, som stod på en hylla i ett rum med många människor. De skulle prata och skratta och gråta och jag skulle vara en kruka på hyllan. Någon enstaka gång skulle någon vända sig om och säga: Det var en fin kruka. Och vända ryggen till igen. Och glömma mig. Mer uppmärksamhet tål jag inte.

– Men du är ingen kruka, skrattade hon.

– Nej, och du försvinner inte fastän jag sitter här. Ska vi gå till spegeln och se på varandra?

– Du är så ljus och tunn och fin. Jag blir ett monster vid sidan av dig.

– Jag är egentligen en djävul. Det här är en förklädnad, sa jag och drog i en lock.

Så stod vi tillsammans framför spegeln, Eva och jag. Vi stod länge. Efter hand lutade vi oss lätt mot varandra så att våra axlar vidrörde varandra. – Du är ingen vampyr, sa jag, jag ser dig tydligt.

– Men det skulle ha varit fint, log hon, att äntligen få en diagnos.

Plötsligt skrattade vi, högt och ljudligt.

– Det var då fan till oväsen! sa en skrovlig röst. Det var Cato.

– Spegel, spegel på väggen där, sa jag giftigt, vem är fulast på avdelningen här? Jo, han med finnar så stora som bär.

– Väldigt vad kvick du har blivit. Jag rapporterar att du har fått tillbaka ditt humör och sedan kastar vi ut dig, skrek han.

– Tala inte så högt, sa jag, finnarna kan spricka.

Jag kom ner till nyheten att Begin och Sadat hade tilldelats Nobels fredspris. Att dela på. Relativt stor uppståndelse, särskilt i arabländerna.

Min vän Peter ringde. Han och hans Den Fria Teatern planera-

de en storstilad aktion. Fredspriset skulle delas ut på Akershus
fästning och de skulle se till att sätta käppar i hjulet för hela pro-
jektet. Rösten darrade när han la ut texten om det enorma säker-
hetspådraget, hur stora böterna skulle bli och allt annat de riske-
rade för framtiden. Han sa att om jag överhuvudtaget hade någon
hjärnsubstans kvar (och det hade jag ju, inget läckage alls) skulle
jag ställa upp vid fästningen på den stora dagen och med egna
ögon beskåda det riskfyllda projektet. Om inte annat som mora-
liskt stöd. Han garanterade en upplevelse som jag sent skulle
glömma. Så jag åkte. Det var den tionde december och isande
kallt och jag ångrade mig när jag steg av bussen. Många männi-
skor hade mött upp framför fästningen för att se den svarta
limousinen glida upp framför stenporten. Det myllrade av beväp-
nade poliser på gatorna och dessutom en ansenlig mängd militä-
rer, de hade knappast lösa skott i gevären och gick bredbent om-
kring med sammanbitna käkar. Jag hade tumvantar och halsduk
och mössa och kappa men frös lik förbannat.

Jag såg mig omkring efter Peter och hans gäng. Så småningom
fick jag syn på dem. De hade tydligen varit tidigt ute, alla hade
plats i främsta ledet bakom repen, fem stycken på vardera sidan
av gatan. De var neutralt klädda och jag såg inte ett enda plakat,
inte en tårgasbomb, ingenting annat än tio unga norska män med
sammanbitna ansikten. Jag kunde svära på att Peter var rädd. Det
var jag också. Galningarna med automatvapen kunde ju börja
skjuta vilt i ren panik så snart något oförutsett inträffade, och här
skulle något oförutsett inträffa. Vid närmare granskning verkade
Peter ganska tungt lastad, jag förstod egentligen inte med vad och
blev ögonblickligen nervös. Jag tyckte om Peter. Jag hade alltid
varit rädd för att han en dag skulle överträda en gräns. Böter gav
han fan i även om han inte hade särskilt bra betalt för att köra
spårvagn på Oslos gator. Vi stod länge och frös och väntade på det
exklusiva följet, men det var bara Begin som kom, Sadat stannade
hemma, han hade ett viktigt möte med Cyrus Vance. Mängden
stampade i kylan, sände respektfulla blickar mot vapnen, kände
på själva allvaret i situationen, alla reaktionerna på utdelningen,
på valet av de här två terroristerna. Men pengar skulle de få. Åtta-
hundrasjuttiotusen kronor att dela på. Så gick det ett lågt mum-
mel genom mängden, ansiktena vändes neråt gatan och något

svart och blankt kom till synes. Alla vakter skärpte uppmärksamheten, det knäppte i vapen, det small i stövelhälar och Peter och gänget var kritvita i ansiktet, där de stod som tennsoldater. De stod djupt koncentrerade och såg på varandra. Det slog mig just då att de alla hade mörka anoraker med huva och bröstficka. Bilen närmade sig, folk vred på huvudena för att se, de uniformerade pressade ihop sig och bildade en nästan ogenomtränglig mur framför åskådarna, men så hände det, som på ett osynligt kommando, de unga männen kastade sig ut i gatan, fem stycken från var sida, fram till mitten. Med otrolig hastighet drog de upp något ur anorakhuvorna. Det var tio svarta och vita Palestinasjalar, vips! var de på plats på deras huvuden. Nästa manöver, de dök ner i fickorna och drog upp en kätting och länkade ihop sig. Det skedde så vanvettigt fort, de professionella säkerhetsvakterna, som säkert hade gått på kurs i USA, stod som lamslagna med tappade hakor. Peter stod närmast trottoaren på min sida, han låste fast kättingen i stängslet och den andre gjorde detsamma på sin sida. Det hela hade tagit några andlösa sekunder, så stod de där i stram givakt i sina mönstrade sjalar som en mur över Kirkegaten. Och så. Höjdpunkten, instuderad in i minsta detalj, med Peters välkända sinne för dramatik. Ett litet knäpp med kindtänderna och illrött blod vällde fram ur deras munnar, det droppade ner över deras hakor och färgade sjalarna röda. Folk flämtade skräckslaget, vuxna försökte ta betäckning med sina små barn, alla drog sig in mot husväggarna och vakterna hade äntligen fått nervtrådarna kopplade, de stormade fram och kastade sig över dem. På mindre är en halv minut kom en typ springande med en grov järntång, men länkarna var för tjocka och gick inte att klippa av. I samma stund föll de tio soldaterna ihop och låg som blödande slaktdjur på gatan. En kranbil måste tillkallas, effekten och förvirringen var total. Limousinen väntade, stod och brummade på tomgång, det var omöjligt att se in genom rutorna, kanske Begin var rädd för att vi skulle döda honom med blicken, tänkte jag. Folk höll andan. Och kranbilen kom med större och kraftigare tänger och klippte av länkarna. Peter och de andra rycktes upp och blev inkastade i en polisbil. Det fanns blod kvar på gatan när limousinen kom rullande uppför den svaga sluttningen mot fästningen. Det fastnade i hjulen på bilen och efterlämnade mönstrade spår i asfalten. Så var allt över. Vi stod tysta kvar, allt hände så fort. Det hördes bara ett lågt mummel bland åskådarna. Jag såg långt efter bilen där Peter låg, antagligen på golvet, under ett knä. Och efteråt, när allt var över, fick jag Peters blodiga sjal som souvenir. Jag hade den runt halsen ett tag men insåg att jag inte var värdig att bära den. Han var mycket stolt. Han ansåg att aktionen hade varit särdeles lyckad. Men Begin landade med helikopter inne på fästningen och lurade oss allesammans.

– Men hjälper det då? frågade jag. Han hade fått tretusen kronor i böter och frågade om jag kunde låna honom pengar. Det kunde jag.

– Jag har i alla fall inte gett upp som du, svarade han.

Jag försökte inse det hjältemodiga i att fortsätta till varje pris. Peter trodde att han gjorde någon skillnad, kanske gjorde han det, men bara i sitt eget liv. Han tog tag i sitt liv, som Hedda skulle ha sagt. Sorg och död, kom inte hit! Jag går omkring som en levande måltavla, allt kan träffa mig, uppifrån, nerifrån. Gång på gång gick jag ut ur huset. Allt var tyst. Solen silade sitt guld genom lövverket och värmde upp trappan där jag stod barfota. En tungt lastad humla lyfte med stor möda och strök över huvudet på mig. Stå på dig, sa Hedda hela tiden. Det är du som bestämmer över ditt eget liv. Det pinglade i klockor, det susade av änglars vita vingar när Hedda talade. Det förvånade mig ständigt att hon orkade hålla på, när hon kunde ha gjort något annat. Men hon satt där i åratal, som driven av plikt, tyst och tålmodig.

Det är inget fel på din potential, och du har mycket stora resurser, brukade hon säga. Du har huvudet på skaft, la hon till. Ja, jag kunde känna mitt huvud, det levde sitt eget liv, jag försökte hålla det i styr, men lätt var det inte. Till exempel var det centrifugen som då och då drog igång med ett obehagligt buller, den snurrade fortare och fortare så att hjärnsubstansen kastades ut och klistrades mot skallväggen. Försök att tänka när det är på det viset, säger jag då, och lägg därtill det infernaliska ljudet som slutade i ett vinande, tjutande crescendo. Personalen hade alltid mediciner till hands som kunde ta bort sådana obehagligheter, så jag sa ingenting, jag var redan tillräckligt trött, torr i munnen och tung i huvudet. Jag la mig helt enkelt på sängen när jag hörde centrifugen starta. Det varade dessutom aldrig länge, sedan stannade den och tankarna rann sakta och trögt på plats. Rör inte mitt huvud! Rör inte mina tankar, de är allt jag har. Håll dig undan, stör inte! Sa jag till Hedda. Hon log sorgmodigt.

Det var synd om Hedda. Som hade fått denna snåla, ovilliga människa, alltså mig, på halsen. Kanske borde jag åka från Varden till larmet där ute och göra min plikt. Frosten grep mig när jag tänkte på det, och frosten hade kommit till Varden också, gräset var som tunna nålar av porslin. Jag såg Mor skynda över parkeringen som var täckt av rimfrost, hörde hennes steg som när någon river tjockt papper. Såg henne stanna vid personalrummet, blåsa och blåsa i händerna. Brønnens vattenspegel frös långsamt till is och stängde in Döden i hans verkstad. Jag sökte i skogen och hittade en tung stenbumling, kastade i den med våldsam kraft och fick ett stort hål. Det var klart att jag skulle ut från Varden. Men inte förrän solen har vänt, tänkte jag. För nu skulle julen komma med glitter och glam, och det skulle bli besvärligt att skaffa bostad mitt i julfirandet, jag fick vänta till efter nyår. Alltid vänta. Ingenting var bråttom. Ingenting gjorde intryck på mig heller, inte folk omkring mig, sjukhuset där jag var inlagd, systemen, människorna som inordnade sig och trodde på vad de gjorde. Kandahars lekar, medicinerna som de trodde var alldeles nödvändiga, ingenting gjorde intryck på mig. Det skulle i så fall vara Lynette Philips, som en levande fackla framför FN-huset. Eller Stetson med sin alltid entusiastiska framtoning, eller Mor med sitt lugn, eller Kockan med sin omutliga pliktkänsla, till och med Freiner som ständigt kom tillbaka till oss med all sin förtvivlan. När han kunde ha lagt av för gott och vänt oss ryggen. Så blev han sjukskriven igen. Kandahar var lika oberörd som alltid när han förkunnade det. Rösten var bergfast. Jørgen Tics log blitt och nickade med sitt krulliga huvud.

– Vi klagar inte, Kandahar, vi känner till förhållandena här, ah hompf, aff faff, vi har ju varit här ett tag. A-fäääh! avslutade han. Egentligen föredrog jag hans svordomar. Men personalen skulle snart rekommendera utskrivning, med motiveringen att så pass skulle nog folk tåla utan att stöta bort honom. Jag var inte så säker på det.

En iskall kväll samlade vi ihop ett gäng och trampade iväg längs vattnet bort mot busshållplatsen. Till och med Erkki var med. Han hade själv kommit smygande tillbaka till Varden efter en längre tid ute på vägarna. Jag stannade vid hans dörr, den stod som vanligt öppen, tittade in och sa: – Vi ska ut. Kommer du med?

Han såg nedlåtande på mig, ryckte på axlarna och reste sig långsamt. – Ska vi panga rutor? sa han förhoppningsfullt.

– Nej, vi ska till vägkrogen. Vi vill ha restaurangmat.

– De har god pannbiff på vägkrogen, sa Odin, och fin hemlagad stuvad kål. Fläskkotletterna är också bra.

Han ackorderade med sig själv om vad han skulle beställa. Disco ville ha fläskkotlett, det fick vi nästan aldrig. Jag ville ha en räksmörgås.

– Och de har varm äppelpaj med vispgrädde, sa Odin, eller så kan man få mjukglass till, om man föredrar det. Inte är det dyrt heller. Och nästan alla som sitter där är chaufförer. Taxi, buss eller långtradare. Det är duktigt folk. Om jag skulle leva om mitt liv, skulle jag köra långtradare. Ner till Rom med blåräv. Utkämpa det kalla kriget mot maffian som lurar i buskarna. De har utstuderade metoder, men det finns chaufförer som aldrig råkar ut för dem. För de är smartare. De känner till tricken. Vägspärrar till exempel, sådana ska man bara forcera. Liftare ska man hålla sig undan, även om det är en trettonårig flicka. De har inga skrupler, de där människorna, de utnyttjar sina ungar. Men det gäller att få fram rävskinnen i tid. Ingenting annat. Jävligt rakt uppdrag.

– Men du vill väl inte leva om ditt liv? sa jag bestört.

– Nej. Jag sa om.

Korian frös om fötterna, han trippade och trippade och slog åkarbrasor med de korta armarna.

– Jag ska ha, ja, det är ju inte alls artigt att säga jag ska, men om det alltså finns på matsedeln så ska jag ha rödspätta med remouladsås, tillkännagav han. Och potatissallad med crème fraiche. Och kanske en kompott till dessert, om de inte tycker det är för mycket begärt. Sviskon. Eller plommon om de har. Något har de väl, jag håller till godo med det de har.

– De har väl pudding, menade Disco. Jag ska ha chokladpudding med vispgrädde.

Och bussen kom och vi tumlade ombord och satte oss längst bak, där det hoppade mest. Det var inte långt, och vägkrogen stod och lyste inbjudande med frysbilar parkerade på snedden i snygga rader. Thermoking. Frionor. Sties. Sedan köade vi framför disken, hade fått mat på tallrikarna och skulle betala. Disco var ovanligt livlig den kvällen, hans kinder blossade och håret stod rätt upp. Vi var nog ett underligt sällskap. Erkki med sina testar, Korian med de trippande fötterna, Odin med det vilda håret och Jørgen med sitt ah! och fääh! och nöff! Disco hade beställt fläskkotlett, han såg ner på tallriken med fuktiga ögon och sedan på den unga flickan som satt i kassan. Så började hans huvud rycka. Först nästan omärkligt, men sedan tilltog den hackiga rörelsen, och käkarna ryckte och tänderna skallrade så jag trodde att emaljen skulle gå sönder. Jag hade aldrig sett att Disco hade ryckningar.

– Skär upp! Skär upp! stammade han och kassörskan såg förskräckt på honom, och sedan på resten av gänget, vi stod där tysta med vår middag. Utom jag, som hade köpt räkor.

Odin petade mig i ryggen. – Stå still och se, viskade han.

– Skär upp! Skär upp! väste Disco, och hans händer började rycka i spasmodiska rörelser, och han såg hjälplöst ner på dem och sedan på den unga flickan, hon påminde egentligen om en fäbodjänta, hon var så rund och röd. Hon hade fattat situationen till slut, vi kom från något dårhus och Varden låg ju inte så långt bort så hon förstod vad det handlade om. Hon spejade ängsligt ut över lokalen som om hon letade efter vårdare som kanske kunde komma till undsättning, men vi hade åkt alldeles ensamma ut i verkligheten. Så hon grep besticken och började skära kotletten i bitar, medan Disco darrade häftigare och häftigare och också hade börjat drägla lite. Odin skakade av ljudlöst skratt, och själv kämpade jag med sympati för fäbodjäntan och med ett hämningslöst vrål som trängde sig på.

– Mindre bitar! Mindre bitar! skrek Disco och pekade in i munnen med ett darrande finger, som om han ville meddela att han hade dåliga tänder eller kanske problem med att svälja på grund av spasmerna, och hon skar allt mindre bitar medan svettdropparna trängde fram i pannan på henne, och Disco kämpade nu sammanbitet för att hålla sig upprätt. Han grep efter kanten på disken, axlarna skakade, tänderna klapprade och han skrek Mosa potatisen! Mosa potatisen! och hon jagade runt med gaffeln och mosade maten sönder och samman medan kön stadigt växte bakom oss. Ingen sa ett ord. Det var toleranta människor. Och en blick på

Erkki var nog för att sätta dem in i situationen. Och långtradar-chaufförer trillar inte av pinn så lätt, det är ett som är säkert. Hans mat var nu förvandlad till en gröt av obestämbar färg, och fäbod-jäntan rätade på sig och torkade svetten ur ansiktet.

– Ketchup! Ketchup! skrek Disco och hon tog en flaska och sprutade ketchup över den grå gröten. Han skulle betala också. Det var inte så enkelt. Formel, som stod bakom mig, gömde ansiktet i händerna, ett enda fniss nu skulle avslöja oss. Disco grep efter plånboken och började öppna den, och jag hörde hur det klirrade av mynt och tänkte att de kommer att trilla ut överallt, och så måste hon ut ur kassan och plocka upp dem medan Disco försöker få kontroll på kroppen, och när det här kvällsskiftet är över kommer hon att vara märkt för livet. Men han gjorde inte det. Han var kanske nöjd eller så började han tycka synd om henne.

– Ta själv! Ta själv! skrek han, och det gjorde hon. Hon tog plånboken och öppnade den, tog precis trettiosju kronor och femtio öre och Disco tog brickan. Fäbodjäntan höll andan. Men nu var han stadig som berget när han gick över golvet. Håret hade lagt sig åt sidan som en lös hötapp. Fäbodjäntan klippte förskräckt med ögonen, det gick långsamt och bittert upp för henne att han hade drivit med henne. Och vad för slags prövningar livet kanske hade i bakfickan och allt hon skulle få stå ut med. Hon var väluppfost-rad och artig, det här var hennes första arbete och hon klarade det. Hon slog inte fel på kassaapparaten och hon steg upp genast när klockan ringde på morgonen och ingen hade klagat. Men se-dan, tänkte hon kanske, sedan blir det värre. Och nu såg hon be-kymrat på nästa man i kön. Det var Erkki. Han hade köpt en cola och en bulle och nöjde sig med att visa sina gula hörntänder.

– Saktmodiga äro de som inte fråga, viskade han, ty de skola besparas svaren.

Fäbodjäntan nickade stumt.

– Hans epileptiska anfall är ännu bättre, sa Odin när alla var på plats vid ett fönsterbord. Det blev kallare ute. Och ett iskallt drag satte sig som en klo i nacken på mig, jag satt längst in och frös.

Efteråt åkte vi in till staden. Gick omkring och såg på folk, utan mål, och frös mer och mer. Odin ville hem så att vi skulle hinna till kvällsmaten, men Korian ansåg att vi behövde frisk luft och föreslog att vi skulle knalla en bit uppåt promenadvägen längs älven. Så det gjorde vi. Det var bänkar längs stranden, men det var omöjligt att sitta stilla i den här kylan, vi gick hela tiden, orkade inte ens lyfta huvudena och se ut över vattnet. Men längre upp såg vi en man som satt på en bänk. Han satt alldeles stilla med hakan på bröstet.

– Herregud, han sover, sa Odin, han är säkert skitfull.

Vi närmade oss men han reagerade inte. Han var klädd i en lång tunn rock och hade stuckit händerna i fickorna. Det såg ut som om han hade rimfrost runt munnen, och han var vit som lärft i ansiktet. Håret hade frusit till tunna svarta pinnar. På fötterna hade han tunna skor. Det var Freiner.

– Fan! Han kommer att frysa, frysa ihjäl, viskade Formel.

– Antagligen, menade Odin.

– Vad ska vi göra? frågade jag.

– Ingenting, svarade han.

– Ingenting? Kanske han dör.

– Ja, kanske han dör. Kanske är det det han vill. Det är därför han sitter här. Han bryr sig inte längre.

– Vi ringer till Varden, menade jag.

– Det tror jag inte han blir så glad för, menade Odin.

– Får jag, om det inte är för mycket begärt, be om en ytterst liten smula uppmärksamhet, sa Korian. Saken är den att Freiner är starkt berusad. Såvitt jag förstår. Vi vet ju hur det är fatt med honom. Alltså är han inte i stånd att bedöma vad han egentligen vill, och det är vår enkla plikt att se till att han kommer in i värmen. Vi kan dela på en taxi åt honom. Vet någon var han bor? Någon?

Ingen visste. Jag stod helt tyst och såg på Freiner. Han hörde oss inte. Han satt som en dekoration vid älvstranden. Det såg ut som om han hade frid med sig själv. Det såg faktiskt ut som om han var död.

– Vi får ingen till att ta in honom i bilen när han är såhär full, ansåg Odin. De är så rädda för spyor i sätena.

– Har han fru? frågade jag.

Ingen svarade. Ingen visste något som helst om Freiner, om han hade familj eller vänner. Någon vi kunde ringa till.

– Låt oss se efter i hans innerficka om han har papper på sig. Körkort. Med adress.

Ingen hade lust att ta i Freiner. Alla stod lite beklämda och trampade. Till slut gick Erkki fram till honom, smög in en hand under rocken. Han hittade ingenting.

– Vi ringer polisen, sa jag. Informerar dem om en fyllerist i farozonen. Det är femton grader kallt. Så kommer de och hämtar honom.

– Och sätter honom i fyllecellen, sa Odin.

– Där är det åtminstone varmt, sa jag. De har värmeslingor i golvet.

– Minsann. Har du varit där? Nej, det tror jag inte han skulle vilja. Det blir nog inget vidare när de upptäcker att han är avdelningsläkare på ett av Europas främsta sjukhus för människor med, ja, både det ena och det andra. Det kommer att ta livet av honom. Han kan inte se oss i ögonen efter det.

Vi var tysta en stund. Ingen sa något, alla tänkte. Andedräkten stod ur munnarna på oss som små moln av tvivel. Och så gick vi bara. Hör du det? Vi bara gick. Det var liksom det enda rätta. Detta människoöde skulle vi strunta i, det var ett sätt att visa honom respekt. Det var också undfallenhet. Och rädsla för att såra honom. Kanske till och med likgiltighet. Det var allt och ingenting. Ett öde som skulle ha sin gång, mot någon sorts slut på samma sätt som vi alla var på väg mot slutet. Vi gick förbi honom, och vände oss om efter ett tag, såg ängsligt tillbaka på honom. Han satt som förr, hade inte märkt oss. Eller också hade han märkt oss och hört vad vi sa. Och var glad att vi hade låtit honom vara i fred. Vi tänkte som så, att han hade satt sig där med vilje, en bit från staden. Fri eller ej, han hade satt sig frivilligt. Vi tog en annan väg tillbaka, då kunde vi inbilla oss att han säkert var borta och hemma i sin varma säng. Vi tog bussen hem till Varden. Gick till våra rum. Eva sov. När jag senare låg under täcket tänkte jag på honom. Satt han där än? Hade någon hittat honom och hjälpt honom hem? Ringt polisen? Det slog mig att det vi hade gjort var oförlåtligt. Varför gjorde vi ingenting? Jag kunde inte sova. Jag såg kölden göra isrosor på fönstren och tänkte: Nu har han isrosor på kinderna. Hans hjärta stannar, det orkar inte slå i den här kylan. Jag steg upp ur sängen och gick ner till personalrummet. Mulatten satt i soffan och läste Kvinnor och Kläder.

– Hur kallt är det? frågade jag och såg mot fönstret, där jag visste att det satt en termometer utanför.

Hon reste sig och tittade. – Minus sjutton, upplyste hon. Och det sjunker stadigt. Fryser du?

– Jag fryser jämt.

Jag gick upp igen. Jag drömde om Freiner. Drömde att han var död och hård som porslin. Ett par ungdomar kom gående och fick syn på honom. Puffade prövande på honom med stövlarna. Och då föll Freiner från bänken. Han föll i asfalten och gick i tusen bitar. Förskräckta stod de kvar och stirrade. Försökte fumligt samla ihop bitarna, gömma dem under bänken. När de gick låg han kvar som en sönderslagen kruka i mörkret.

Det blev morgon och jag gick ner i köket till Kockan.

Det var sol ute och mildare, och livet såg ljusare ut. Kockan stod med ryggen till men jag såg på hennes axlar att hon märkte mig. Jag började nynna på en melodi. The Killer is Always the Gardener. Jag vet inte om hon kände till den låten eller om hon förstod engelska.

– Blev han oskyldigt dömd? frågade jag oskyldigt. Hon svarade inte först. Jag var en tok, jag kunde säga vad jag ville och hon behövde inte bry sig om det.

– Vem, sa hon skarpt. Jag såg att hennes axlar stelnade.

– Trädgårdsmästarn. Din man. Han ser så bitter ut. Som om han anser att någon har gjort honom en stor orätt. Samtidigt ser han så skuldmedveten ut. Det är konstigt.

Till min stora överraskning svarade hon, ner i maten.

– Han förklarade sig skyldig. Men han lyckades inte göra sig förstådd. Det är därför han är bitter.

Göra sig förstådd? Var han verkligen dömd? Trodde hon att jag visste något?

– Vad gör han nu, när det är vinter och ingenting växer? frågade jag medan jag tänkte så det knakade, medan jag låtsades som om jag visste allt och egentligen bara var måttligt intresserad. Hjärtat dunkade.

– Undervisar.

– På trädgårdsskolan?

– Rätt.

Hon höll på och plockade hårdkokta ägg ur en kastrull.

– Har han suttit på anstalt någon gång? fortsatte jag. Det var ett skott i blindo, men det träffade.

– Ja, här, sa hon.

– Här, på Varden?

– Inte på den här avdelningen. I Klyftan. Längre ner, du vet.

– Det är en rättsavdelning, sa jag snabbt.

– Det är det. Han hade ingenting där att göra, det sa jag till dem, jag känner honom, det har jag gjort i fyrtio år. Men du ska inte tro att de lyssnade på mig.

– Det gör de inte, sa jag solidariskt. De lyssnar inte på oss. Mördade han någon?

Alla äggen var uppe ur kastrullen. Hon sköljde dem under kallt vatten, torkade kastrullen och satte den i skåpet.

– Du har tydligen hört rykten. Men du ska inte fråga så mycket.

Jag stack händerna i fickorna. – Men du vet, en sån historia är inte lätt att hålla hemlig, särskilt inte på ett ställe som det här. Och det kan nog vara så att en fjäder har blivit fem höns genom åren, jag tar inte allt för gott, jag tar det faktiskt med en nypa salt. Men oss emellan. Vem var det han mördade?

Hon vände sig fortfarande inte om, men jag såg att hon liksom sjönk ihop i kroppen, att hon andades djupt flera gånger för att lugna sig. Jag stod lutad mot dörrkarmen och darrade av nyfikenhet. Kockan teg. Röd och gul sylt skulle läggas i skålar, köttpålägg skulle läggas upp på assietter, bröd skulle skäras upp. Hon arbetade snabbt och tyst.

– Vi hade en son, sa hon till sist. Audun.

Rösten var platt och livlös då hon började berätta historien, men den förändrades efter hand som allt blev verkligt för henne, steg och blev levande. Jag kunde inte fatta att hon verkligen berättade allt detta för mig. Kanske ingen hade frågat. Ingen hade visat henne intresse.

– Han var inte som han skulle. Han var trög och hade så svårt för allting. Men snäll, ser du. Oändligt snäll.

Hon stannade med kniven halvvägs genom en grovlimpa.

– Han gjorde inte en människa förnär. Men de andra ungarna, ja, en del vuxna också, klarade inte hans tröghet. Allt ska gå så fort, du vet, allt ska förstås omedelbart. Men han begrep allt, han behövde bara längre tid. Och de gav honom inte tid, folk gör inte det. De måste hela tiden peta på honom, säga något, sätta krokben, ta hans mössa och så. Dag ut och dag in. Vi kunde inte göra mycket. Kunde inte följa med honom överallt, men varje gång han lämnade huset satt vi där och ängslades för allt som kunde hända. Jag kunde inte andas ordentligt förrän han var hemma.

Hon teg igen, skar två tunna perfekta skivor.

– Och så en kväll kom han hem, han hade varit ute länge. Han såg så konstig ut, blek. Men i övrigt hel och med alla kläderna som de skulle. Jag ville laga kvällsmat åt honom, men han ville inte ha. Ville lägga sig, sa han. Var så trött. Det var tidigt, vi förstod det inte. Han gick upp på rummet. Han var sju år och det var alldeles innan han skulle börja skolan. Han gruvade sig. Du förstår, även om han hade svårt för sig så insåg han att han var annorlunda. Så han gick upp på rummet. Jag tyckte han rörde sig så underligt, inte som han brukade, liksom stelt. Jag minns att jag tänkte att han kanske hade gjort på sig.

För det kunde hända, det också. Men jag grälade aldrig. Det var bara det att han glömde sig. Min man, han heter Oscar så nu vet du det, grälade inte heller. Men han var ju förtvivlad. Det var värre för Oscar, jag tror sådant där är värre för män. Vi kvinnor, vi sätter igång och styr och ställer, men Oscar visste inte riktigt vad han skulle göra.

Hon skar en brödskiva till, hon använde aldrig maskinskärare, skivorna blev jämna och fina och precis lika tjocka, som de blir av mångårig träning. Och jag såg för mig den tunga, tröga pojken uppför trappan med nerböjt huvud, och de två som satt kvar i soffan.

– Jag ville följa med honom upp, men han vände sig om och sa att det behövde jag inte. Jag är stor nu, sa han, jag klarar mig själv. Så jag gick ner igen. Vi satt i varsin stol och tänkte, Oscar och jag. Förstod att någonting hade hänt. Men han var så tyst, så sluten. Det här ville han inte berätta, och vi ville ju visa honom respekt, tänkte att det var nyttigt för honom att vilja klara sig själv. Så vi gick och la oss efter en stund, men jag tittade snabbt in i hans rum. Han låtsades sova. Han låg med ryggen till och det var helt mörkt i rummet, men jag såg att han hade lagt sig med skjortan på. Jag tyckte det var konstigt. Men jag kände att han var vaken. Är det inte konstigt att man känner sådant? sa hon plötsligt och vände sig om. Jag stod lutad mot dörrkarmen och lyssnade. Ryckte till när jag mötte hennes blick. Jag såg den tröga pojken för mig, ensam i mörkret. Och modern i dörren, ängslig, lyssnande.

– Jo, sa jag. Man kan känna sådant. Jag kan känna om Eva är vaken eller inte.

– Länge låg jag vaken och tänkte, fortsatte hon. Om han var lika underlig nästa dag, fick jag sätta mig ner med honom och ta reda på hur det var fatt. Tiden gick, men han kom inte ner. Jag väntade på honom med frukosten klar, men han kom inte. Till slut gick jag upp. Han stod med ryggen till och höll på med byxorna. Jag ville hjälpa honom, men han vände sig häftigt bort och ville klara det själv. Det gör ingenting att du behöver lite hjälp, sa jag vänligt. Han var så rar. Liksom fumlig, han var ju det, men kroppen rörde sig inte som den brukade. Hans arm, den högra armen, hängde så konstigt från hans axel.

Vad är det? sa jag förskräckt. Vad är det med din arm?

Har slagit mig, sa han kort.

Men den är ju alldeles vriden! skrek jag. Och sprang fram till honom. Ville se på armen. Handen var blå och svullen och helt utan styrka. Vi kom iväg till doktorn. Axeln var ur led och armen var bruten. Senare fick vi veta att tre pojkar hade gett sig på honom och vridit och vrängt på armen tills den knäcktes. De hade frågat honom vad kungen av Norge hette, och han kunde inte svara. Det tyckte de var höjden.

Hon tystnade igen och skar två skivor till.

– Men, sa jag, vad hände då? Din man, Oscar. Gick han bärsärkagång och dödade dem som hade brutit armen på honom?

Hon skrattade glädjelöst. – Nej. Ibland, i mina elakaste stunder, har jag tänkt att om han ändå hade gjort det. Nej. Han dödade vår son. Han dödade Audun.

– Va? sa jag andlöst.

– Oscar hade sett början på det liv han skulle få. Och det skulle besparas honom. Det var väl så han tänkte.

– Men, sa jag, han tyckte väl om honom?

– Ja, ja. Han tyckte mycket om honom. Han orkade inte se honom lida. Föräldrar gör inte det, sa hon trött. Vi äter hellre våra barn än att andra ska få plåga dem.

Det var tyst en stund. Det droppade i handfatet, hon var snabbt bort och skruvade åt kranen.

– Han skulle hjälpa Audun i badkaret. Armen var gipsad, den fick inte komma under vattnet. Men han tryckte ner hela ungen och höll honom där. Ända tills det var slut. Sådär, avslutade hon. Nu vet du allt. Du kommer kanske att berätta det för alla fyrtio patienterna på avdelningen, och egentligen struntar jag i det. Ni kan ändå inte förstå.

Hennes kropp stramade till sig igen. Hon såg äldre och tyngre ut. Tröttare än någonsin. Jag stod alldeles stilla och såg på hennes rygg. Jag såg trädgårdsmästaren framför mig, böjd över blommorna. Alltid med ryggen till. Tänkte på hans starka nävar, och den tröga pojken som sprattlade och sprattlade och kippade efter andan under vattnet.

– Vad tänkte du då Sonja tog livet av sitt barn? frågade jag så småningom. Förstod du det? Du förstod det, inte sant?

– Ja. Jag förstår det. Hon skulle inte kunna ordna barnets framtid, och det stod hon inte ut med. Att leva ett helt liv i ovisshet om hur barnet hade det. Sådana är vi människor. Så fulla av rädsla för allt möjligt.

– Fick du tala med någon? Då Audun dog?

– Tala med någon? Vad skulle det tjäna till?

– Hedda säger alltid det. Det är därför vi är här. För att tala, sa jag.

– Det var inte mycket att säga, sa hon enkelt.

– Jag ska inte berätta för någon, sa jag.

– Lova nu inte något du inte kan hålla.

– Nej. Det har du rätt i. Och när det gäller människor och hur de är, har jag ingenting annat än förakt till övers för dem, sa jag dramatiskt.

– Nå! Det var värst, sa Kockan.

– Bortsett från några få utvalda, tillfogade jag. Som Tussi och Odin. Och Mor förstås. Och Korian och Kajsa och Formel. Och min vän Peter.

– Så många har inte jag, sa hon och himlade med ögonen. Jag har bara Oscar. Men så är det, en räcker.

– Det har du rätt i. En räcker. Jag kan dra in vagnen åt dig, sa jag välvilligt.

– Det kan du.

Jag vände mig en sista gång och såg förstulet på henne.

– Vad heter du? sa jag lågt.

Hon såg förvånat på mig och höll inne med namnet. Hon hade just givit mig historien om Audun som blev dränkt i badkaret, men namnet satt längre in.

– Gertrud, sa hon motvilligt.

– Det är vackert, sa jag. Det är ett hjärtevarmt namn.

Hon log stelt. – Ät nu lite. Det blir en lång och trist dag.

– Varför det? sa jag häpet.

– Doktor Freiner är död. Jag hörde det nyss.

Jag sjönk ihop under tyngden av det hon sa. Hade just lagt händerna på vagnen, stod kvar och kände på det kalla stålet. Det kunde inte vara sant. Det var vårt fel. Vi kunde ha räddat honom! Om han inte redan var död då. Jo, han var väl redan död, han såg väldigt död ut, nästan djupfryst där han satt på bänken. Jag måste vända på mig och se in i matsalen, kunde inte visa ansiktet. Freiner!

– Freiner var modig han, sa Kockan betryckt. Ingen visste vad han kämpade med, men jag ska säga dig att det var lite av varje.

– Vi vet i alla fall en del, sa jag lågt, lamslagen av upplysningen.

– Å, ni vet kanske att han drack. Det var väl ingen hemlighet. Men vet ni varför?

– Han hade ett gott skäl, mumlade jag. Det har alla.

Jag tog tag i vagnen, ville inte höra mer. Freiner är död, Freiner är död, Freiner är i verkstaden på tjärnens botten, han kommer aldrig tillbaka. Timber kom i samma ögonblick gående in i matsalen, han var grå i ansiktet. Vagnen rullade trögt över linoleummattan och guppade över listen i dörröppningen. Det klirrade i glas och bestick. Jag vände mig om igen och såg på Kockan.

– Men du vet det, inte sant? Varför han drack?

– Ja, svarade hon.

Jag stod en stund som vilsen på golvet. Fick syn på Odin. Satte mig bredvid honom. Viskade i hans öra vad som hade hänt. De blå ögonen sprätte nästan ut ur huvudet på honom men föll snabbt på plats igen. Jag drack svart kaffe till frukost. Vi som hade hittat Freiner undvek att se på varandra, men Odin var som vanligt övertygad om att Freiner hade fullbordat det öde som var förutbestämt för honom.

– Och ditt öde, sa jag, är att du ska dö för egen hand?

– Just det, sa Odin. Jag håller fortfarande på med brevet till Carmen. Själva avskedsbrevet. Jag är inne på följande: Kära söta barn. Det är vackert, men det är möjligt att hon blir förnärmad. Frågan är om jag ska ta sådana hänsyn, eller ska jag vara uppriktig till sista sekunden?

– Du dör aldrig, sa jag hårt. Du går här och går här, och äter och äter. Det är bara käften som mal!

Han fick en djup rynka i pannan.

– Jag ska säga dig en sak, sa han. Livet har inte mer att erbjuda mig nu. Min vackra Carmen som jag älskar, nåja, älskar och älskar, rättare sagt åtrår, det är av något skäl inte nog för er kvinnor, förstå det den som kan, men alltså, Carmen. När vi har gått och lagt oss, när jag är hemma på permis, och vi har lagt oss på kvällen, kniper hon ihop låren så att jag inte kan tränga in i henne. Kan du tänka dig? Vad ska jag göra, Hajna! Vad ska vi män göra när kvinnan inte vill? Vi vill bara älska er, göra er levande och lyckliga. Vi förstår inte när ni inte vill. Ni kniper ihop. Det är ett hårt liv.

– Det är viktiga saker du tjatar om, sa jag torrt. Freiner är död.

– Och vi män är så sköra. Lusten är stark men den är skör. En gång, ja, det var före Carmen, med en annan kvinna. Vi höll på för fullt och hon hade så smått börjat kvida svagt, jag älskar det där kvidandet, jag känner mig som en gud när kvinnan kvider, men alltså, tempot ökade och hon la huvudet bakåt i sängen och öppnade munnen, och jag såg alla hennes svarta plomber. Och ståndet var plötsligt som en ilandfluten sjögurka. Tråkiga saker, avslutade han.

– Tror du vi hade kunnat rädda Freiner? viskade jag.

– Hajna, sa han oberört, får jag fråga dig som kvinna, ja, jag törs inte fråga Carmen, hon blir så generad, men som man, du vet, så är det en sak jag funderar på när det gäller kvinnor.

– Tänker du inte alls på Freiner? sa jag förskräckt.

– Jo, jo. Det var tråkigt med Freiner. Å andra sidan, nu har han frid och det är mer än jag har. Men nu sitter du så lägligt här bredvid mig och dessutom är du kvinna. Det är något jag måste få veta.

– Ja? sa jag frånvarande. Men jag tänkte bara på Freiner. Jag förstod inte att Odin kunde tänka på något annat än Freiner. I

297

tankarna såg jag för mig de nästan marmorerade kinderna och den tunna, färglösa munnen.

– Du vet, p-piller, sa Odin. Carmen vill inte använda p-piller. Och ingenting annat heller, hon litar inte på något i den vägen, och då återstår ju bara gummi som enda möjlighet. Och jag har alltid undrat hur det är för er tjejer, ja, om du alltså har försökt både med och utan gummi, och det antar jag att du har, om du kunde säga något om skillnaden, ja, om det alltså är någon skillnad? Det där gummit, kan ni känna det?

Han såg stint på mig och väntade spänt på svaret.

– Det är klart, sa jag och såg åt ett annat håll.

Freiner måste antagligen tinas upp, och sedan skulle han bli lagd i kylrum och frysas ner igen. Det var konstigt att tänka på.

– Men på vilket sätt? ville han veta. Berätta!

– Ja, du vet. Det där gummit, det är ju så tunt så det känns inte, sa jag motvilligt.

– Nej?

– Men det är bättre utan.

– Jamen varför?

– För att, stammade jag och sänkte rösten eftersom det satt folk överallt, för att annars blir vi snuvade på den varma satsen. Det är inte detsamma när den blir kvar inne i gummit. Det bästa är när den flyter omkring djupt inne i oss.

Han stönade av lättnad. – Jag visste det! Jag visste det! Ändå säger reklamen att det inte förtar ett dugg för kvinnan. De ljuger. Så den är viktig, den varma satsen? Det visste jag inte, men nu vet jag det. Minsann gör jag det.

– Ska vi berätta för personalen att vi såg Freiner? Där han satt på bänken.

– Naturligtvis inte. Låt honom vila i frid. Antagligen förtjänar han det. Vad tror du om "Carmen, mitt livs ljus"?

*

Så kom Vikarius till Varden. Plötsligt, en huttrande dag med snudd på kuling, satt han i grupprummet. I tjock stickad kofta och snövit skjorta. Han var en vacker man, liten och knubbig, med vågigt hår och örnnäsa. Han satt med knäppta händer och log mot oss allteftersom vi klampade in i rummet. Han hade korta ben och svarta blanka skor. Innan han hade öppnat munnen visste jag att han hade en ljus, mjuk röst, och det stämde.

– God dag, sa han. Jag är den nya läkaren, men bara temporärt. Jag är nämligen inte psykiater utan en helt vanlig läkare utan specialistutbildning. På grund av den speciella situationen fick jag platsen i alla fall. Jag är nyfiken. Förmodligen får jag inte vara kvar så länge. I samma ögonblick som det dyker upp en mer kvalificerad sökande, måste jag tillbaka till sjukhuset där jag är fast anställd. Jag är tjänstledig därifrån nu.

Han såg länge på oss i tur och ordning. Ansiktet var milt och öppet.

– Som ni ser har jag några kilo för mycket. Det är för att jag tycker så mycket om choklad. Jag försöker banta och har faktiskt gått ner fyra kilo.

Han strålade när han sa detta. – Jag vet ingenting om er. Ingenting om hur det är att vara här, ingenting om varför ni är här. Om jag ska få något nyttigt gjort överhuvudtaget behöver jag er hjälp.

Hans ord blev hängande i luften. Aldrig hade Freiner bett om något. Aldrig hade Kandahar erkänt att han kanske behövde hjälp av oss för att förstå något som helst. Vi var lamslagna. Odin började rulla en cigg fast det inte var tillåtet, och Vikarius låtsades inte om det.

– Om jag hade rökt, sa han tankfullt och såg på Odin, som rullade och rullade, så hade jag säkert inte ätit så mycket choklad. Och då hade jag väl varit mycket smalare än jag är nu. Men jag hade knappast varit lyckligare för det. Det är det som är så konstigt.

Kanvas lyssnade till den lille mörke mannen.

– Man borde kanske unna sig bådadera, skrattade han. Lite rökning och lite choklad varje dag.

– Det viktigaste är antagligen att man bestämmer själv, sa Vikarius. Att man känner att man är herre över sitt eget liv. Det är kanske svårt här inne?

– Det är regler överallt, menade Odin.

– Sant nog. Konsten är att följa dem och ändå ha sina egna lagar, och stå för dem. Jag är i min fulla rätt att gå omkring med tio kilos övervikt. Jag är i min fulla rätt att klä mig i vit skjorta en vanlig vardag, och allt i livet som jag inte kan och inte vet något om kan inte rubba det jag trots allt kan och trots allt vet.

– Vad kan du då? undrade Stormcentret. Hon hade blivit tjock igen.

Vikarius log det intagande leendet och tänkte länge.

– Jag kan stiga upp på morgonen och duscha och klä mig. Laga min mat själv. Komma i tid till jobbet. Jag kommer ihåg att släcka lyset och låsa dörren när jag går. Jag är vänlig mot i stort sett alla mina patienter och jag stannar på jobbet tills arbetsdagen är över. Då åker jag hem igen och äter. Jag läser och tar promenader och lyssnar på musik, och jag uppför mig ordentligt mot andra människor. Och ni är också uppe och ni har på er kläder, sa han entusiastiskt. Och ni kommer hit i tid och hör på vad jag säger. Det är inte det sämsta. Men nu har jag talat för mycket. Det är för att jag egentligen är ganska nervös. Och det är inte lätt att ta över efter doktor Freiner, som arbetade här i åratal.

– Nåja, menade Odin. Det ska nog gå bra. Vi är vana vid det mesta, sa han generöst.

– Och så glömde jag nästan det viktigaste. Jag kan spå i händer, sa Vikarius ivrigt.

– Kan du? Jungfru Maria log förtjust och till och med Erkki blinkade med de svarta ögonfransarna.

– Framtiden är i alla fall så osäker att spådomar ofta är väl så korrekta som logiskt tänkande, sa han sakligt. Det finns alltid tecken. De finns överallt. Men vi har i vår jakt på full kontroll avvisat de enkla signaler som naturen ger oss. Vi ska kunna förutse och kalkylera på grundval av statistik och beräkningar och sådant. Nej, ge mig en hand, log han. I en hand ser man det mesta. För att inte tala om ett ansikte.

– Du kan få låna min hand, sa jag hjälpsamt.

– Tack! sa han ivrigt och guppade över golvet, fortfarande sittande i stolen. Det skrapade våldsamt. De andra la armarna i kors och följde intresserat med. Jag la min hand i hans knä och han tog den försiktigt, hans händer var mjuka och mycket varma. Han satt länge med min hand, öppnade den mjukt och bredde ut fingrarna, jag kände att handen blev kraftlös och skön, och det stack i nacken. Han drog med ett knubbigt finger några linjer kors och tvärs. Jag kan inte minnas att Freiner tog i mig en enda gång. Inte

Kandahar heller. Jag tror inte de vågade. Vikarius log vemodigt över det han såg i handens linjer. Vackert men vemodigt.

– Du är en skärpt och iakttagande människa, sa han medan han vred och vände på handen. Observant, noga, krävande, nyfiken och då och då en smula arrogant. Men kreativ och känslig. Minnet är utmärkt!

Han släppte handen och slog sig på bakfickan för att därpå fiska upp en anteckningsbok och en penna.

– Skriv ditt namn här, bad han. Jag behöver mer.

Jag tvekade först men skrev så mitt namn, på samma sätt som jag alltid gjorde. Han studerade resultatet.

– Ah! sa han. Ett storstilat anslag. Utformat på hög nivå. Se på initialerna, de är stora och stiliga, dekorativa, en klar markering, då och då tänker du höga tankar. Men så kryper du ihop och bokstäverna blir små. Sirlig, punktlig, noggrann. Du vill mycket men drar dig undan, saknar väl en del självförtroende kanske. Det är luft mellan bokstäverna. Du tänker innan du handlar. Små slutna bokstäver, ja, alltså bortsett från dina v:n som är öppna och tyder på, ja, förlåt mig, stark erotisk lust ...

– Wow! sa Odin.

– ... men initialerna, som är överdimensionerade i förhållande till de följande små bokstäverna, betyder att du behärskar dig och vill ha kontroll.

Han såg upp. Jag hade pokerfejset på.

– Du är estet. Ett intellektuellt väsen. Rak, klar. När du väl yttrar dig. Men du tycker om att vänta tills andra har sagt sitt. Du väger och kalkylerar, men jag ser av skönheten i namnteckningen att du är en stolt natur och att du innerst inne vill väl. När det gäller ditt förhållande till andra människor ...

– Så har jag inget annat än förakt till övers för dem, sa jag snabbt.

– Så blir du fort och lätt förtjust, och sedan mycket besviken om de sviker, rättade han. När det gäller din framtid skulle du bli förvånad om du visste hur handfast den ser ut att bli. Välordnad och väl fungerande. Men i ditt hjärta kommer du att tänka vad du vill om vad vi är och vart vi är på väg. Och sist men inte minst: du har hemligheter, avslutade han.

– Har inte du det?

Han lutade sig tillbaka i stolen och log.

– Absolut. Det är viktigt att ha hemligheter. Kom ihåg det, även om ni är här och terapeuten ska ha sitt. Ingen människa ska berätta allt. Hemligheter är en viktig del av den personliga integriteten.

Jag började tycka om honom. Det varma uttrycket i de bruna ögonen, den runda kroppen, den skamlösa näsan, som en vass klo. Alla de andra viftade med händerna och ville ha honom till att läsa i deras linjer. Och han läste överallt. I örsnibbarna, i munnens båge, i ögonbrynens fason, i skallens form.

– Vem ni är står att läsa överallt. Men det är inte modernt att använda sig av allt som alla kan se och som är fullständigt uppenbart. När vi ser varandra, ser vi väldigt mycket.

– Får jag titta på din hand? frågade Stormcentret plötsligt.

– Visst! Han räckte fram den. Hon tog den med de gula nikotinfingrarna och vred och vände på den.

– Det här är som att ta i en nyfödd hårlös valp, skrattade hon, den är mjuk och varm men också fast. Och stark, tror jag. Och kanske lekfull. Du har en praktisk hand, den är kort och bred med tjocka fingrar. Du gör saker och ting ordentligt, men inget petgöra, det ligger inte för dig.

Vi andra stirrade förargat på Stormcentret, men inte så lite imponerade.

– Det finns naturligtvis tragedier i ditt liv, kanske till och med stora tragedier, du är ju jude, inte sant? Jag tar väl inte fel? Såvitt jag förstår blev hela din släkt gasad under kriget, eller något ditåt, men ändå har du en djup och optimistisk livslinje, och du undviker att dröja kvar i det förflutna. Du lever i nuet, sa hon tvärsäkert, och du har en stark offervilja.

– *Halva* min släkt gasades under kriget, rättade Vikarius. Har jag offervilja? Det var nytt för mig.

– Det har du. Och du är antingen amatörmusiker eller lyssnar mycket på musik. Klassisk.

– Nåja, det blir väl för det mesta jazz, erkände han. Och så har jag en gammal sax hemma. Den är i stället för hund, den är renlig och jag kan motionera den inomhus.

– Jaha. Och du är gammaldags. Konservativ både när det gäller mat och konst och kläder. Se på den vita skjortan när alla andra här på Varden går i bussarong eller rutig flanell, men kanske du också blir påverkad av den progressiva miljön, förr eller senare går alla i islandströja och manchesterbyxor och röstar vänster, utom läkarna förstås, men du kan ju vara ett undantag. Du är ju inte helt ung längre heller. Och när det gäller din framtid ...

Hon stoppade plötsligt och blev vit i ansiktet. Vikarius följde koncentrerat med och alla såg på Stormcentret, som tydligen hade gjort en fruktansvärd upptäckt.

– Ja? sa han leende. Vad är det med framtiden?

– Ja, stammade hon, jag ser en katastrof av förfärliga dimensioner.

– Å, herregud! skrek Vikarius och slog sig dramatiskt för pannan. Det måste vara döden, skrek han, jag är säker på det. Jag ska dö, inte sant?

Stormcentret kunde inte hålla sig längre. – Visst fan ska du det.

– Det var häftiga utsikter, sa han. Vi får utnyttja tiden väl. De som röker får röka, men då vill jag också äta choklad och prassla så mycket jag vill med papperet. Jag har en Kvicklunch med mig. Den innehåller mycket kex och då får jag inte så dåligt samvete. Nu har jag talat för länge. Ordet är fritt.

Han tog upp chokladen och rev av papperet. Och undret skedde. Vi pratade i munnen på varandra. Vi hade aldrig gjort det förr, utom när vi grälade, men vi grälade inte, vi berättade historier och det var flera som skrattade, vi skrattade högt och hämningslöst. Vikarius hade en vacker melodisk röst med utmärkt diktion, bara att lyssna på honom var en njutning. Nu kunde väl inte Freiner rå för att han lät så raspig när han talade, men det var skönt att höra Vikarius, så avspänd och livlig. Än i denna dag vet jag inte vad han egentligen hette. Men det var han som sa att jag inte behövde bekymra mig så mycket om detta att tala, inte behövde berätta allting för Hedda.

– Skriv hellre ner det, föreslog han. Alla andra behöver inte veta allt.

– Talk is cheap, sa jag då. Writing is cheaper.

– Det, sa han och böjde sig fram och såg mig rakt i ögonen, det beror väl på vad du skriver, inte sant?

Och det slog mig att djupt inne i denna ängel till man bodde en liten fan. Men jag började skriva. Varje dag några rader i en grön bok. Jag gömde den väl, var rädd att Tjuven Tjuven skulle sätta klorna i den, och för säkerhets skull skrev jag ett namn utanpå som ingen kände till, så om den kom på avvägar skulle ingen kunna bevisa att det var jag som hade skrivit det. I åtta veckor fick vi ha Vikarius. Då hade sjukhuset en kvalificerad sökande till platsen, och en torr och grå man väntade på oss i grupprummet. Doktor Gram. (Så han fick ju aldrig heta annat än Kilo.) Kilo kunde visa upp en imponerande rad med avhandlingar och diplom, men han var rädd för oss som så många av de andra. Men det spelade ingen roll. De åtta veckorna innebar en förändring, jag höll mig fast i dem, jag manade fram hans ansikte, rösten, lukten, prasslet av silverpapper, de vita tänderna, de mörka lockarna. Jag glömmer honom aldrig. Men han for igen. Vi sa ingenting. Vi var vana vid att folk for sin väg, Vänligheten, Stetson. För att inte tala om Freiner. När personalen frågade hur det gick, den första tiden han var på Varden, nickade vi blaserat, ryckte på axlarna och sa: Vikarius? Han duger väl.

Ingen hade ord.

*

Freiner fraktades hem till sin hemstad på Vestlandet och begravdes där. Då slapp vi ställa upp och det var jag glad för. Jag hade inte kunnat se honom i ögonen, sa jag till Odin. Det behöver du inte heller, sa han. Locket är alltid på.

Och ute i världen, den som var utanför, skedde viktiga ting. Coca-Cola hade omsider hittat vägen till Kina med sina åttahundrafyrtio miljoner människor. Hur hade de överhuvudtaget klarat sig utan, tänkte jag, det måste ha varit år av saknad att döma av den explosiva försäljningen. Och Golda Meir dog, hon var åttio år, jag minns henne med cigaretten och det starka ansiktet. Och i Jonestown, djupt inne i Guyanas djungler, hade niohundratjugotre människor valt att ta sina liv. De drack saft blandad med cyanid, de hade inte ens cola. Liken låg i högar, män, kvinnor och barn, uppsvällda och stinkande i den fuktiga hettan. Senare fanns det saker som tydde på att flera blev tvingade. En del var till och med skjutna av vakterna.

– De dog i alla fall inte ensamma, sa Formel, tänk att få dö så många tillsammans, ligga tätt, sida vid sida, föräldrar och barn. Det påminner om själva domedagen. Jag till exempel kommer säkert att dö alldeles ensam, sa han bekymrat. Nåja, det överlever jag väl.

Jag var uppe vid Brønnen och konfererade med Döden. Först hackade jag hål i isen, den var ganska tjock men jag gav mig inte. Det var inte bara huvud på mig, det var krafter också. När jag var tvungen fanns det krafter.

– Hej Döden, sa jag käckt. Länge sedan sist.

– Detta kallar jag inte länge, svarade han och putsade på kärrhjulet. Det var slätt som skinn och det blev inte mindre, det varade för evigt, detta kärrhjul. Människans förbannelse, enligt Odin. När hjulet kom, gick allting på tok för fort för oss.

– En gång för länge sedan kom en liten pojke ner till dig. Han hette Audun, sa jag. Han var sju år och han dog i badkaret. Hans far menade att han skulle få det bättre hos dig. Om du förstår vad jag menar.

– Så kan det vara, sa Döden stilla. Så kan det absolut vara.

– Hedda säger att jag ska välja livet. Men vi kan ju inte se in i framtiden, sa jag bekymrat. Hur ska jag kunna välja något jag inte kan se?

– Livet är mitt framför ögonen på dig, sa Döden. Framtiden, däremot, existerar inte. Utom i din fantasi.

– Jag har tänkt mig härifrån, sa jag trumpet. Men du ska inte tro att jag har kommit på bättre tankar, eller plötsligt förstår allting eller har gripits av en våldsam livslust eller blivit botad på något sätt, för jag har aldrig varit sjuk. Inte egentligen.

– Inte det.

– Det är ren pliktkänsla.

– Jaså.

– Jag är den jag är.

– Det är du.

– Och det finns värre saker än plikt som kan driva en människa.

– Sannolikt.

– Är du inte glad?

– Du bestämmer. Jag väntar här.

– Det räcker för mig att veta att du väntar. När jag sluter ögonen, ser jag lågan som brinner. Du påminner mig förresten om en lakritsstång, kom jag på. Så lång och tunn och svart. För mycket lakrits är inte bra för hjärtat.

– Då säger vi så, sa Döden.

Vi teg en stund. Man borde tiga största delen av tiden, orden håller vi framför oss som en sköld. Den som tiger är ett hot. Därför fruktar vi tystnaden. Säg något, för Guds skull! Om du inte säger något, vet jag inte vad du tänker, vem du är, vad du vill! Vad vill du mig? Har du goda avsikter?

– Det finns ett ögonblick, någonstans, i en framtid, som är min död, sa jag. All erfarenhet säger mig att den dagen kommer, att ögonblicket är bestämt. Alltså måste någon kunna se det. Veta när det är och hur det blir.

Då log han oändligt milt i den svarta kåpan. – Allt sker just nu. I denna sekund. Ingenting annat är sant. Gå nu ut i världen och fyll sekunderna med din egen verklighet.

– Du får det att låta så enkelt.

– Det är enkelt.

– Nästan jämt är jag rädd, sa jag missmodigt. Det är för många röster. Bara i tystnaden hör jag mina egna tankar. När jag inte kan tänka blir jag galen. Jag vill bara vara här, med dig, i all evighet.

– I miljoner år ska du vara hos mig. Evigheten kommer tids nog, och den varar så länge. Just nu är du en liten gnista. En människa kan ensam tända en eld. Sedan är allt förbi. Varför så bråttom?

– Jag vill inte brinna. Jag önskar mig ingenting, jag är en människa utan begär. Har kommit till jorden i fel gestalt. Jag skulle ha varit en buske. Tagit emot det regn som kom. Vuxit i den sol som var.

– Du är ingen buske, sa Döden strängt. En buske upplever inte mycket när allt kommer omkring.

– Nej, sa jag. Busken slipper vissheten att allt borde ha varit bättre. Den bekymrar sig inte för de andra buskarna. Om blixten slår ner står den stilla och låter sig brinna. I mitt innersta är jag nog en buske, sa jag tankfullt.

– Då säger vi så, sa Döden stilla. En helt ovanlig buske.

*

Och julen bullrade in, dragen av nissar och renar och änglar med guldhår och flott och fläsk, men jag ville inte hem till pappa och Conny. De bad på sina bara knän. Anstalten var illa nog för dem, men att jag skulle vara där på julafton också, de fattade inte att just på julafton var det verkligen fint.

– Det blir så få kvar om vi åker allesammans, sa jag, några måste ju stanna kvar.

Jag tänkte på Formel och Korian och Förlåt som inte hade någon att åka till. Och så bekvämt att vara hos de mina, vara den jag var, utan förställning. Min vän Peter ringde, han sa: Det kommer ett nytt år. Du får pallra dig ut till de levande igen. Jag sa: Jag jobbar på det. Han sa: Du har jobbat på det i tio månader. Jag sa: Tjata inte. Vi samlade ihop till ett kilo Kong Haakon till Vikarius, han blev så rörd att han fick tårar i ögonen. Han tittade in på julafton, stod i dörren och log, var framme vid julgranen och fingrade på pyntet. Han gick stadigt ner i vikt och var snyggare än någonsin. Vi sa det till honom. Men då skrattade han och sa att det lägger jag väl på mig igen. Det är ju ändå jul. Kvalificerade sökande stod i kö för att överta hans plats, och vi fick alltså Kilo. Som om någon kunde ersätta Vikarius. Och Timber tittade in fast han var ledig, och Kockan slog till och kokade flottyrringar åt oss. Det var de största och fetaste flottyrringar jag någonsin hade sett. Det var vaniljsocker inuti och pärlsocker utanpå, och Odin åt och åt och Freddy, som hade tappat sju kilo, sa: Är det jul så är det jul och langade in. Efteråt strosade jag ut i köket där Kockan stod och rörde i en kittel med glögg. Färgen på den kryddade drycken påminde om Rubens hår, och jag saknade Stetson.

– Det finns ingen i hela världen som kan göra så goda flottkransar som du, Gertrud, sa jag uppriktigt.

– Nu ska du inte överdriva, sa hon kort, men jag såg att hon blev glad.

Vi hade apelsiner och marsipan och Stormcentret skalade en apelsin och brände skalet över stearinljuset i dagrummet så att det luktade jul överallt. Och jag såg på dem, de som måste vara kvar, på Formel och Jørgen och Jungfru Maria, och Korian och Tussi, och Odin och Disco, och jag gömde dem i mitt hjärta för evig tid. Och Erkki fick julkort från fadern i Amerika, när han öppnade det började det spela, Jingle bells, Jingle bells, och hans min var obetalbar. Fröjd och fest och gloria! skrek han och adamsäpplet hoppade som en groda under halsskinnet på honom. Och det var inga lagar och regler som gällde, inget sängdags, ingen släckningstid och mycket sen frukost på juldagen, någon talade om halv elva. Och inget gruppmöte och inget gemensamt möte utan långa, kalla, klara dagar som luktade jul. Kanske skulle jag lämna Varden. Jag hade sått ett frö och det spirade obehagligt fort. Blev till levande bilder. Ett rum någonstans, som var mitt rum. Jag kunde lägga mig och sova efter middagen om jag ville, och ingen skulle komma och rycka upp mig igen, jag behövde faktiskt inte äta alls, och ingen kunde kommentera det och tjata om att jag åt för lite eller bestämma hur mycket jag skulle väga. Jag kunde ha en teve helt och hållet för mig själv och se de program jag ville och inte gräla med Tjuven Tjuven som bara ville se amerikanska serier. Herre över mitt eget liv. Sova hela förmiddagen. Gå förbi folk på gatan, inte behöva prata med någon eftersom jag inte kände dem, och ingen skulle stanna till och ropa: Läget, Hajna? Hur har du det? Jävligt meningslöst, när du nu frågar. Jag är full av tunga tankar, de trycker ner mig, jag är trött och jag fryser.

Och jag är i min fulla rätt!

Jag tänkte på detta medan jag dåsade i stolen. Full av ingefärsdricka och Nozinan och Truxal. Och jag tänkte på gamla dagar på anstalten, när överläkaren for omkring i släde med bjällror och facklor och hade gottpåsar till alla. Och Odin var så lätt till sinnes, han hade klippt håret och ansat skägget och ätit sig mätt och belåten. Hans kinder var röda och varma. Han ville inte hem till Carmen, hon höll fortfarande på och knep ihop låren. Vilket nederlag det måste ha varit för henne att han föredrog oss galningar framför hennes spända lår. Han rullade en cigg mellan fingrarna, en perfekt, tjock, vit cigarett som han rökte långsamt. Han hade ljusblå skjorta, nystruken, kanske Mor hade gjort det, han kunde inte stryka själv, klarade inte kopplingen mellan ordet "stryka", som uppstod i hjärnan, och armen, som höll det glödheta järnet, blev bara stående i djupa tankar och brände plagget. Omsider gäspade han.

– Jag tror jag går och kojar, mumlade han med en blick på oss. Vi nickade och tuggade och glufsade och rapade. Några spelade backgammon, Maria satt med örat klistrat vid radioapparaten, där

Jussi Björling sjöng O, helga natt. Odin reste sig och såg på oss, på var och en i tur och ordning.

– Som sagt. Klockan är mycket, sa han och stod kvar, och vi sa ja, ja utan att se på honom, vi var upptagna med vårt. Ingen såg den långa svarta blicken när han vände sig om och gick. Vi bara fortsatte med vad vi höll på med. Och Odin gick väl långsamt och tungt uppför trappan till sitt rum, tänkte vi, lät dörren stå på glänt, många gjorde det, krängde av sig skjortan och la sig i säng-en med byxorna på. Trodde vi. Som vanligt glömde han att släcka ljuset, nattpersonalen brukade göra det åt honom, och då och då låg det dessutom en cigarett och glödde i hans askkopp som måste släckas. Han hade för vana att snarka så det mullrade. Det var för-resten inte likt Odin att vara den första som kojade. Det gjorde han nu inte heller. När Mor gick ronden var hans säng tom. Han kom aldrig tillbaka.

Ensam gick Odin under stjärnorna. Längs vattnet, förbi badbryg-gan, sedan över åkrarna, genom skogen till järnvägsspåret. Gick längs linjen i tunna skor och väntade på nattåget. Han måste ha hört det tidigt i tystnaden, långt innan det nådde honom. Kanske gick han med ryggen till, kanske stod han stilla och väntade, kan-ske låg han ner på skenorna, hopkrupen medan skenorna dunka-de i örat på honom, dunkade och dunkade, närmare, närmare, kommer snart, kommer snart, sa tåget i natten, sa skenorna i örat på Odin. Det dånade i huvudet på honom, det brusade i öronen där han låg på skenorna. Han var redan på väg bort. Bara en svart skugga, sa lokföraren dramatiskt, hade ingen chans att stanna. Jag kunde ha sagt honom att Odin inte var någon skugga utan stor och stark, full av muskler och kraft. När de äntligen lyckades stan-na, sprang de förvirrat omkring och letade i mörkret. Hittade om-sider den förstörda kroppen, försökte förtvivlat dra ut honom. Och det slog dem kanske hur lätt han var, där de stod och drog i hans skor. De fick bara loss benen. Resten av Odin låg kvar under tåget.

Mor stod framför oss med sorgsna ögon. Det var nästan ingen-ting kvar av henne. Men hon skulle inte bryta samman, det fick de inte, de måste vara starka för vår skull. Jag blev stum som en möbel. Odin hade pratat så länge om slutet att jag inte alls tagit honom på allvar. Jag grät inte. Det klämde åt om hjärtat så att det nästan inte slog. Ett svagt buller bredde ut sig på Varden, som tunna vibrationer, ökande i styrka. Personalen gick omkring och betraktade oss med vaksamma ögon, släpp för Guds skull inte förtvivlan lös, vi är bara tre i tjänst! Förlåt satt i ett hörn och darrade. Odin krossad under hjulen på tåget. Odin den starke. Vi hade trott att han var odödlig, ett berg av muskler och energi. Jag gick in i dagrummet och sjönk ner i en stol. Fick syn på Tussi. Han stod vid fönstret med ett plågat drag över munnen och petade på en kalplockad växt. Han lyfte huvudet och mötte min blick tvärs över rummet. Hur ska det gå för dig nu? tänkte jag. Stackars Tussi. Stackars oss.

Vi sov inte, vi vakade inte, vi satt som stoder i grå möbler och stank av nikotin. Det var så tomt efter Odin. Så tyst i rummet. Jag var trött och jag frös. Jag gick till städskrubben. Låg på golvet och lyssnade på surret av röster inifrån personalrummet. "Väldigt inflytande på Tussi", hörde jag. "Smittsam effekt. Extrapersonal, borde kanske ha ledsagare ett par veckor. Mummel mummel. I farozonen. Tala med modern. Vet ju erfarenhetsmässigt, inte ovanligt, fler som följer efter. Har ju försökt ett par gånger redan. Halvhjärtat? Mummel mummel. Inte så säker på det."

Jag vände mig på rygg och stängde ute rösterna. De hade inte lyckats passa Odin, och de skulle inte lyckas passa Tussi. De visste det. Kunde bara vidta några enkla åtgärder och hoppas på det bästa. Genom luckan hörde jag Kandahars djupa röst. "Hans eget val." Det var det sista som sas. Jag smög mig ut, gick upp på rummet och la mig under täcket. Den här dagen var det ingen som kom och ryckte upp oss ur sängarna. Det var tomt i dagrummet. Bara Mor var inne och dukade av borden och bar bort den förstörda växten. Och Carmen hade kanske fått sitt brev.

Kära Carmen.

När du läser detta är jag död.

Så skulle Odin i jord. Och något fruktansvärt hände, något alldeles oförlåtligt. Jag gick till personalrummet, knackade tre gånger med knogen på glaset. Gardinerna var fråndragna. Mor reste sig genast, i motsats till Cato som alltid drog det i långbänk. Man fick knacka två eller tre gånger innan han äntligen hörde och reste sig outhärdligt långsamt med plågad min. Men Mor lät oss aldrig vänta. – Jag ville bara höra om Odins begravning, sa jag. Var ska han ligga? Och när ska det ske?

Mor såg ner ett ögonblick innan hon ryckte upp sig. Hon såg olycklig ut.

– Kära du. Jag är ledsen att behöva säga det, men de närmaste har bestämt att begravningen ska ske i stillhet.

Det tog ett tag innan jag fattade vad hon sa.

– I stillhet? Får vi inte komma?

– Ja, de säger i stillhet. Och den innefattar bara familjen. Vi måste tyvärr rätta oss efter det.

– Ska inte du dit heller?

– Nej.

– Men, inte någon av oss? Formel eller Tussi eller jag? Som var tillsammans med honom så mycket?

Min röst var på väg upp i falsett.

– Det verkar inte så, sa hon stilla. Det var tydligt att hon var sårad över beslutet.

Jag måste stödja mig mot väggen. Att Odin skulle begravas och att vi inte skulle få komma till kyrkan, det var mer än jag kunde fatta.

– Det är Carmen, inte sant? sa jag bittert. Eller är det hans gamle far? Nej, det är Carmen.

– Hon är hans hustru. Vi kan bara inte ifrågasätta hennes önskemål.

Jag vred händerna i raseri.

– Är hon rädd för att kyrkan ska vara full av galningar kanske? Tror hon att vi kommer att ställa till bråk? Får vi skicka blommor då? Eller vill hon inte ha blommor från galningar heller?

Jag skrek nu, och hon hyssjade åt mig.

– Jag tycker det är bedrövligt. Och oförståeligt. Hon vet inte hur mycket han betydde för er.

– Då kan du väl berätta det för henne! bad jag.

– Tyvärr, Hajna.

– Hon vet det mycket väl. Hon är svartsjuk på oss. För att han hellre ville vara här än hemma hos henne.

– Hajna, sa hon bönfallande. Han borde kanske ha åkt hem till henne. Man kan se det här från flera sidor. Försök att göra något av dagen för er själva, för att minnas honom. Något ni brukade göra tillsammans. Ta en promenad i skogen. Gå omkring och tänk på honom, gå igenom allt han var och allt han sa och tänkte. Ni kände honom så väl. Häng inte upp dig på att du inte kommer innanför dörren just den här dagen. Senare kan ni besöka graven. Det kan hon inte hindra. Då kan ni ta blommor med er också.

Jag vände Mor ryggen och gick i raseri. Jag var så upprörd att jag inte kunde tänka klart. Moffa satt i dagrummet och rökte. Jag berättade för honom om änkans skandalösa beslut.

– Ja. Än sen då? sa han lågt.

– Jamen hör du inte! Vi får inte komma!

Moffa blåste föraktfullt ut röken genom näsan.

– Ska hon låsa dörren till Varden och sätta kedja på kyrkdörren då? fnyste han. Det är klart vi ska på begravningen! Jag ska ta reda på när det är, och så möter vi upp alle man, men vi väntar tills alla de andra har gått in och satt sig. Vi väntar tills orgeln har spelat färdigt också, och när prästen har kommit igång med minnesorden, då smyger vi oss in och sätter oss snällt på sista bänken. Du vet, Carmen kan inte ge sig till att jaga oss mitt under akten. Det törs hon inte. Hon är feg, Carmen.

– Hon är ogin också, sa jag. Hon kniper ihop låren så att Odin inte kan tränga in i henne.

– Kunde, rättade Moffa. *Kunde* tränga in i henne. Han är död.

– Men kyrkvaktmästarn. Han kommer väl att vakta dörren. Han slår igen den mitt i ansiktet på oss!

– Tror jag inte. När alla ser ut att ha kommit, går han och sätter sig, kanske lite vid sidan om, och följer akten. Han kan inte hoppa upp och börja knuffa ut oss, han törs nog inte ställa till bråk på det viset. Vi överrumplar honom helt enkelt.

Jag var upprymd av Moffas plan och vi samlade ihop ett ordentligt begravningsgäng och planerade. Ingen skulle kunna beskylla oss för etikettsbrott. Alla skulle ha mörka kläder och ingen skulle komma med så mycket som en hostning medan vi satt i kyrkan. Jørgen måste ha talförbud, och vi skulle ha med oss blommor som bara var från oss. När allt var över skulle vi gå efter kistan, tysta med sänkta huvuden, och när de övriga var färdiga med sitt skulle vi bara gå fram och lägga blommorna på locket. Om det fanns plats på locket, annars skulle vi lägga dem på marken intill, i snön. Vi fick med Enny och Förlåt och Formel och Disco och Korian och Maria och Tussi och Jørgen. Stormcentret strök sig plågat över pannan och menade att hon inte skulle klara det, medan Bino hade planerat en tur till Molde med taxi så hon sa också nej. Alla kollade i garderoberna efter snygga kläder, jag fick låna en svart kappa av Enny, hon hade päls och ville hellre ha den på sig. Jag åtog mig ansvaret för blommorna, samlade in pengar, åkte till centrum och gick in i en blomsteraffär. Jag stod länge och drog in doften av alla slags blommor. En ung flicka stod bakom disken och log. Jag tänkte: Hon är så ung och vet ingenting om döden. Jag var lite besviken. Jag ville ha hjälp av en expert, inget fusk med blommorna till Odin. Men jag såg ingen annan där inne. Hon tuggade tuggummi. Det tyckte jag var opassande.

– Det är till en begravning, sa jag. Det är, jag menar, det var en nära vän. Vi är flera som ska vara med om den. Det är viktigt att den blir vacker, vi vill inte att den ska komma bort bland alla de andra blommorna, för det kommer att bli väldigt mycket blommor. Du förstår, han var anställd vid universitetet och antagligen kommer det blommor från alla hans professorer och studenter. Så vi vill gärna att den ska vara vacker.

– Det är en man? sa hon frågande och log vänligt, alls inte avskräckt av att blommorna var till en död. Hon tog ut tuggummit av ren respekt och jag mjuknade lite.

– Ja. Man. Trettioåtta år, sa jag hjälpsamt, uppmuntrad av hennes brist på osäkerhet. Nej, nu är han trettionio. Jag menar var. I sin bästa ålder.

– Berätta om honom! bad hon.

Ja, sa jag tvekande. Odin, han var så mycket. Det är inte så lätt. Han var mycket speciell, sa jag. Så det måste vara en mycket speciell bukett.

– Jag behöver veta ungefär hur mycket den får kosta, sa hon. Och det är inte så att de dyraste är de finaste, la hon till, jag säger det bara för ordningens skull. De stora och pråliga är inte alltid de vackraste. Tyckte han om några särskilda färger?

– Han brydde sig inte så mycket om färger. Du vet, han är inte så lätt att förklara, sa jag famlande.

– Då plockar jag ihop något så blir du säkert nöjd, sa hon leende. Hon var egentligen söt. Det verkade som om hon gladde sig åt uppgiften, och det fanns varken tvivel eller osäkerhet i det unga ansiktet. Hon kunde blommor, jag kunde Odin, så enkelt var det. Vi kom överens om att jag skulle hämta buketten på begravningsdagen, som var den andra januari. Vi hade bestämt oss för att dela på taxi till kyrkan, vi kunde inte sitta och guppa på bussen med de vackra blommorna. Och dessutom måste vi kolla tiden så att vi kunde smyga oss in i det rätta ögonblicket. Vi måste faktiskt vara vid kyrkan långt före de andra, värdiga, och hålla oss gömda tills alla var på plats. Vi kunde heller inte lämna Varden i samlad tropp i svarta kläder, men med täckjackor och sådant utanpå kappor och rockar kunde vi försvinna i smågrupper, och då skulle inte personalen fatta vad vi höll på med och stoppa oss. Inte av elakhet naturligtvis, men de var ju på änkans sida. Vi tyckte det var ett svek.

Den stora dagen grydde. Det var en viktig dag för oss. Vi var säkra på att Odin skulle ha vänt sig i kistan om vi hade uteblivit från kyrkan. Jag hämtade blommorna medan Moffa och de andra väntade i två taxibilar. När hon kom ut ur kylrummet med buketten i famnen blev jag alldeles överväldigad. Det var en kraftig och tät men inte stor bukett av vita rosor och vita liljor, och längst in, som själva bukettens hjärta, satt en enda djupröd ros, så mörk att den stötte i svart. Jag nickade stumt när hon höll fram den mot mig, den var kall som is, den hade stått länge i kylrummet, precis som Odin inför den stora dagen. Våra namn hade hon omsorgsfullt skrivit med svart tusch, med fina snirklade bokstäver. Och den sista hälsningen: Lycklig resa! Jag betalade och tog andäktigt emot den. Gick ut till bilen, höll buketten långt från kroppen så att inte ett enda blad skulle klämmas.

Det blev alldeles tyst inne i bilen då de andra fick se buketten. Sedan stod vi gömda bakom kyrkväggen och frös. Jag kände mig som en tjuv, som måste stjäla mig till ett avsked från en vän. Moffa var utsänd som spejare. Han stod bakom en häck och följde människorna som långsamt gick in i kyrkan. När alla var inne ställde han sig vid porten och lyssnade. Efter ett tag kom han springande, nästan oigenkännlig i mörk kostym som han hade köpt på Fretex. Han vinkade ivrigt och vi gav oss iväg. Ljudlöst tryckte han ner klinkan och vi gick tysta in. Det första jag såg var

Odins kista längst uppe vid altaret. Den var fullständigt täckt av blommor. Så gled vi in i den bakersta bänken, ingen hörde oss över mullrandet från prästen, som just erinrade de sörjande om att Odin hade fått som han ville och att vi skulle betänka det i denna sorgens stund. Långt där framme såg vi Carmen i ljus päls bredvid en gammal man, som jag antog var Odins far. Jag la blommorna i knät och böjde huvudet. Jag hörde inte vad prästen sa, glömde de andra runt omkring mig, satt bara tyst och tänkte på Odin. Att han låg i den vita kistan med sina stora spretande fötter, som två uppslagna dörrar på sina gångjärn. Maria sjöng psalmer, hon var som i himmelriket. Tussi var som en främling med ordentliga kläder utanpå städrocken och skinnhandskar utanpå gummihandskarna. Jag är inte alls död, sa Odins röst, jag hörde den i mitt öra, tydligt genom psalmsången. Jag är inte alls död, jag har bara återvänt.

Kyrkvaktmästaren fick syn på oss. Vi såg trotsigt tillbaka på honom, och som Moffa hade förutsett vågade han inte resa sig. Men han såg absolut bekymrad ut.

Då hände något. Kyrkporten for upp, inte sakta och försiktigt, den gick upp med ett brak. Vi spratt till, alla andra i kyrkan spratt till och alla vände sig om och stirrade nerför mittgången, för det stod någon där i svarta kläder. Det var Erkki. Lite förvirrad blev han stående, ur stånd att röra sig, överraskad över att porten hade fått sådan fart och förlägen för att alla stirrade. Han kastade osäkert med det långa håret som han brukade och såg sig omkring efter en plats. Moffa gled ögonblickligen längre in i bänken, och Erkki snubblade in och rev samtidigt ner psalmboken så att den dråsade i golvet. Han plockade upp den, fumlade för att få den att stå på den lilla kanten på ryggstödet framför, kastade med håret igen och harklade och hostade. Nu var vi avslöjade. Carmen hade sett oss. Hon stirrade förfärat på det tysta gänget på sista bänken. Den gamle mannen bredvid stirrade också. Jag lutade mig över Moffa, klappade Erkki på låret och log. Vi hade inte frågat om han ville vara med och jag skämdes djupt och innerligt. Jag kommer aldrig att förlåta mig själv, aldrig att förlåta mig själv. Han log inte tillbaka, satt bara som en staty, kunde varken sjunga eller be. Jag klappade honom ännu en gång på låret. Församlingen hade äntligen fattat schäsen, de stirrade på oss med jämna mellanrum för att se om vi höll oss i skinnet, och det gjorde vi. Så var alla ord sagda, jag hade inte hört så mycket av dem. Men vi väntade artigt tills alla hade rest sig, satt med händerna i knät då följet skred förbi. Carmen gick med högburet huvud och stelt trots i de bruna ögonen. Så följde vi den tysta processionen av sörjande ut ur kyrkan, genom snön, på behörigt avstånd. Sex unga män bar den vita kistan. Det var gnistrande kallt och en blek sol till Odins ära, och en ridå av iskristaller dansade i ljuset. Jag stod hela tiden med blommorna i famnen, de var klara som glas, vita och vackra som snön, och den enda svartröda rosen påminde mig om Odins blödande hjärta. Prästen kastade lite torr sand på kistlocket och en sista psalm sjöngs. De var inte särskilt bra på att sjunga, hade det inte varit för Jungfru Maria skulle det ha varit spinkigt. Så upplöstes alltihop. Carmen bevärdigade oss inte med en blick, hon ilade iväg mot en mörk bil med en blick på den gamle mannen. I det skarpa vinterljuset såg jag tydligt likheten med Odin. Han var magrare, med samma profil och samma vilda hår. Plötsligt kom han gående bort mot oss där vi stod och väntade. Vi rätade på ryggarna. Blommorna från oss skulle bli de sista som las ner. Vi skulle nöja oss med en plats i snön. Vi ville vänta. Vi ville vara i fred med vår sorg.

– Svärfar, hörde vi en tunn förmanande röst. Kommer du? Det var Carmen som ropade.

Han viftade bort henne och fortsatte mot oss. Han var en mycket myndig herre, det syntes på det sätt han rörde sig på. Så stannade han och såg länge på var och en av oss. Utan att någon hade sagt ett ord förstod han naturligtvis vilka vi var. En blick på Erkki var i regel nog.

– Längst fram är det ledigt, sa han och nickade mot kistan.

– Blir vackert med blommor i snön, sa Jørgen och bugade. Han hade glömt talförbudet, han var så rörd. Blir nästan lite överjordiskt med den röda rosen i den vita snön, och i vilda helvetes förbannelser!

– Det blir vackert, sa fadern med stadig röst medan blicken höll fast Jørgens ansikte.

Vi andra höll andan. Jørgen hade antagligen slarvat med medicinen på sistone, eller så var det dags att öka dosen.

– Hoppas vi inte generar någon, fortsatte Jørgen rodnande. Vi tyckte mycket om Odin, ser ni. Han var en, en jävla karlakarl och hedersman av det sällsynta, och pissochskit, gödslet!

Odins far nickade långsamt. – Det är som om jag skulle ha sagt det själv, log han. Jag tackar för att ni kom. Och jag tackar för de vackraste blommorna av alla.

Han såg på buketten som jag höll i famnen och hans ögon var fulla av tårar. Jag var så stolt där jag stod, och så fruktansvärt ledsen, men jag växte och blev stor, mycket längre än vanligt. Så vände han sig en sista gång mot den vita kistan. Man kunde se på hans ansikte att han var mycket stolt över sin son. Så gick vi fram, en efter en, fulla av högtid och sorg. La blommorna i den vita snön, där Odin hade sina fötter. Erkki höll sig i bakgrunden, som om han inte ville störa, men vi gjorde en lucka i raden och vinkade på honom. Sakta kom han gående in i cirkeln.

– Jag hoppas de hittade, hoppas de hittade alltihop, sa Formel bekymrat, alla fingrarna, alla tårna. De var ju spridda överallt. Det stod i tidningen.

– Det gjorde de säkert, sa Moffa och harklade bort något skräp i halsen. De är väldigt noga med sådant.

*

Mars 1979.
Snön smälte. Trädgårdsmästaren Oscar var på plats utanför Varden, vakade över de blekgröna skotten som syntes i den svarta jorden. I smyg betraktade jag hans händer, de var starka men samtidigt varsamma när de pysslade med knopparna.

Hedda hade vallmoklänningen på sig fast det var kallt, men tjockare strumpor än hon använde på sommaren, och det kom för mig att hon hade blivit ett år äldre. Det hade jag också.

– Jag vill ut, sa jag. Jag är färdig här. Känner mig främmande och utanför. Odin är borta. Det är så tyst i dagrummet. Jag hör inte hemma här längre. Det är bäst att jag åker. Någon behöver min plats.

– Jag ska hjälpa dig, sa hon.

– Nej. Jag ska ordna det själv. Hitta en bostad. Jag sätter in en annons i Aftenposten. Jag har en massa pengar. Sjukpengar, jag kan bo i ett år för dem.

317

Det gick två dagar och annonsen infördes. Jag visade den för Hedda. Hon rynkade pannan.

– "Rum med utsikt över kyrkogård önskas." Varför det?

– Det är en hemlighet, sa jag.

– Undrar om du får något svar på den.

Jag fick svar. En äldre man ringde. Han hade två små rum på andra våningen i ett äldre hus i centrum av staden med praktfull utsikt över kyrkogården tvärs över gatan. Väldigt trevligt, varmt och kallt vatten. Men inte eget badrum. Du kan låna mitt, jag är ändå nästan aldrig där. Ordentligt kök, du kan laga mat och så. Hans röst var djup och fast.

– Vad kostar det? undrade jag.

– Sjuhundra i månaden.

– Jag tar det.

– Vill du inte se rummen först?

– Du säger ju att det är trevligt.

– Det är det.

– Då packar jag mina saker. Det är bara lite kläder och en stereoanläggning. Är det möblerat?

– Det nödvändigaste. Säng och bord och två stolar. Garderob och kylskåp. Jag har en gammal teve som jag kan ställa där uppe om du vill. Svartvit. Sjutton tum.

– Ja tack, sa jag.

– Eftervård, sa Hedda.

– Nej tack, sa jag. Jag vill vara i fred.

Sextonde mars. Det var precis ett år sedan jag steg över tröskeln till Varden. Jag hade packat bagen och lirkat ner Bang Olufsen-anläggningen i en stor pappkartong. Jag satt på sängen där sängkläderna redan var borttagna, det fanns inget spår efter mig, nästa man stod på tur, någon vettskrämd själ från slutna avdelningen. Formel drog fram och tillbaka i korridoren utanför, han var blyg, ville säga något men fann inte ord. Jag ville inte gå omkring och säga adjö, jag kände att jag svek dem.

Men jag sa några ord till Formel. De gröna ögonen såg tappert på mig, men jag såg att han var ledsen. Jag skulle vänta med att åka till efter middagen så att det blev kväll fort, det var Heddas goda råd. Hon sa: Tiden går så sakta när du kommer ut. Du anar inte hur sakta. Du kommer att känna varje sekund, jag vet att det är så, andra har åkt före dig och det är vad de säger. Varenda sekund. Det är inte för sent att ordna med eftervård.

– Vill inte.

– Men du lovar att ta kontakt med din egen läkare? Doktor Raglan?

– Tjata inte.

Klockan fem gick jag ner till bilen, som min vän Peter hade lånat och använt varsamt, och dessutom tvättat och parkerat på besöksparkeringen. Jag hade inte kört på tolv månader, men du vet, det är som att cykla, man glömmer det inte. Den gamla Opeln väckte något inom mig, påminde mig om det som varit, att jag en gång hade kört omkring och varit en del av den svindlande trafiken. Kanvas hjälpte mig med mina saker och Hedda följde efter. Jag var tom och konstig, inte rädd, bara tömd på något. Herre över mitt liv. Jag satte mig i bilen, Hedda stod och stod, ville inte släppa dörren, såg på mig med sina vänliga ögon. Det slog mig hur länge vi hade suttit tillsammans och pratat. Hur mycket jag hade berättat, hur länge hon hade lyssnat. I ett helt år hade hon lyssnat.

– Du fryser, sa jag. In med dig.

Hon släppte dörren motvilligt.

– Hajna, sa hon. Svara mig ärligt. Har vi betytt något för dig? Har vi gjort något rätt?

Året passerade revy, brokigt och överväldigande som en tropisk storm.

– Jag vet inte, sa jag uppriktigt. Fråga mig igen om tjugo år.

Hon log och nickade.

– Jag kommer aldrig att glömma er, sa jag.

– Jag vet det, svarade hon.

I ett fönster skymtade jag Formels ansikte. Vem skulle krama Tussi? Vem skulle gå med Formel till Brønnen? Vem skulle förse Tjuven Tjuven med små presenter varje morgon? Vem skulle hänga i dörren in till köket och prata med Gertrud? Bildörren slog igen. Och Hedda stod kvar medan jag vred om nyckeln och bilen sakta gled ut från Varden. Jag körde längs vattnet där vi hade gått så ofta, Formel och jag, Odin och jag, Moffa och jag, Stetson och jag, tätt ihop, bort från Varden, ut på äventyr. Så tänkte jag på Freiner. Vad hade han tänkt där han satt på bänken och långsamt frös ihjäl? Hörde han oss? Förstod han att vi vände honom ryggen? Jag kommer aldrig att förlåta mig själv. Aldrig förlåta mig själv.

En äldre man kom ut när jag körde in på gården. Han måste ha suttit och väntat, kanske tittat genom fönstret efter bilen. Det var ett äldre tvåvåningshus, ganska trevligt, men det behövde målas. Den lilla lägenheten låg på andra våningen och hade snedtak. Han stod bredbent på trappan, tog i hand och bugade.

– Georg, sa han och tog bagen.

– Hajna, sa jag och tryckte hans kraftiga näve.

– Hajna, det var ett vackert namn.

Så gick han före uppför trappan, en solid trappuppgång med målade väggar, grönt och gult, det var väldigt fint och gammaldags. Han öppnade och vi kom in i ett kök. Det var varmt och gott och ljuset var tänt. Innanför köket låg ett litet rum där det stod en soffa, ett bord och två gamla gröna länstolar. Väggarna var nakna.

– Ville inte hänga upp något, sa han. Sådant vill du väl göra själv.

– Döden, sa jag och såg på honom, och han ryggade lite och rynkade pannan. Döden med flicka i famnen, la jag till. Jag har den alltid med mig. Det är en vacker bild.

– Jaha, sa Georg.

Han såg trevlig ut. Som en äldre upplaga av Timber. Jag gick till fönstret och såg rakt på kyrkan med sin höga röda spira.

– Det är väl bra, eller hur? Var det såhär du hade tänkt dig?

– Det är fint, sa jag och beundrade kyrkan.

– Har du mat med dig? Jag ställde in en cola och ett paket korv i kylskåpet. Du får säga till om det är något som saknas. Har du sängkläder?

– Ja.

– Du får låna telefonen när du vill. Det är bara att knacka på. Jag är alltid hemma.

Jag nickade.

– Din bil ser trött ut, fortsatte han. Jag kan titta på den om du vill. Jag är bra på att meka med bilar, och det mesta kan fixas med delar från Hoggern. Som sagt, om du vill.

Jag nickade igen. Vi stod kvar, mätte varandra med blicken, båda förlägna, han en aning generad men angelägen att ställa upp, och jag, plötsligt utlämnad i ett främmande rum med en främmande man. Även om jag stod i hans hus som innehöll hans saker, uppförde han sig redan som gäst i min bostad. Jag tyckte om honom. En bild rullade fram på näthinnan innan han hade lämnat köket. Bilden av dagrummet på Varden, fullständigt dimmigt av rök, radion på P3, Kanvas i militärskjorta, han berättade roliga historier från Dillingøy, Stormcentret som rasade, Kockan som kom in med sockerkaka och nyblandad saft. Jag var alldeles ensam i det här färglösa köket. Jag kunde inte röra benen.

– Jag går ner och hämtar din stereoanläggning, sa han. Jag hör lite illa, så det är bara att spela på. Du får gärna spela högt.

Varför är han så snäll? tänkte jag. Är han rädd kanske?

Alla dessa ord. Han försvann nerför trappan och jag skyndade till fönstret för att se en gång till på kyrkogården. Klockan var halv sex. En dag åt gången. Du känner varje sekund. Jag öppnade kylskåpet och såg på korvarna. De låg och mumlade inuti plasten, tyckte jag, en brödskiva hade varit bättre. Georg kom upp igen med kartongen.

– Som sagt. Om det är något. Jag har gott om tid. Är förtidspensionerad.

– Jaha, sa jag.

– Hjärtat, sa han och la en hand på bröstet. Bekännelsen gjorde honom illa till mods, ändå skulle det fram i ljuset.

Jag tackade honom artigt. Jag var ute i världen och hade stött på en vänlig själ. Det fanns hopp. Han ville mig väl.

Georg drog sig tillbaka. Jag sjönk ner på en stol vid köksbordet, fortfarande med blicken fäst vid kyrkogården, spiran och gravarna. Huset låg vid en tyst gata, någon enstaka bil gled förbi, det var skönt att det fanns några som var igång där ute. Något att se på genom fönstret. Jag kände mig som en kruka på en hylla där jag satt vid bordet i fyra minuter. Jag kunde packa upp, det skulle ta tid, kläder måste in i skåp, tandborste på plats i glaset vid handfatet. Och teve hade jag. Jag gick in och satte på den, men det var bara testbilden. Jag stängde av den igen. Det var barnteve klockan sex, ingen hade något att göra med vad jag såg på teve. Och det gjorde ingenting att det var svartvitt heller. Jag la underkläder i en låda och byxor och tröjor på hyllorna ovanför, den skära nallen jag hade fått av Stetson fick plats i soffan och Döden med flicka i famnen ställde jag på fönsterbrädan. Jag arbetade långsamt, ansträngde mig att dra ut på tiden, jag hade ju tid, var fortfarande sjukskriven. Det tog sex minuter att få kläderna på plats. Jag fyllde vatten i en panna för att koka kaffe. Det skulle också ta tid. Jag rökte en cigg och klockan blev fem över sex. Jag satte på barnteve, kastade mig på soffan, den var fast och fin. Jag provade stolarna också, de var bra. Jag skulle sitta i dem och läsa en god bok. Sådant som alldeles vanliga människor gör. Teven visade en tecknad film. Jag ville kolla programmet men hade glömt att köpa en tidning, på Varden låg alla tidningarna i dagrummet, det var bara att förse sig. Hädanefter måste jag köpa mina tidningar själv, allt måste jag göra själv. Jag kunde koka en korv och äta den, även om jag egentligen var vegetarian, det skulle ta en tio femton minuter. Och klockan skulle långsamt, långsamt krypa mot sju. Jag borstade tänderna grundligt, det tog tre minuter. Jag hittade blå stearinljus i en låda, droppade några droppar i en skål och fick fäste. Georg hade köpt ljusen, hade gått till affären, stannat vid hyllan där ljusen låg och valt de blå. Så många beslut att ta. Hur skulle jag klara alla dessa val? Jag blev lamslagen av allt jag måste klara. Klockan blev tio i sju. Jag diskade kaffekoppen och fatet. Rullade en cigg till. Det var nyheter på teve. Nu satt de uppradade i teverummet på Varden, tänkte jag, och såg på nyheterna tillsammans, kommenterade, ryckte på axlarna, någon sa fy fan, det var då för jävligt, och de andra nickade, och någon reste sig och hämtade saft från vagnen och någon frågade ska vi ta ett parti whist? Jag såg åter ut på kyrkogården. Det var långt till Brønnen från Georgs hus, jag kunde inte gå dit och tala med Döden. Jag reste mig ändå, tog på mig jackan och gick ut. Det var skymning och kallt. Jag gick över gatan och in på kyrkogården, in mellan gravarna. Läste på stenarna, såg på klockan, den var halv åtta. Jag stannade en stund, gick omkring på måfå. Jag frös och jag var trött. Ingen annan syntes. Jag gick upp igen, smög mig uppför trappan, ville inte att Georg skulle höra mig. Stearinljuset stod och brann. Sådant måste jag komma ihåg, inte gå ifrån ett brinnande ljus, jag kunde ha bränt ner hela huset för Georg, det skulle ha sett ut det! Jag öppnade kylskåpet och tog ut colan. Hittade ingen öppnare. Ville inte gå ner och störa, inte första kvällen. Jag försökte öppna den mot kanten på bänken, sedan mot en halvöppen låda, men det gick inte. Jag drack ett glas vatten i stället. Klockan var femton minuter över åtta. Jag satte mig, jag reste mig, jag borstade tänderna en gång till, jag såg mig i spegeln. Det var mycket obehagligt. Jag tvättade händerna. Jag måste gå på toa. Smög mig nerför trappan och in i badrummet. Hörde teven inifrån Georgs rum, han lyssnade efter mig, jag var säker på det. Jag gick upp igen, det var fjorton trappsteg. Klockan var halv nio.

Jag satte väckarklockan på ringning. Tänkte lite på nästa dag. Då ringer den, tänkte jag, och då stiger jag upp. Och äter kall korv. Och borstar tänderna. Och går ut på stan och tittar på folk. Köper det jag behöver i butiken. Går hem igen. Läser tidningen. Äter lite. Tittar på teve kanske. Borstar tänderna och lägger mig. Och sover. Och stiger upp. Och sover och stiger upp. Om och om igen. Så är livet. Det är banne mig inte mycket. Freiner är död, tänkte jag sedan, och det är vårt fel.

*

Någon knackade tveksamt på dörren. Det var Georg, han stod där med ett brev. Någon hade redan hittat mig på min nya adress. Det var oroväckande.

"Eftersom du nu har varit sjukskriven ett år, bör du överväga vad du vill göra i framtiden", stod det. "Du kan ansöka om sjukpension, om du inte anser dig i stånd att arbeta, eventuellt kan du ansöka om deltidspension, och dessa blanketter kan jag hjälpa dig med. Jag kan också ge dig rekommendationer om du så önskar. Det är bra om du tar kontakt med mig så snart som möjligt, eftersom behandlingstiden för sådana ansökningar är mycket lång. Vänliga hälsningar. Dr Raglan."

Sjukpension? Jag stod med brevet i handen och såg ut på kyrkogården. En antydan till vår märktes i trädkronorna, ett plötsligt mildväder. Frukost, tänkte jag. Meny dag ett: en kall korv. Måste klä på mig, tänkte jag. Måste ha tag i en radio. Så mycket som måste ordnas. Senare hörde jag Georg dra i snöret på toa, och sedan dörren som slog igen. Det betydde att badrummet var ledigt. Pension. Femtio procent sjuk, eller ännu värre, hundra procent. Jaså, verkligen? Är det ryggen kanske? Reumatism? Inte det? Ångest och depression, bevare mig väl! Du borde kanske ägna dig åt något. Om man gör något håller man rädslan borta, vet du. Flaxa med vingarna, annars faller du till marken! Jag klädde mig, satte mig vid fönstret. Staden var i full gång, trafiken ökade, folk skyndade förbi på väg till det ena eller andra. Tänk att de hade så mycket att göra allesammans, medan jag satt vid bordet och kände varenda sekund. Jag sköljde kaffekoppen och fatet i diskhon, tvättade mig framför spegeln, ville inte gå ner i Georgs badrum. Jag gjorde mig i ordning, tog på mig mina bästa kläder och gick ut. Georg stod med huvudet under huven på min Opel. Han tittade upp.

– Behöver du bilen?

– Nej. Jag går.

– Ingenting här som behöver kosta så mycket, sa han snabbt. Läckage i batteriet och ett litet oljeläckage. Slitna bromsklossar. Du har kanske hört ett väsande ljud när du bromsar? Om du alls bromsar, ni ungdomar är ju så tuffa i trafiken, men du måste ha kört länge med dåliga bromsar, det är det viktigaste. Och vajern till handbromsen är av och du saknar ett baklyse.

– Du menar att bilen saknar ett baklyse?

Han log brett. – Däcken är blankslitna, men de går att regummera, du behöver inte köpa nya, och det kostar inte skjortan. Jag kan ordna det åt dig.

Jag stod och trampade på gården. Jag orkade inte med fler beslut nu. Allra minst i fråga om den gamla Opeln.

– Dessutom är tändningslåset slitet, du kanske har lagt märke till att det då och då är svårt att vrida om startnyckeln? Saken är den att förr eller senare kan du inte vrida om den alls. Du blir stående och bänder och vrider och den går fan inte runt. Så vi måste byta tändningslåset.

– Jaha?

– Jag hittar säkert något hos Hoggern. Jag kan ordna det åt dig. Och kolen i generatorn, de är fullständigt utslitna.

– Ja, ja, Georg, sa jag. Det där ordnar du nog. Men, du vet, jag måste kila.

– Visst, det är bra. Jag ville bara orientera dig lite. Vi ska nog fixa den här Opeln. Sa han och dök ner under huven igen.

Länge gick jag omkring i staden. Innan dagen var slut, hade jag skaffat mig ett arbete. Jag gick hem igen och ringde på Georgs telefon till pappa och Conny. Jag är frisk nu. Jag är ute igen.

Maj 1979.

Det var sent på kvällen, och mörkt. Ingen kunde se mig inifrån, men jag kunde titta in genom fönstren i dagrummet. En flicka gick och höll sig om huvudet med båda händerna. En okänd vårdare kom in med saftvagnen. Jag såg Korian stå i ett hörn och räkna fingrarna. Så gick jag baklänges ut på parkeringsplatsen och räknade fönstren från vänster och fann mitt eget. Där bakom stod min säng. En annan låg i den nu. Jag smög mig fram till baksidan av huset, klättrade upp på en sopcontainer, nådde precis upp till fönstret. Formel satt i soffan och tänkte. Då och då lyfte han på huvudet och såg mot fönstret som om han märkte mig. Plötsligt började han klia sig i ögonen med de tunna fingrarna. Så slet han ut ögonen och kastade dem över golvet. De hoppade och studsade som små gummikulor. Han satt kvar och vaggade med hopknipna ögon, blind för världens elände. Jag hoppade ner igen. Stod en stund med hängande axlar. Hörde inte hemma på Varden. Hörde inte hemma på rummet. Kände mig som en främling överallt. Då gick jag inåt skogen, till Brønnen. Skogen var så tät och blå, det djupa susandet fyllde mig med ro. Jag såg ner på vattenspegeln. Ansträngde ögonen till det yttersta, fick till sist syn på den lilla lågan.

– Hej, Döden. Känner du igen mig?

En svag rörelse djupt där nere, som om något vände sig om i mörkret.

– Känner och känner, sa han lågt och putsade på kärrhjulet.

– Det är ju jag, Hajna. Jag har flyttat, sa jag.

– Det har du.

– Men Odin har kommit. Han kom för att han ville det.

– Så är det, sa han stilla.

Sedan teg vi båda två. Jag fyllde näsan med lukten av tjära och jord och damm från hans verkstad.

– Vet du vad jag tänker på, sa jag så. Att en dag blir det stilla också vid din dörr. Och ingen kommer mer, för vi finns inte längre, någon av oss.

– Det blir en stor tystnad, sa Döden.

– En stor och vacker tystnad, sa jag. Som den allra första morgonen. Jag ser din låga som brinner. Jag kan se den när jag vill. Den håller mig varm.

– Den brinner ständigt, sa han.

– Nu går jag, sa jag och reste mig. Det kanske dröjer ett tag till nästa gång.

– Jag väntar här.

– Jag måste upp och jobba som andra människor. Varje morgon stiger jag upp, för jag lär mig aldrig.

– Nej, sa Döden och log underfundigt. Hur skulle det gå om vi lärde oss?

Jag såg ut över vattenspegeln. Den slöt sig och blev svart och ogenomskinlig. Jag gick åtta steg och stannade. Ropade över axeln till honom.

– Du är min allra bästa vän. Håll lågan brinnande!

\*

Du skulle kanske bli glad om jag berättade hur det gick för de andra som var på Varden detta år, från mars 1978 till mars 1979. Vad vill du veta? Odin är död. Erkki är död. Tussi är död, de fann honom i Brønnen, gungande med det ljusa håret vajande som sjögräs i det svarta vattnet. Han är i himlen nu, strövar omkring med en korg på armen, äntligen befriad från rocken och handskarna. Plockar blommor och smultron. Du skulle säkert bli glad om jag berättade att Jørgen Tics är präst i en kyrka i Danmark. Han står stadigt i predikstolen och förkunnar, medan tanterna på första bänk dånar vid åsynen av hans ljusa lockar. Tag emot Guds nåd! ropar han. Och ingen tvekan i leden! Det var förresten han som vigde Moffa och Maria, de gifte sig nittonhundraåttiotvå. Du skulle kanske gilla om Kajsa drev sitt eget kafé och stortrivdes med det. Om Formel vore lärare vid ett gymnasium med stor framgång. Om Korian bodde hos en gammal tant som han skötte om och pysslade med. Du skulle kanske bli glad om jag berättade att Ruben och Stetson är ihop fortfarande och har ingått partnerskap. Och att Stormcentret har fått jobb i en plantskola där hon går omkring bland begonior och petunior, stark som en björn med de stora blomlådorna över axeln. Och att Moffa jobbar på en oljeplattform i Nordsjön. Och Freddy? Han är en känd poet. Du skulle bli glad om det vore så, inte sant? Och så är det.

Under skjortan har jag ett hjärta som värker, som en stor sprick-
färdig böld med papperstunn yta. Jag visar det aldrig för någon.
Ångesten är en lurvig byracka. Nätterna igenom ligger den i säng-
en och stirrar på mig, vaksamt. I samma ögonblick som jag slår
upp ögonen, störtar den fram och hugger tänderna i mig. Varje
dag vinner jag kampen mot odjuret.

Det är ljust ute och någon ropar. Jag hör det tydligt, en tunn
barnröst. Plötsligt har jag en liten flicka. Hon är redan uppe. Jag
kör bort odjuret från sängen. Reser mig sakta, sätter fötterna på
golvet. Om och om igen går jag ut ur huset. Solen silar sitt guld
genom lövverket och värmer trappan där jag står barfota. En
tungt lastad humla lyfter med stor möda och stryker över huvu-
det på mig. Flickungen står böjd över något på marken, den späda
rumpan i vädret. Hon hör mina steg.

– Räven har tagit en höna igen, säger hon uppgivet. Bara några
fjädrar kvar. Den skiträven.

Hon är lillgammalt indignerad. Plockar upp blodiga fjädrar från
marken, väljer en och stryker sig över kinden med den, får ett
plötsligt utbrott.

– Och den fetaste förstås, kommer hon på. Girig är han också.
Attans räv! Hör du, mamma?

– Ja, säger jag gravallvarligt.

– Det är synd om hönan, snyftar hon argt.

– Ja, säger jag. Men räven är mätt.

Då skrattar hon igen och jag störtar fram och kramar henne
hårt, som en solklar rättighet, slår det mig, så jag drar mig lite till-
baka. Men hon skjuter inte bort mig. Inte än.

Skogen står tät och svart runt huset. Byrackan nosar omkring
mellan träden. Jag ser de gula ögonen lysa bakom de svarta stam-
marna. Den väntar på mörkret. Men vi är ute i solen.

Just nu är vi ute i solen.

| | |
|---|---|
| Isabel Allende | Ödets dotter |
| Douglas Adams | Liftarens guide till galaxen |
| Mitch Albom | Tisdagarna med Morrie |
| Karin Alvtegen | Saknad |
| Karin Alvtegen | Skuld |
| Lena Andersson | Var det bra så? |
| Karen Armstrong | Kampen för Gud |
| Werner Aspenström | Samlade dikter |
| Kate Atkinson | Känslomässigt udda |
| Margaret Atwood | Den blinde mördaren |
| Paul Auster | New York-trilogin |
| Majgull Axelsson | Aprilhäxan |
| Majgull Axelsson | Långt borta från Nifelheim |
| Majgull Axelsson | Rosario är död |
| Majgull Axelsson | Slumpvandring |
| Maeve Binchy | Eldflugornas sommar |
| Maeve Binchy | Nora O´Donoghues dröm |
| Judy Blume | Sommarsystrar |
| David Bodanis | $E = mc^2$ |
| Louise Boije af Gennäs | Ingen mänska en ö |
| Louise Boije af Gennäs | Ju mer jag ser dig |
| Louise Boije af Gennäs | Rent hus |
| Louise Boije af Gennäs | Stjärnor utan svindel |
| Louise Boije af Gennäs | Ta vad man vill ha |
| Joan Brady | Gud på en Harley-Davidson |
| Joseph Brodsky | Kommentarer från en ormbunke |
| David Eliot Brody/Arnold R. Brody | Upptäckterna som förändrade världen |
| Charlotte Brontë | Jane Eyre |
| Ernst Brunner | Stoft av ett stoftkorn |
| Ernst Brunner | Vallmobadet |
| Peter Buggert | Kamouflage |
| Candace Bushnell | Sex and the City |
| Deepak Chopra | Vägen till kärlek |
| J.M. Coetzee | Onåd |
| Jenny Colgan | Amandas bröllop |
| Michael Connelly | Blodspår |
| Michael Connelly | Dockmakaren |
| Michael Connelly | Poeten |

| | |
|---|---|
| Raymond Paredes-Ahlgren | Hur många gånger kan man döda en man? |
| Julie Parsons | Friargåvan |
| Kristian Petri | Den stulna novellen/Nattboken |
| Jayne Anne Phillips | Moderskärlek |
| Robin Pilcher | Med havet emellan |
| Rosamunde Pilcher | Midvinter |
| Rosamunde Pilcher | September |
| Rosamunde Pilcher | Snäcksamlarna |
| Per Planhammar | Tims bok |
| Agneta Pleijel | Lord Nevermore |
| E. Annie Proulx | Sjöfartsnytt |
| Björn Ranelid | Min son fäktas mot världen |
| Björn Ranelid | Till alla människor på jorden och i himlen |
| Björn Ranelid | Tusen kvinnor och en sorg |
| Ian Rankin | Den hängande trädgården |
| Ian Rankin | Svarta sinnen |
| Patrick Redmond | Händelser vid Kirkston Abbey |
| Kathy Reichs | Dödligt beslut |
| Carina Rydberg | Den högsta kasten |
| Nelly Sachs | Samlade dikter |
| Christina Schwarz | Fruset vatten |
| Bosse Schön | Svenskarna som stred för Hitler |
| Anita Shreve | Pilotens hustru |
| Anita Shreve | Vikten av vatten |
| Simon Singh | Kodboken |
| Linda Skugge | Det här är inte en bok |
| Zadie Smith | Vita tänder |
| Kerstin Strandberg | Tio syskon i en ömtålig berättelse |
| William Sutcliffe | En tripp till Indien |
| William Sutcliffe | 6 x kärlek |
| Olov Svedelid | Dödens budbärare |
| Olov Svedelid | Mitt namn är Eduard Braun Hitler |
| Susanna Tamaro | Gå dit hjärtat leder dig |
| Kerstin Thorvall | Det mest förbjudna |
| Rose Tremain | Musik & tystnad |
| Göran Tunström | Berömda män som varit i Sunne |
| Linn Ullmann | Innan du somnar |
| Penny Vincenzi | Spetsnäsduken |